El romancero viejo

Letras Hispánicas

El romancero viejo

Edición de Mercedes Díaz Roig

VIGÉSIMA EDICIÓN

CÁTEDRA

LETRAS HISPÁNICAS

1.ª edición, 1976
20.ª edición, 2002

© Ediciones Cátedra (Grupo Anaya, S. A.), 1976, 2002
Juan Ignacio Luca de Tena, 15. 28027 Madrid
Depósito legal: M. 30.722-2002
ISBN: 84-376-0080-4
Printed in Spain
Impreso en Huertas, S. A.
Fuenlabrada (Madrid)

Introducción

Para Paco, Marisol y Lina

Qué es el Romancero tradicional

El romancero tradicional es una de las manifestaciones más importantes de la poesía folklórica hispánica. Nace en la Edad Media como la expresión española de la balada europea, pero con ciertas características propias que la diferencian de ésta.

La pujanza del género y su aceptación son tan fuertes, que los romances se tradicionalizan y perduran hasta nuestros días, cubriendo todo el territorio peninsular e hispanoamericano; sigue vivo también en diversas comunidades de origen español, como los judíos sefardíes de todo el mundo y los mexicanos establecidos en el sur de Estados Unidos.

De acuerdo con el momento histórico en que se recogen y publican los textos romancísticos, el Romancero tradicional se divide en Romancero viejo (textos recogidos o publicados en los siglos XV, XVI y parte del XVII) y Romancero de tradición oral moderna (textos recogidos en los siglos XIX y XX).

Hay diferencias notables entre los textos de ambas recolecciones, sin embargo las semejanzas, sobre todo estilísticas, y la supervivencia de ciertos temas y motivos, permiten asegurar que se trata del mismo género y que las discrepancias se deben a cambios impuestos por su paso por el tiempo.

Qué es un romance

Un romance es una canción narrativa con ciertas características formales y estilísticas que se van a tratar de definir a lo largo de esta Introducción. A grandes rasgos se puede decir que se trata de una composición con un número indeterminado de versos de dieciséis sílabas (o de doce), con rima asonante, que relata, con un estilo propio, una historia de interés general y que, por lo tanto, es retenida y repetida por una parte de aquellos que la oyen, difundiéndose así en el tiempo y en el espacio. Esta repetición no es estética, sino dinámica, ya que suele presentar cambios que dan lugar a una notable gama de variaciones en los diferentes textos de cada romance; la conciencia de que cada texto de un mismo romance puede (y muy frecuentemente éste es el caso) tener diferencias respecto a otro similar, ha llevado a considerar cada uno de estos textos como *versiones* de un mismo romance.

Todos estos puntos ameritan matizarse y serán objeto de varios incisos de esta Introducción.

FUENTES

Nuestro conocimiento del Romancero se basa en dos tipos de fuentes: las escritas y las orales. La primera forma es la única manera en que tenemos acceso al llamado Romancero viejo, mientras que para el Romancero de tradición oral moderna las fuentes orales son más numerosas que las escritas.

Fuentes para el Romancero viejo

El conjunto de textos que constituye el Romancero viejo ha llegado hasta nosotros gracias al interés que despertó el género en los siglos xv y xvi y, posteriormente, en el xix.

El humanismo renacentista, nostálgico de la edad de oro en la cual el hombre no estaba corrompido por la civilización, tomó la literatura popular como ejemplo de las formas más naturales y espontáneas de la humanidad. Así, se reivindicaron los proverbios (muestras de sabiduría), los villancicos (muestra de sensibilidad) y los romances, que abarcan conocimiento, sensibilidad e imaginación. Las cortes renacentistas empiezan a apreciar el arte de los juglares justamente por ese sello de poesía sencilla que lo hacía contrastar con las creaciones conceptistas de la época y que lo hacía aparecer como algo muy cercano a ese ideal del hombre primitivo.

No es una casualidad, como observa Menéndez Pidal[1], que el primer testimonio del aprecio cortesano del romance se dé en la corte napolitana de Alfonso V de Aragón, mucho más susceptible a las corrientes del Renacimiento italiano. En la segunda mitad del siglo XV el romancero llega a la corte castellana y es cultivado por poetas y músicos, quienes, al ensalzar el género, ponen de moda lo que la gente venía cantando desde hacía mucho. Así, hay un enorme interés por el Romancero tradicional, o de tipo tradicional, que se traduce en una infinidad de publicaciones (cancioneros y pliegos sueltos) de las cuales muchas han llegado hasta nosotros, y constituyen nuestra principal fuente de conocimiento de los romances viejos.

Pero, con una especie de justicia poética para este Romancero oral, que conocemos impreso, el primer testimonio que tenemos de un romance tradicional es un manuscrito del estudiante mallorquín Jaime de Olesa que, en 1421, anota de memoria el romance, muy tradicionalizado, de *La dama y el pastor*[2].

Hay otro testimonio no menos revelador. Se trata de tres textos *(Rosaflorida, El conde Arnaldos* y *El caballero burlado)* incluidos en el *Cancionero de Londres* (compilado entre 1471 y 1500) y firmados por Juan Rodríguez Padrón. Menéndez Pidal opina, acertadamente *(ib.,* pág. 13), que son romances tomados de la tradición oral y no compuestos por el poeta, quien se convierte así en el primer literato en usar los romances tradicionales en su propia obra poética. Por otro lado tenemos, de 1454, el *Romance de la señora reina de Aragón,* escrito por Carvajales y que imita el primer verso del romance de *El conde Alarcos;* también de la misma época conservamos *Miraba de Campo Viejo...* (texto núm. 21), uno de los más bellos romances, que mezcla acertadamente lo culto y lo popular.

En estos cuatro hitos tenemos la pauta de lo que fue el Romancero en los siglos XV y XVI: poesía oral en activo, para entretenimiento personal (manuscrito Olesa), para creación literaria con pequeños arreglos personales (Rodríguez Padrón), base formal y estilística para composiciones nuevas *(Miraba de Campo Viejo)* y punto

---

[1] *Romancero hispánico,* II, pág. 19. Para estas y otras citas de libros y artículos, cfr. la Bibliografía (págs. 70-80).
[2] Cfr. texto núm. 125, versión de este romance.

de partida para otros romances cultos, con pocos elementos tradicionales (Carvajales). En efecto, en los años siguientes se publicarán tanto romances tradicionales recogidos de boca del pueblo, como romances de la misma procedencia pero arreglados por impresores y poetas, y romances hechos a la manera tradicional, sin faltar aquellos romances donde la mano culta es definitiva y dominante.

Pasemos ahora a hablar de las fuentes literarias propiamente dichas. Las hay de dos tipos: los pliegos sueltos (ediciones populares) y los cancioneros y romanceros editados para la minoría pudiente.

Los pliegos sueltos

A finales del siglo xv los romances empiezan a aparecer, junto con otras composiciones poéticas, en publicaciones de tipo popular (cuadernillos de ocho, dieciséis, y hasta de treinta y dos páginas) que se vendían a un precio ínfimo. Su fragilidad fue causa de su destrucción; pese a que se editaron por millares, apenas conservamos unas centenas de ellos. El más antiguo que se posee parece estar editado en Zaragoza alrededor de 1506. Sobreviven algunos impresos en Sevilla (1510), Burgos (1516), Barcelona (1525), Valencia (1532), Salamanca (1532), Toledo (1533), así como de otras ciudades con fechas posteriores. Dice Menéndez Pidal que el último pliego suelto es de 1605; se refiere, naturalmente, a la época de auge del Romancero impreso, porque los pliegos sueltos se han seguido editando hasta el siglo xix y viven aun hoy en día bajo la forma de cancioneros populares. Es cierto que la presencia de romances tradicionales en estos pliegos es cada vez más escasa desde finales del siglo xvi, pero no dejan de figurar en ellos este tipo de textos[3]. Para un conocimiento cabal de esta forma de publicación en los siglos de oro es menester consultar el magnífico *Diccionario de Pliegos sueltos* de A. Rodríguez Moñino. Estos pliegos antiguos se conservan en algunas bibliotecas españolas (por ejemplo la Bi-

---

[3] Por ejemplo, *El cancionero del Bajío,* de amplia difusión en toda la República Mexicana, donde figura el romance de *La adúltera,* muy popular en México con el nombre de *La Martina.*

blioteca Nacional de Madrid), así como en bibliotecas extranjeras (Universidad de Praga, Universidad de Cracovia, por ejemplo) y en bibliotecas particulares. Han sido reeditados por eruditos desde el siglo XIX[4].

Cancioneros y romanceros

La publicación de romances en libros parece que comenzó algo más tarde. Algunos romances se imprimieron en el *Cancionero general...* (1511) y en el *Cancionero de Londres* antes citado. Hacia 1525 se imprimió en Barcelona el libro *Cincuenta romances...*, del cual nos quedan solamente dos pliegos, por lo que no sabemos la cantidad de romances tradicionales que contenía. La primera publicación de un libro dedicado exclusivamente al Romancero es la de Martín Nucio que hacia 1547 (o 1549) imprimió en Amberes un cancionero de romances que conocemos como el *Cancionero de romances s.a.*, y que contiene 150 romances, de los cuales, según Menéndez Pidal, 118 son tradicionales. Tal fue el éxito de este libro que tuvo varias reediciones en las que se añadieron más textos. Las más notables son *El cancionero de 1550* (editado por el mismo Nucio) y la *Silva de Zaragoza* (1551)[5]. A partir de entonces, y durante un cuarto de siglo, se multiplican las publicaciones con romances tradicionales[6]. Poco a poco se codean con estos romances de nueva factura hechos más o menos a su semejanza, como los romances de tema amoroso o histórico. Entre los de tema histórico se encuentran los llamados romances cronísticos; sus autores reaccionaron ante las muchas inexactitudes que contenían los romances tradicionales y compusieron, utilizando la misma forma, textos basados en las crónicas, que relataban fielmente los acontecimientos históricos. La gran mayoría de estos romances cronísticos son poéticamente muy inferiores; tan sólo algunos autores como el

---

[4] Cfr. en la Bibliografía, Textos, «Principales colecciones de romances viejos en reediciones modernas», págs. 65-66.

[5] Cfr. Bibliografía, *ibíd.*

[6] Según Di Stefano, «La difusión impresa del romancero antiguo en el siglo XVI», fueron 54 cancioneros y romanceros con un total de 104 ediciones.

Caballero Cesáreo o Lorenzo de Sepúlveda lograron componer textos de una cierta calidad. Por otra parte, los romances trovadorescos, de factura culta, que los poetas cortesanos habían empezado a escribir hacía tiempo, extienden su temática (amorosa) a la de los romances tradicionales (históricos, épicos, caballerescos...); en las palabras de Menéndez Pidal, estos poetas revisten sus composiciones con un ropaje lírico y emotivo. A finales del siglo XVI comienza la gran boga del Romancero nuevo, hecho por poetas conocidos (Lope, Góngora, etc.) y que trata, con un estilo que nada tiene que ver con el tradicional, temas amorosos en ambientes moriscos y pastoriles y hasta temas históricos, todo ello de una manera artificiosa. El Romancero nuevo desplaza al viejo en el gusto del público e invade libros y pliegos. El gran auge del Romancero viejo, en lo que se refiere a su publicación masiva, termina hacia 1580.

Di Stefano, en su estudio antes citado (cfr. nota 6) muestra las diferencias entre las clases de romances tradicionales editados en cada una de las dos formas primordiales (cancioneros y pliegos). Los libros manifiestan una predilección por los temas épicos, mientras que los pliegos la muestran por los temas caballerescos y novelescos. Podríamos hablar, pues, de un gusto culto y otro popular donde contrastarían lo épico y lo novelesco. La tendencia popular por lo novelesco es obvia hoy (el pueblo canta casi exclusivamente este tipo de romances) y según Di Stefano lo era también, aunque no tan marcada, en el siglo XVI. Sin embargo, no hay duda de que en la Edad Media y en el Renacimiento los romances épicos eran altamente apreciados por el pueblo, puesto que los conservó en su memoria y de allí los tomaron los impresores de cancioneros y romanceros del siglo XVI.

Fuentes secundarias

Nuestro concocimiento de textos antiguos depende también, aunque en menor medida, de los libros de música, de los de historiadores y poetas y de las obras de autores teatrales.

Ya en el *Cancionero musical de palacio* (finales del siglo XV), que contiene el repertorio musical de la corte de los Reyes Católicos, se hallan algunos romances fragmentados debido a su adaptación para el canto. En el siglo XVI varios músicos los incluyen también en sus libros; podemos citar a Milán (1535-36), Narváez (1536), Mudarra (1546), Pisador (1552), Fuenllana (1554), Venegas (1557) y Salinas (1577)[7]. El contenido de estos libros nos indica una preferencia por los temas novelescos y caballerescos, o sea que aquí los músicos coinciden con el gusto popular. Esta preferencia es natural puesto que este tipo de romances tiene muchos más elementos líricos, lo que los hace ideales para la actividad musical[8].

Algunos historiógrafos incluyeron romances en sus obras. Podemos citar a Argote de Molina y a Pérez de Hita[9], que utilizan romances históricos para ilustrar los acontecimientos que citan. Los poetas, por su parte, recogen también textos tradicionales de tipo novelesco y los publican, con reformas, entre sus obras; el ejemplo más ilustre es el de Juan Timoneda y sus *Rosas.*

El teatro es fuente importante para el conocimiento (y sobre todo la difusión) de los romances tradicionales. Parece ser que el primer testimonio de la utilización de un romance en el teatro es la obra de Francisco de la Cueva, *Farsa del Obispo don Gonzalo* (1587). Posteriormente, autores tan ilustres como Lope de Vega, Guillén de Castro y Vélez de Guevara incluyen romances en sus obras y basan muchos de sus argumentos en temas romancísticos. Obviamente, la mayoría de estos textos están arreglados por el dramaturgo de acuerdo a las necesidades de la obra donde figura. Como un ejemplo de lo anterior, podemos mencionar el romance de *Las quejas de Jimena* que, en una versión muy semejante a la incluida por Wolf y Hoffmann en su *Primavera y flor de romances* (cfr. texto núm. 30), utiliza Guillén de Castro en *Las mocedades del Cid* (1618). En un parlamento de Jimena (acto III) de 25 versos, el autor usa 17 versos del romance viejo (13 literales y 4 con pequeños cambios) e intercala 8 versos de creación propia. Parte

---

[7] Respectivamente: *Libro de música de vihuela intitulado el Maestro, Delfín de música, Tres libros de música, Libro de música de vihuela..., Libro de vihuela intitulado Orfénica Lira, Libro de cifra nueva,* y *De música libri septem.*

[8] Cfr. Di Stefano, *ob. cit.,* pág. 389.

[9] *Nobleza de Andalucía,* 1588 e *Historia de las guerras civiles de Granada,* 1595, respectivamente.

del diálogo de la escena primera del primar acto está basado en los hechos que relata el romance *Afuera, afuera, Rodrigo...* (cfr. texto núm. 159) en la ceremonia en que el Cid fue armado caballero. Guillén utiliza, además, a lo largo de toda la obra, innumerables motivos tomados de otros romances del ciclo cidiano[10].

Finalmente, no hay que dejar de lado los manuscritos particulares como el de Jaime de Olesa y los de poetas y músicos, como el de Juan de Peraza[11].

Hasta aquí hemos hablado de las fuentes para el conocimiento de textos (completos o fragmentos), pero para tener una idea más amplia de los romances que cirulaban en los siglos de oro, los eruditos han recabado una serie de citas de romances o de versos extrayéndolos de obras o de las muchas *Ensaladas* que tenemos. Así, sabemos que el romance de *Bernal Francés* era conocido, pues tanto Góngora como Lope lo parafrasean. También hay versos de *El conde Olinos* incluidos en una versión de *El conde Arnaldos* (la publicada por Rodríguez Padrón); de *La envenenadora* se citan dos versos en una comedia de Lope, lo mismo que de *Silvana* en una obra de Francisco M. de Melo y de *La doncella guerrera* en Jorge Ferreira de Vasconcelos. El *Vocabulario* de Correas también nos proporciona versos de romances que se proverbializaron, etc.[12].

El siglo XIX y su importancia

En consonancia con lo sucedido en el Renacimiento, también el Romanticismo trajo consigo una revalorización de la poesía popular, «poesía popular» contrapuesta a la artística; los estudiosos utilizan los textos antiguos a su alcance para probar la frescura y pureza del hombre no echado a perder aún por la civilización. Los romances y baladas pasan por creaciones de tiempos remotos, obras de la comunidad (conjunto de los *bons sauvages* rousseaunianos) que habían llegado hasta nuestra pervertida cultura.

El movimiento romántico tuvo ilustres representantes en Ale-

---

10 Sigo la edición de Clásicos Castellanos.
11 Ver nota al romance núm. 46.
12 Para todo lo anterior, cfr. Menéndez Pidal, *Romancero Hispánico,* II, págs. 407-412.

mania y en Inglaterra, así como en el resto de Europa. Hay varias publicaciones con romances de los siglos de oro, que no siempre contienen romances viejos (aunque así los consideraran sus editores) sino eruditos y artificiosos y una buena parte del Romancero nuevo. En España hay que mencionar a Agustín Durán con su *Romancero general*. Fernando José Wolf y Conrado Hofmann tuvieron el enorme mérito de seleccionar entre todos los textos de los siglos de oro aquellos que pertenecían al Romancero viejo. Los publicaron con el título de *Primavera y flor de romances* (Berlín, 1856) y ésta es sin duda la mejor y más completa colección editada en el siglo XIX. Menéndez Pelayo la reeditó a finales del siglo (Madrid, 1899) y figura en su *Antología de poetas líricos castellanos*. El mismo Menéndez Pelayo publicó en su *Apéndice*[13] otros romances sacados de fuentes no utilizadas por Wolf Hofmann. Este corpus, ya considerable, se incrementó en el siglo XX con algunos textos más descubiertos por eruditos en bibliotecas y colecciones nacionales y extranjeras.

Hay una clara diferencia entre las publicaciones de los siglos de oro y las de los siglos XIX y XX, y es que las primeras se hicieron para un público que cantaba romances y que quería aprender otros, mientras que las segundas estaban dirigidas a los eruditos para los cuales el Romancero se convirtió en materia de estudio[14].

Problemas que plantea el corpus

Dos cuestiones principales preocupan a los estudiosos del Romancero viejo ante el corpus existente. La primera es que dicho corpus no representa más que una parte de lo cantado en los siglos XV y XVI. Prueba de ello son las menciones de romances nunca publicados, o que no han llegado hasta nosotros, así como la existen-

---

13 «Apéndices y Suplemento a la *Primavera y flor de romances de Wolf y Hofmann*». Véase la bibliografía.

14 Hay que exceptuar aquí las varias publicaciones modernas dirigidas al público. Además de los textos para uso escolar, hay que destacar la antología de Menéndez Pidal, *Flor nueva de romances viejos*, que ha tenido una gran influencia en la revitalización del romancero por su enorme difusión.

cia en la tradición oral moderna de muchísimos romances de los cuales no tenemos noticia en los siglos de oro. Ya Menéndez Pidal puso de relieve[15] la parcialidad de las colecciones antiguas que desecharon, por ejemplo, todos los romancillos (doble hexasílabo y doble heptasílabo), así como los romances pareados o estróficos, los de tema rústico, los religiosos y muchos de aquellos romances-cuento, de los cuales a veces se consigna tan sólo un fragmento.

A esta parcialidad de la recolección antigua se une una segunda característica (no ausente tampoco en algunas recopilaciones modernas): su relativa fidelidad a lo cantado. Sabido es que Martín Nucio arregló y completó los textos que usó en sus publicaciones cuando las versiones que tenía eran confusas o fragmentadas. Esta práctica debió ser común en otros impresores, que mezclaron también versiones de distinta procedencia. No hay duda de que poetas, autores dramáticos y músicos arreglaron los textos que usaron; la huella culta es muy obvia en algunos. Finalmente, hay que consignar que los romances viejos aparecían muchas veces fragmentados, es decir, bien con el comienzo exabrupto, por ejemplo, con un diálogo (cfr. textos núms. 13 y 97), bien con final trunco (cfr. textos núms. 55 y 121). Esto se debe al gusto por el fragmentismo que imperó durante los siglos XV y XVI, producto de un gusto literario con raíces estéticas; es un procedimiento estilístico para acrecentar la calidad poética. El ejemplo más conocido es el de *El conde Arnaldos* (texto núm. 128). Esta moda literaria nos impide también el conocer los textos completos de algunos romances.

Todo lo anterior nos indica que en nuestro conocimiento del Romancero viejo hay grandes lagunas que sólo podemos llenar con lucubraciones y teorías de lo que pudo haber sido el estado del Romancero en su fase más característica, es decir en su oralidad.

Naturalmente, ello no resta mérito a los textos, ya que representan un hito importante en su vida histórica: la tradición escrita en los siglos de oro. No olvidemos tampoco que mucha gente aprendió los romances de los libros y, sobre todo, de los pliegos sueltos, y estos textos, seguramente arreglados, se reintegraron a la tradición oral en esa forma. Finalmente pensemos que los arreglos de impresores y editores no son, a fin de cuentas, más que una constancia de

---

[15] *Romancero hispánico*, II, XIII, 9.

una característica del Romancero: la conformación de lo recibido según el gusto de cada quien. A la postre, este corpus representa el manejo de la tradición por el núcleo culto o semiculto de una sociedad determinada que imprimió su huella en lo heredado.

Por otra parte, y haciendo salvedad de lo anterior, el corpus del Romancero viejo es de un gran valor, no sólo por el conocimiento de la existencia del género y de su notable difusión en los siglos de oro, sino porque también es un testimonio fehaciente de una característica primordial de la poesía oral: su vida en variantes. Efectivamente, muchos de los romances editados presentan variantes no siempre atribuibles al editor; ello quiere decir que no hay duda de que circulaban versiones distintas de cada romance. Finalmente, la existencia de un estilo presente en mayor o menor medida en todos los textos, estilo que coincide con el hallado en las versiones recogidas actualmente, nos confirma la unidad estilística básica de la poesía oral.

FUENTES PARA EL ROMANCERO DE TRADICIÓN ORAL MODERNA

Una de las sorpresas que recibieron los que redescubrieron el Romancero viejo en el siglo XIX fue el constatar que la gente seguía cantando romances. Preocupados por recuperar lo que ellos creían poesía primitiva, no se ocuparon demasiado de estos romances actuales, que creían escasos y muy deformados, y se abocaron a reimprimir lo publicado en los siglos de oro. Sin embargo, algunos autores incluyeron textos recogidos contemporáneamente, como Agustín Durán y Wolf y Hoffmann. Otros eruditos tuvieron en cuenta la tradición oral de su tiempo y así Milá y Fontanals, en 1853, editó su *Romancerillo catalán* con versiones por él recogidas[16]. Menéndez pelayo, en su «Suplemento»[17] reúne textos contemporáneos recogidos de la tradición oral por diversos autores e incluye numerosas notas sobre su tradicionalidad: casi 200 textos recogidos en Asturias, Andalucía, Extremadura, Cataluña, Portugal y de la tradición judeo-española, así como algunos romances que

---

16 Almeida Garret publicó en 1843 un *Romanceiro,* pero sus versiones están sumamente arregladas.
17 Cfr. nota 13.

ciertos escritores habían incluido en sus obras (Estébanez Calderón y Fernán Caballero).

Sin dejar de lado el Romancero viejo, el siglo XIX comienza, pues, a ocuparse de la tradición actual, pero será en el siglo XX en el que se logre la mayor recolección de textos orales modernos.

Es imposible consignar en unos pocos párrafos la enorme actividad recolectora de este siglo. Fue Menéndez Pidal el que dio el gran impulso, animando a investigadores, folkloristas y músicos a recoger textos. Su ejemplo cundió y muchos interesados siguieron sus pasos; una buena parte envió el resultado de su trabajo a don Ramón, bien en forma inédita, bien ya publicado; de ahí la enorme riqueza del archivo y biblioteca del Seminario que lleva su nombre. Para 1950 se habían publicado ya colecciones españolas muy importantes como la de Narciso Alonso Cortés, José M.ª de Cossío y Tomás Maza, Sixto Córdova, Dámaso Ledesma, Pérez Ballesteros, Kurt Schindler y muchísimos más (cfr. Bibliografía). También en América hubo esta fiebre de recolección y aparecieron las publicaciones de Carrizo en Argentina, Vicuña en Chile, V. T. Mendoza en México, A. Espinosa (California, Puerto Rico y Nuevo México), C. Poncet en Cuba, Pardo en Venezuela, y tantos más. Los romanceros sefardí y portugués siguieron saliendo a luz. En los siguientes veinticinco años se seguirán publicando importantes colecciones como el *Romanceiro portugués* de Leite de Vasconcellos, *La flor de la Marañuela,* editado por Diego Catalán y que recoge todo lo publicado de la tradición canaria, el *Cancionero segoviano* de A. Marazuela, los dos cancioneros editados por García Matos (Extremadura y Madrid), las varias publicaciones de B. Gil... En América la recolección y publicación bajaron notablemente, sin embargo no dejaron de existir; en contraste, el Romancero sefardí tuvo publicaciones importantes como las de Armistead y Silverman, las de Paul Bénichou y las de M. Alvar[18].

Muy importante es la publicación del *Romancero tradicional.* Desde 1957 Menéndez Pidal inició la edición de las versiones de su archivo, fruto de la labor de recolección y de recopilación de más de medio siglo. Como era de esperar, su atención se dirigió al Romancero épico, y así los dos primeros tomos están dedicados a

---

[18] Cfr. Bibliografía, Textos.

él[19]. A partir del tomo III (1969) la publicación quedó definitivamente en manos de su nieto, Diego Catalán (que había colaborado en los anteriores) y el Seminario Menéndez Pidal se dedicó a publicar romances de tipo novelesco, con muchas más versiones modernas que antiguas. Así salieron los siguientes diez tomos[20], y se espera la aparición inminente de otros dos. El Seminario no se ha contentado con la publicación del *Romancero tradicional,* sino que ha patrocinado la edición de otras colecciones y estudios sobre el Romancero sefardí, el canario, así como el resultado de las encuestas organizadas por el mismo Seminario[21].

La actividad editora no ha cesado. Además de las publicaciones del Seminario Menéndez Pidal, aparecieron los romances canarios recogidos por M. Trapero, los leoneses y castellanos de los hermanos Díaz; en América G. Beutler recogió textos en Colombia, M. Díaz y A. González en México, M. Cruz-Sáenz en Costa Rica[22]. En fin, que la riqueza que poseemos hoy en día es muy importante. Remitimos al lector a la amplia Bibliografía elaborada por A. Sánchez Romeralo y S. Armistead[23], que contiene todo lo publicado, haciéndole notar que a partir de la fecha de su edición han salido a luz varias publicaciones más.

La relación entre el Romancero viejo y el actual es innegable aunque una buena parte de los textos publicados en los siglos de oro no se conozcan hoy y muchos de los textos actuales no hayan sido recogidos entonces. Predominan hoy de modo notable los temas novelescos, aunque no estén ausentes los épicos y caballerescos; los romances históricos tienen una presencia escasa. Si excep-

---

19 *Romanceros del rey Rodrigo y de Bernardo del Carpio* y *Romanceros de los condes de Castilla y de los infantes de Lara.*

20 Tomo III: *La vuelta del navegante, El conde Dirlos, La partida del esposo, La vuelta del esposo, El conde Antores, Gerineldo y La vuelta del esposo.* Tomos IV y V: *La condesita;* tomos VI, VII y VIII: *Gerineldo;* tomo IX: *Romancero rústico* (a cargo de A. Sánchez Romeralo); tomos X y XI: *La dama y el pastor;* tomo XII: *La muerte ocultada* (a cargo de Beatriz Mariscal).

21 S. G. Armistead, *Romancero judeo-español;* S. G. Armistead y J. H. Silverman, *Romances judeo españoles de Tánger;* Íd., *En torno al romancero sefardí;* D. Catalán, *La flor de la Marañuela;* M. Trapero, *Romancero del Hierro;* S. Petersen, *Voces nuevas del romancero castellano-leonés* (incluye «Encuesta Norte-1977» de Flor Salazar y Ana Valenciano).

22 Cfr. Bibliografía, Textos.

23 *Bibliografía del romancero oral, 1.*

tuamos a la tradición sefardí, que tiene características propias por conservar temas hoy desaparecidos en las otras tradiciones, podemos decir que el corpus del romancero de tradición oral moderna se ha reducido en relación al del Romancero viejo. Grosso modo, existen unos 60 romances muy difundidos, unos 30 de menor difusión y escasas versiones de varios más. Sin embargo, el número de versiones que poseemos (en especial de los romances del primer grupo) es muy superior al número de versiones que tenemos de los romances viejos.

En este rápido vistazo a la tradición oral moderna, no hay que olvidar los romances de nueva hechura: históricos como *La muerte de Prim* y *Alfonso XII*, novelescos como *Los mozos de Monleón* y *Teresa y Francisco,* así como aquellos que penetraron en España durante el siglo XVIII como *Mambrú.* Por otra parte, el caudal romancístico se sigue incrementando gracias a la tradicionalización[24] de algunos de los romances llamados vulgares y de algunos (mucho más escasos) de origen culto.

Las fuentes son de dos tipos: la abundantísima representada por las ediciones de las recolecciones directas de la tradición oral, y que consideramos fuentes orales y las recogidas de manuscritos y libros[25]. A su vez, éstas pueden dividirse en textos recordados por el que los transcribe (cuadernos personales, memorias, etc.) y textos publicados con propósito de difusión (cancioneros, libros escolares, etc.). Consideramos como fuente escrita solamente esta segunda clase, ya que la primera representa una mera transcripción de la oralidad. También tenemos el caso de versiones orales que el informante aprendió de un libro; no son propiamente tradicionales ya que no circulan entre la gente, pero tampoco son escritas puesto que viven en la oralidad. Hay que tomarlas en cuenta pues pueden, con el tiempo, convertirse en parte de la tradición.

---

[24] Es decir, que adquieren el estilo propio de los textos tradicionales.
[25] Cfr., por ejemplo las muchas versiones de *La condesita* emanadas de *Flor nueva* o influidas por ella, en el tomo V del *Romancero tradicional.*

Problemas que plantea el corpus

Aunque de menor envergadura que el corpus del Romancero viejo, el del romancero de tradición oral moderna también presenta algunos problemas. Al igual que en las publicaciones de los siglos de oro, también algunos editores de hoy arreglan las versiones que recogen. Esto es muy notable en el xix y en la primera mitad de este siglo (aunque en este periodo también hay muchos recolectores que son conscientes de su papel de fieles transcriptores). A medida que las recolecciones se hacen, no por aficionados o amantes del folklore, sino por verdaderos profesionales, la fidelidad de lo recogido gana en exactitud y puede decirse que hoy en día son escasísimos los textos arreglados. No sucede lo mismo con las publicaciones hechas para la difusión o entretenimiento, que siguen conformando los textos para hacerlos más atractivos.

ESTUDIOS

Ya los primeros editores del Romancero viejo publicado en el siglo xix trataron de abrirse camino entre los textos y se preocuparon de su origen, forma y clasificación. Múltiples controversias originaron estos puntos y ninguno de ellos está definitivamente resuelto hoy, aunque se ha llegado a un cierto consenso en algunos casos.

Orígenes

El origen del Romancero fue quizás el punto más álgido de estas controversias. Contra los que aseguraban que el romance era anterior a las gestas, y en muchos casos, origen de ellas, Milá y Fontanals primero y Menéndez Pelayo y Menéndez Pidal después aseguraron que los romances eran, con mucho, posteriores. Fecharon los romances más antiguos en los siglos xiii y xiv. Menéndez Pidal adujo pruebas para mostrar cómo el romancero surgió al desgajarse de las gestas trozos que gustaban al público y que éste hacía repetir al juglar; estos trozos pronto adquirieron vida propia y, por su misma brevedad, pasaron al dominio popular, quien los transmitió y los conformó lentamente. La balada europea, de gran boga en los siglos XIV y XV influyó sin duda en esta preferencia por los textos cortos. Así Menéndez Pidal, paladín de la teoría tradicionalista que establece una continuidad en los textos desde la Edad Media hasta nuestros días, vio en los orígenes del Romancero una incuestionable influencia épica. Esta teoría fue rebatida o apoyada durante largo tiempo. Los detractores no sólo hacían notar la infinidad de romances sin relación con la épica, sino que alegaban que la documentación existente probaba la preeminencia de los romances novelescos sobre los épicos. Puesto que lo que distingue al Romancero de la épica son sus elementos líricos, algunos estudiosos pensaron que había sido la canción lírica la fuerte influencia que dio origen al romance. Otros encontraron que esta influencia lírica estaba ya presente en la balada europea que penetró en España a finales de la Edad Media y pensaron que ésta fue el germen del nacimiento de los romances, primero novelescos, como la balada, y después épicos. La cuestión no está resuelta y la preeminencia en la gestación del romance de uno u otro género sigue sin probarse definitivamente. Hoy en día los orígenes del género no preocupan tanto a los especialistas, como tampoco si los romances novelescos precedieron a los épicos, o viceversa. Otros temas los inquietan, así es que en este punto casi todos piensan que el Romancero nació como una simbiosis entre la lírica y la épica, tomando características tanto de la balada como de la gesta, sin desdeñar aquellas aportadas por la canción lírica.

No hay duda de que la materia épica influyó en la temática del Romancero, lo que le dio un sello diferente de la balada de los otros países europeos, ya marcadamente novelesca. Este sello épico se manifiesta tanto en ciertos elementos formales como en la abundancia de temas históricos o pseudo históricos durante varios siglos.

Lo más razonable es pensar que la forma romance (canción narrativa corta) es muy dependiente de la balada, pero que bajo la influencia de la canción de gesta, afirmó un germen que ya poseía: la monorrimia (presente ya en algunas baladas europeas); la tendencia al octosílabo, notable en los siglos XIV y XV actuó sobre los textos existentes y conformó los nuevos. Es también la épica la que prestó al Romancero su unidad mínima: el doble octosílabo (emanado del verso largo épico) contra la cuarteta octosilábica o hexasilábica de origen lírico (presente tanto en una parte de las baladas como en la canción lírica). Sin embargo es innegable la existencia de unidades de cuatro octosílabos (dístico romancístico) que, cada vez más, se manifiestan como unidad mínima de sentido en los textos (muestra de la influencia de la lírica, tanto antigua como moderna); si tomamos un romance viejo cualquiera encontraremos en él unidades expresadas en verso largo, pero también en dístico; las proporciones se invierten en el romancero de tradición oral moderna. Esta mezcla refleja las influencias épico-líricas, tan íntimamente amalgamadas, que es imposible predecir la preeminencia de una u otra, ya que si la forma y parte de la temática se relaciona más con la épica, no faltan abundantes muestras de caracteres líricos como son la expresividad, el deleite en el adorno, multiplicidad de recursos formales de origen lírico, emoción y acentuación de la emotividad[26].

Otro punto sobre el que se ha discutido es el momento histórico en que nació el género. Si nos suscribimos a la teoría de Menéndez Pidal que expresa que los romances son contemporáneos de los hechos (cuando no emanan de una canción de gesta) podríamos decir que ya existían en el siglo XIII, puesto que poseemos un romance (cfr. núm. 28) sobre Fernando IV (ca. 1312) que incluye unos versos de otro sobre Fernando III (ca. 1250); si pensamos que los romances han existido antes que las gestas o coexistido con ellas, emparejaríamos el origen del Romancero con el de la lengua misma.

Ante la imposibilidad de asegurar cualquier fecha por falta de documentación fehaciente, es común aceptar (y yo así lo hago) que el nacimiento del género tuvo lugar en la segunda mitad del siglo XIII, dejando abierto el criterio para aceptar una mayor antigüedad o modernidad si salen a la luz documentos que modifiquen esta fecha.

---

26 El escribir romances en verso largo es, por parte de algunos editores (yo estoy en ese caso) un reconocimiento a la fuerte huella épica en el romance y una manera cómoda de distinguir la canción narrativa de la canción lírica, pero de ninguna manera implica, si no existe especificación de ello, que el editor traduzca así su opinión sobre los primitivos orígenes del género.

Periodos aédico y rapsódico

Una derivación de esta preocupación por los orígenes fue la teoría de Menéndez Pidal sobre la existencia de un periodo aédico en el cual se componían romances y uno rapsódico en el cual se repetían. Don Ramón fija el primero en los siglos XIII a XVI; después de estas fechas comenzaría el rapsódico[27]. Muchos eruditos han reaccionado en contra de esa idea. Paul Bénichou, en su magnífico estudio *Creación poética en el romancero tradicional,* y otros estudiosos, han mostrado cómo la creación no sólo no se detiene en el siglo XVI (y ahí están para probarlo los romances creados en los siglos siguientes) sino que la recreación tradicional es una forma de creación que transforma los textos, creando a menudo otros muy diferentes. Hay que considerar lo aédico y lo rapsódico en sus proporciones reales. Ambos han existido siempre y son inherentes al ser mismo del romance, ya que desde sus comienzos el Romancero se recrea sin cesar y también se repite tal cual se ha aprendido; recreación y repetición son las dos fuerzas que sostienen la larga vida del género. Ahora bien, es cierto que hay un periodo de creación inicial de romances que parece más activo y que a partir del siglo XVIII se crean muchos menos romances; si echamos una ojeada a las composiciones modernas, éstas no pasan de una decena (me refiero al Romancero tradicional). No hay duda de que el impulso creativo de textos nuevos ha disminuido notablemente. Ello se debe a un cambio en las circunstancias históricas y culturales. En la época de florecimiento del Romancero existía un cúmulo de acontecimientos dignos de ser cantados (Reconquista, luchas internas por el poder, etc.) que a su vez conservaban en la memoria acontecimientos pasados también dignos de ser cantados. Por otro lado la afluencia constante de baladas procedentes del exterior, así como de canciones de gesta de tipo caballeresco traídas por juglares y viajeros, proporcionó la materia prima temática para la composición. Al cambiar las circunstancias históricas internas y olvidarse (o al menos casi desaparecer) el gusto europeo por la balada, hubo una disminución natural de temas y las creaciones se hicie-

---

[27] Cfr. *Romancero hispánico,* II, págs. 17-18.

ron más escasas. A todo esto contribuyó la desaparición del juglar propiamente dicho, quedando la creación en manos de los cantores populares, con menos formación y capacidad poética, que raras veces inventaban, limitándose a repetir o a barajar lo dado. Sin embargo la recreación siguió existiendo con igual pujanza y es en ella donde está hoy la mayor parte de la fuerza creadora del Romancero.

Antecedentes

Otro hito importante en los primeros estudios sobre el Romancero (y también en algunos estudios posteriores) es el rastreamiento de las fuentes de cada romance. Menéndez Pidal se empeñó en mostrar la exactitud histórica de ciertos textos y tuvo importantes logros en este aspecto, pero también, en su afán de demostrar esta teoría, tuvo algunas fallas, como en el caso del romance de *Abenámar,* cuya exactitud histórica deja mucho que desear. En esta línea de los antecedentes hay que destacar el estudio de Doncieux sobre *La muerte ocultada* que traza un panorama de la transformación de una balada a través de varios países europeos hasta llegar al romance español. Menos convincente es la relación que ve Menéndez Pidal entre el romance de *La hermana cautiva* y el poema de *Kudrum*[28]. Tampoco convence la relación que encuentra Avalle-Arce entre un personaje histórico y el romance de *Bernal Francés* ni la que observa Pérez Vidal entre *La muerte de Elena* y la leyenda de santa Irene[29]. Los estudiosos suelen repetir estas filiaciones sin examinarlas detenidamente y ello constituye un error que algún día habrá que subsanar. Pero estas fallas no invalidan la multitud de estudios de antecedentes que tienen una validez indiscutible, como los de Menéndez Pelayo, Menéndez Pidal, Diego Catalán y tantos más[30].

---

[28] En mi opinión, basarse en algunas coincidencias lejanas y en un solo motivo, no es suficiente para establecer una filiación directa; sabido es que los motivos viven con vida propia y se fijan aquí y allá. En el supuesto caso de que la ropa echada al agua viniese del poema nórdico, sólo se podría hablar de un cruce menor (cfr. págs. 55-57).

[29] Respectivamente, «Bernal Francés y su romance» y «Santa Irene. Contribución al estudio de un romance tradicional».

[30] Para los romanceros y colecciones citadas, cfr. Bibliografía.

Clasificación

Ha preocupado asimismo a los investigadores, en especial a aquellos que editan colecciones de romances, la cuestión de su clasificación. Los numerosos esfuerzos que se han hecho desde el siglo XIX no han dado un resultado satisfactorio. Wolf y Hofmann los ordenaron en dos grandes grupos: romances históricos (histórico-épicos, históricos castellanos, fronterizos, históricos de otros reinos de la Península) y romances novelescos y caballerescos (de tema clásico, líricos, de tema amoroso vario, del ciclo bretón y romances carolingios y pseudocarolingios). Esta es una clasificación que se ha seguido con ligeras modificaciones. Esta Antología no es una excepción, y así hemos dividido la materia de la siguiente forma:

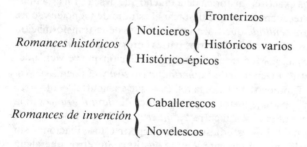

Como se dijo, toda clasificación es, hasta ahora, imperfecta si atendemos a la temática y origen de los romances y a su tratamiento. Muchos romances de origen histórico pueden enfocarse, no desde el punto de vista épico, sino desde el novelesco; muchos romances novelescos están basados en acontecimientos históricos olvidados o no identificados, o en textos de origen caballeresco; a su vez los romances caballerescos comparten con los novelescos asuntos y temas folklóricos, etc. ¿Y qué decir de los romances de Bernardo del Carpio que se clasifican siempre entre los históricos, cuando nos consta que relatan las hazañas de un pesonaje de ficción, inventado por los juglares para contrarrestar la brillante figura de Rolando (héroe de los romances caballerescos) en un esfuerzo en pro del más acendrado nacionalismo?

Los romances de tradición oral moderna, en su mayoría novelescos, tienen, según el editor, diferentes clasificaciones. Se suelen separar los romances de asunto clásico, de asunto bíblico y los religiosos, y los restantes pueden ubicarse bajo los siguientes rubros: asuntos maravillosos, malcasadas y adúlteras, raptores y seductores, venganzas de mujeres, tragedias familiares, cautivos y desgraciados (P. Bénichou, *Romancero judeo-español de Marruecos);* cautivos y presos, vuelta del esposo, amor fiel y amor más allá de la muerte, esposas desgraciadas, mujeres adúlteras, mujeres matadoras, raptos y forzadores, incesto, mujeres seductoras, mujeres seducidas, varias aventuras amorosas (M. Débax, *Romancero);* de asunto familiar, de asunto amoroso y sexual (en relación con dramas familiares, con tratamiento picaresco o cómico, temas de honor en conexión con crímenes y tragedias), de plano natural y social (costumbrismo), de plano sobrenatural (religioso, de significación universal) (J. Díaz *et al, Catálogo folklórico de la provincia de Valladolid).* El Seminario Menéndez Pidal propone para los romances históricos y caballerescos: romances de referente histórico nacional y romances de referente histórico francés; para los novelescos: sobre la mujer en la estructura familiar y la conquista amorosa, seguidos de romances de contenido religioso y de asuntos varios (S. Petersen, *Voces nuevas del romancero castellano-leonés).* En esta publicación que se acaba de citar se separan los romances anteriores al XVIII de los posteriores, que se engloban en el romancero vulgar; error craso, en nuestra opinión, pues no es la fecha de composición, sino el estilo, lo que separa un romance tradicional de uno vulgar.

Todas estas clasificaciones no resisten un examen riguroso y ello se debe, como se dijo, a que muchos romances incluyen varios temas: la «conquista amorosa» no excluye a «la mujer en la estructura familiar», el contenido religioso de algunos romances está tan diluido que son realmente romances de «conquista amorosa», «las mujeres seducidas» pueden serlo (y de hecho lo son) mediante un «rapto», los romances clásicos incluyen los mismos temas que los demás y su huella griega o romana sólo puede ser vista por los especialistas. En fin, he aquí una cuestión de tipo menor que no se ha podido resolver porque se mezclan criterios de procedencia con criterios temáticos y porque los romances pueden incluir varios temas y no siempre es claro el dominio de uno de ellos sobre los otros.

Geografía folklórica

Importante para los estudios sobre el Romancero es el llamado «método geográfico». Emanado de la escuela finlandesa y adoptado por Menéndez Pidal y por la mayor parte de sus seguidores, este método está basado en los principios de la geografía lingüística y distingue áreas de difusión de variantes de un romance. Menéndez Pidal expuso sus ideas sobre este punto en varios estudios, sobre todo en «Sobre geografía folklórica. Ensayo de un método». Más tarde, Diego Catalán y A. Galmés vuelven a retomar el tema sacando varias conclusiones interesantes a propósito de la difusión del romance *Gerineldo + La condesita* (ya usado por don Ramón, pero con menos versiones), como la existencia de versiones-tipo en áreas o regiones, y áreas conservadoras o innovadoras[31]. En sus estudios posteriores, Diego Catalán ha tomado siempre en cuenta esta difusión geográfica, llegando a establecer, en su *Romancero tradicional,* versiones facticias representativas de cada tradición regional. Otros autores no siguen tan rígidamente este método, o lo utilizan con parquedad. Es innegable el valor de algunos de sus resultados, pero, a menudo, y en áreas poco conservadoras, la existencia de varios tipos de versiones con una frecuencia semejante deja casi sin efecto el método[32].

Simbología

Un punto raras veces discutido, pero de gran importancia por su difusión es la simbología del Romancero. Numerosos trabajos lo

---

[31] Cfr. en la Bibliografía los artículos respectivos de Menéndez Pidal y de D. Catalán y A. Galmés.

[32] Recordemos, a propósito de este punto, la enconada controversia que sostuvieron D. Catalán y D. Devoto; este último niega al método toda validez; cfr. Devoto, «Sobre el estudio folklórico del romancero español...».

tratan[33] y subyace en varios análisis de textos. En mi opinión, éste es un tema que hay que afrontar con las debidas precauciones, para no caer en errores de cuantía.

Habría, por principio, que distinguir dos facetas: el significado simbólico para los oyentes y lectores comunes y la importancia del símbolo para los creadores y recreadores.

No se puede negar que creadores antiguos y modernos han utilizado motivos simbólicos. Sin embargo, estos motivos han seguido la pauta del lenguaje romancístico: son muy obvios y del dominio público. El paso del tiempo ha oscurecido algunos, que tienen hoy un significado literal; por su gran uso en los romances de factura antigua se han convertido en tópicos y los recreadores los utilizan como tales y se repiten de versión en versión y de romance en romance; el que han perdido su connotación original es claro cuando vemos que pueden ser reemplazados por otros tópicos sin ningún simbolismo. Me atrevería a asegurar que un 80 por 100 de los motivos simbólicos no tienen hoy ese carácter. Por supuesto, se conservan metáforas de gran difusión como la *cebada* que la bastarda pide que le sieguen, la *rosa* que le come el color a Gerineldo, la *tejedora* que va a *tejer* a casa de Marianita, etc.

Ahora bien, algunos estudiosos ven símbolos donde no los ha habido nunca: la serpiente que canta en la montiña no es un símbolo fálico que traduce los futuros deseos del caballero, sino parte del ambiente inhóspito y sombrío del comienzo de *La infantina,* junto con la lluvia, el frío, la oscuridad, la soledad y las fieras montesas. Las puertas que abre de par en par la mora (cfr. texto núm. 111) no representan su disposición sexual, sino su credulidad. La escalera que sube Gerineldo no simboliza el ascenso de un criado a otra clase social, sino que es una transición temporal con raíces en lo cotidiano. De la misma manera «de las 7 pa las 8» no indica la preparación al coito y su inminencia; es un tópico transicional del mismo tipo que «al subir una colina y al bajar una cañada», que, por su oposición interna refleja el paso de un episodio a otro.

Es fácil dar una interpretación simbólica a casi cualquier motivo, pero los estudiosos no deben olvidar que el Romancero es poe-

---

[33] Cfr. en la Bibliografía los estudios de Devoto, Hauf, Aguirre y Mariscal.

sía popular al alcance de todos y que esta característica limita el uso del símbolo y lo condiciona temporalmente. Así pues, solamente un estudio profundo del lenguaje simbólico popular de cada etapa histórica por la que ha pasado el género permitirá deslindar qué motivos son simbólicos (es decir, fueron incluidos como tales por el creador o recreador) y cuáles lo fueron y ya no lo son.

Más compleja es la cuestión de los arquetipos que subyacerían en los romances y habrían engendrado su historia. Algunos estudiosos les conceden una gran importancia (ver págs. 42-43) y muchos de los trabajos sobre la simbología tienen esta idea en su base. Sin embargo, y sin desechar totalmente esta teoría, que quizás funcione en algunos casos, el origen directo de una historia suele ser un acontecimiento real, o susceptible de serlo (adulterios, incestos, venganzas, engaños, etc.). El que estas pautas de comportamiento sigan quizás modelos míticos o arquetipos, no justifica la idea de la regencia de los mitos en la composición de los romances.

El aspecto sociológico

No podían faltar, entre los estudios dedicados al Romancero, los dedicados a los aspectos sociológicos. Siempre han preocupado el medio y las circunstancias en que se cantan los romances y muchos recolectores los han consignado. Es regla general incluir un índice de informantes con la edad, sexo y ocupación del cantor, así como la constancia de cuándo y dónde aprendió el romance y en qué ocasiones lo canta. Todos estos datos son preciosos para el aspecto que estamos tratando.

Los índices parecen señalar que el Romancero se canta sobre todo en medios rurales y sus ejecutantes son en su mayoría mujeres de más de cincuenta años pertenecientes a las clases bajas. Esto merece matizarse.

Hay una preconcepción de los recolectores que los lleva a hacer su trabajo en estos medios, edades, sexo y clase, seguramente porque piensan que es donde más fácilmente encontrarán textos. Esto es la verdad, pero no absoluta. Es cierto que la mayoría de los informantes son mujeres, pero no faltan los cantores masculinos (incluso hay romances, como *La loba parda,* patrimonio casi exclusivo de los varones). No es tan cierto que el Romancero sea patrimonio de los más viejos; los jóvenes, y sobre todo los niños, también lo poseen[34]. Los hábitos de investigación, que llevan hacia las clases bajas, han condicionado esta aparente exclusividad social. Pocas veces se ha hecho una recolección entre las clases medias y creo que nunca se ha hecho el intento de examinar el patrimonio tradicional de las clases altas. Los únicos datos que poseemos sobre estas clases es el que se desprende de las recolecciones entre niños, ya que se han hecho en escuelas de todos los niveles[35].

Siendo el Romancero literatura tradicional y teniendo ésta un reconocido alcance espacial, temporal y social, podemos postular que está difundido en los tres niveles mencionados, aunque haya diferencias de concentración de esta difusión en los diferentes hitos de cada nivel[36].

Por su parte, la ideología del Romancero ha sido estudiada por varios investigadores e incluso se ha examinado el género en coloquios dedicados a esta disciplina; podemos citar los del Seminario de Estudios Literarios de la Universidad de Toulouse «La ideología en el texto» en el que hay colaboraciones sobre el Romancero tan importantes como las de Michele Débax, G. Martin y F. Cazal[37]. También Rodríguez Puértolas ha tratado de dar una interpretación ideológica del Romancero (a mi parecer poco convincente) en varios estudios[38]. Marginalmente, casi todos los estudiosos del género han tocado el tema.

---

34 Cfr. en S. Petersen, *Voces nuevas del romancero castellano-leonés* la lista de informantes (II, págs. 350-59), muchos entre los treinta y los cincuenta años, algunos jóvenes y varios niños, además de las personas de más de cincuenta años.

35 Por ejemplo, las versiones publicadas por G. Beutler, *Estudios sobre el romancero español en Colombia* y las infantiles incluidas en el *Romancero tradicional de México,* editado por M. Díaz Roig y A. González.

36 Por ejemplo, en el aspecto espacial, el Romancero está menos difundido en América que en España (60 temas contra más de 150) y en ciertos países más que en otros (353 textos de 28 romances en Argentina y sólo 2 textos de 2 romances en Ecuador).

37 Cfr. *L'idéologique dans le texte,* Université de Toulouse-Le Mirail, Toulouse, 1978, págs. 191-209.

38 Por ejemplo en Carlos Blanco, J. Rodríguez Puértolas, Iris M. Zavala, *Historia social de la literatura española,* tomo I, Madrid, Castalia, 1978, págs. 140-154.

El Seminario Menéndez Pidal

No se puede omitir en este somero panorama de los principales estudios sobre el Romancero la labor del Seminario Menéndez Pidal (hoy Instituto). Además de la publicación del *Romancero tradicional* y de patrocinar otras publicaciones, de abrir su rico archivo y su bien surtida biblioteca a todo investigador, de organizar o coorganizar varios coloquios internacionales y editar las ponencias presentadas en ellos[39], está trabajando en un *Catálogo General del Romancero*[40], que aspira a reunir todos los romances existentes en la tradición oral moderna, con resúmenes temáticos, incipits, consignación de variantes, de cruces, difusión geográfica, bibliografía, etc., es decir un cúmulo de datos pertinentes para el investigador. Independientemente del enorme valor que todo esto tiene, el *Catálogo* ha resuelto una cuestión de menor importancia, pero que preocupaba a los investigadores por ser fuente de confusiones: la de los títulos de los romances[41]. El Seminario ha dado un número arbitrario a cada romance, número que ya se empieza a usar internacionalmente y que permitirá saber a qué romance se refiere un autor, independientemente de su título[42].

Me he extendido un poco en el trabajo del Seminario porque, sin menospreciar los valiosísimos esfuerzos de otros investigadores, creo que el trabajo que viene desarrollando desde hace treinta años

---

[39] Primer Coloquio, Madrid, 1971; Segundo Coloquio, Davis, California, 1977; Tercer Coloquio, Madrid, 1982; Cuarto Coloquio, Cádiz, 1987. Hasta ahora se han editado las ponencias de los dos primeros; cfr. Bibliografía, *El romancero en la tradición oral moderna* y *El romancero hoy,* y está en prensa la edición de las del Tercer Coloquio.

[40] Cfr. Bibliografía, Estudios, bajo el nombre de D. Catalán, Director del Seminario.

[41] Por ejemplo, *Las señas del esposo* tiene, tan sólo en México, los siguientes nombres: *Romance de Isabel, El recién casado que se fue a la guerra, El esposo que murió en la guerra, Las señas del marido, Corrido del esposo, La recién casada, La viuda, Romance de la viuda, Canción de la viuda, Corrido de la viudita alegre, La viuda negra, La maquinita.*

[42] Hemos consignado dicha clasificación, cuando existe, en una lista al final de la introducción, en la que se señala la sigla del catálogo que corresponde a cada romance de esta antología (págs. 63-64).

es uno de los más fructíferos de la segunda mitad de nuestro siglo[43]. Además, el Seminario sirve como punto de encuentro y de consulta para investigadores de todas partes. Los congresos que ha organizado permiten estar al día en las investigaciones que se hacen, así como facilitar el diálogo entre los especialistas. También han impulsado reuniones independientes sobre el Romancero en otros centros universitarios[44].

No hay que olvidar, en la misma línea del *Catálogo* el importante trabajo de S. G. Armistead, *El Romancero judeo-español en el Archivo Menéndez Pidal,* también patrocinado por el Seminario, que describe y cataloga un buen número de romances de la tradición sefardí; un trabajo impecable por su rigor y organización y de una gran utilidad para los estudiosos.

El estilo

La preocupación por delimitar las características de un romance tradicional frente a otros textos orales (romances vulgares, semicultos, canciones) ha llevado hacia los estudios estilísticos. Casi todos los investigadores han tocado este punto en alguna ocasión, pero sólo unos cuantos le han dedicado más espacio. Podemos citar, entre otros, a R. H. Webber, D. Catalán, G. Di Stefano y M. Díaz Roig, que se ha preocupado de puntos como tópicos y fórmulas, estructuras, influencias líricas, lenguaje tradicional, etc. Pese a los muchos esfuerzos en ese sentido, la cuestión del estilo no ha llegado a una total clarificación y se acude generalmente al conocimiento intuitivo (fruto de la especialización) para reconocer un romance tradicional entre otros textos parecidos. Es de esperar que este método tan poco científico pueda ser pronto reemplazado por otro más adecuado. Quizás el uso de los ordenadores, a los que se está acudiendo cada vez con más frecuencia, pueda dar una respuesta satisfactoria al problema del estilo tradicional.

---

[43] Naturalmente, el Seminario Menéndez Pidal tiene la ayuda de muchos colaboradores españoles y extranjeros y ha contado con el apoyo financiero de varias instituciones de dentro y fuera del país.

[44] Simposio sobre el Romancero y Cancionero, Universidad de California, Los Angeles, noviembre de 1984 y El Romancero. Coloquio, Rijksuniversiteit, Utrecht, marzo de 1985.

La música

Aunque algunas veces se recite, el modo de vida más común de un texto romancístico es cantado. La música ha sido objeto de una atención mucho menos frecuente que el texto, seguramente porque los que se ocupan de estudiar el romance no son, por lo general, músicos, sino literatos. La conciencia de que no hay que dejar de lado tan importante faceta ha llevado a algunos estudios como los de Martínez Torner, Mendoza, Katz, Siemens y otros, que han analizado melodías, ritmos y correspondencia entre frase musical y verso. Por otra parte, los recolectores han procurado muchas veces transcribir la música con que se canta el texto recogido, cuando estaban capacitados para ello. Gracias al avance en los métodos de grabación, los recolectores ya están incluyendo, cada vez con más frecuencia, las melodías, bien transcritas por musicólogos, bien directamente mediante la inclusión de cassettes en las publicaciones, lo que permite tener acceso directo a la realidad musical e interpretativa de los romances recogidos[45].

Las conclusiones más obvias que un investigador no musical puede sacar de transcripciones y grabaciones es que no hay una melodía fija para cada romance, es decir, que una misma melodía se puede aplicar a varios romances y el mismo romance se puede cantar con varias melodías. También es claro que la música del romance sigue en principio los mismos avatares que el texto, o sea que tiene delimitaciones geográficas, sufre variaciones, etc., y también que existen ciertas melodías con una difusión mucho más amplia que otras.

Aunque cada vez menudean más los estudios musicales, todavía falta mucho que hacer en ese terreno, sobre todo en lo que se refiere a las variaciones, sus causas, su distribución, sus influencias...

---

[45] Cfr. en la Bibliografía, Martínez Torner, «Indicaciones prácticas sobre la notación musical de los romances», íd., «Ensayo de clasificación...», V. T. Mendoza, *El romance español y el corrido mexicano,* así como las obras bajo los nombres de I. Katz y de L. Siemens.

FUNCIÓN DEL ROMANCE

La primera y más importante función del romance es narrar una historia interesante de una manera atractiva y fácilmente comprensiva para la comunidad. Para que esta historia sea apreciada tiene que ser verosímil y estar fincada en la realidad; también tiene que tratar temas del dominio público (incesto, adulterio, venganza, etc.) o tratar de personajes o hechos conocidos (el Cid, las guerras de frontera, la muerte del hijo del rey, etc.). Aunque el romance siempre tiene una cierta dosis de función noticiera (más abundante, desde luego, en los romances de este tipo) esta función no implica, generalmente, la fiel transmisión de los hechos. El romance, aun el histórico, no es historia, sino que utiliza ésta para bordar sobre ella, y la sigue con diferentes dosis de fidelidad, que van desde conservar una fecha o un nombre a todo un acontecimiento detallado. Pero el juglar también inventa, y mucho; desde personajes (Bernardo del Carpio) a hechos (desafío y duelo de los zamoranos). El juglar, poeta al fin, borda sobre el cañamazo de la historia, mezcla ficción y realidad, falsea, añade, quita ... y también, a veces, reproduce fielmente la verdad, o lo que él cree que es verdad. Noticia y cuento están íntimamente ligados, pero el segundo prevalece generalmente sobre la primera. El paso por la tradición oral va desgastando la parte histórica y cuando este paso del tiempo se conjuga con un cambio de actitud social, este desgaste se acentúa. Así, en los escasos romances históricos que han prevalecido hasta hoy se nota un olvido notable de los datos reales que fincaban el romance en la historia[46]. Este deterioro produce que en los romances de tema histórico no queden más que algunos datos aislados que sólo el especialista puede situar en su contexto real[47]. La pérdida de lo histórico no implica la pérdida de la función noticiera. El romance sigue conservando su sello de acontecimiento real, lo que sucede es que se pierden sus coordenadas históricas y el romance

---

[46] Por ejemplo, el caso de *El Cid y Búcar* tratado por Bénichou, Di Stefano y Catalán, cfr. nota al texto núm. 68.

[47] Incluso en un romance tan moderno como *Alfonso XII,* este rey se convierte a veces en un simple «Alfonso López».

se finca en el tiempo impreciso del pasado. Muestra de este afán por conservar el carácter de hecho sucedido es la conservación o recreación de topónimos que aparecen con frecuencia en los textos (Valencia sigue siendo amenazada por el moro, aunque ya no sea el Cid quien la gobierne, a la esposa de «Alfonso López» la llevan muerta por las calles de Madrid, Delgadina, en México, va a misa a la ciudad de Morelia, etc.).

Decíamos que el romance tiene como función esencial el entretenimiento; así, se ha usado desde antiguo para acompañar trabajos agrícolas *(La bastarda* durante la siega, *La doncella guerrera* al espadar el lino, *Gerineldo* al recoger el azafrán)[48] y durante reuniones de vecinos mientras se hila o se teje, en los talleres de costura e incluso en fábricas. También se usó en Canarias al volver de las faenas del campo o de una romería[49]. Parece que estas costumbres se están perdiendo ante lo avasallador de las canciones difundidas por radio. También se ha perdido el uso del romance en las danzas. Sin embargo, el Romancero sigue vivo en algunos contextos como pueden ser las peticiones de aguinaldo, las mayas y marzas[50]. También lo encontramos en fiestas religiosas (en Cuaresma *La búsqueda de la Virgen,* en Navidad *La Virgen y el ciego)* y no es raro oírlo entre las canciones que cantan los jóvenes cuando van de excursión; pero el ámbito comunal donde los romances prevalecen en todo el mundo hispánico es el ámbito infantil. Unos romances se «juegan», como *Don Gato, Hilitos de oro, Las señas del esposo, La monjita;* otros se cantan para acompañar la rueda o la cuerda: *Mambrú, Delgadina, Las tres cautivas, Santa Catalina, Isabel, Carabí, Tamar* y muchos más. El uso de los romances infantiles no tiene restricciones sociales y son cantados por los niños de las clases altas, medias y bajas, lo mismo en medios campesinos que urbanos.

Además de estas actividades en grupo, los romances también se cantan en casa como distracción durante las faenas domésticas, para entretener a los niños y hasta para arrullarlos.

Muchos estudiosos consideran que, además de divulgar noti-

---

[48] Cfr. Menéndez Pidal, *Romancero hispánico,* II, págs. 369-374.

[49] Cfr. Pérez Vidal, «Romances con estribillo y bailes romancescos».

[50] Cfr., por ejemplo los textos recogidos en 1977 y publicados por S. Petersen en *Voces nuevas del romancero castellano-leonés.*

cias, los romances proponen normas de comportamiento, constituyen «ejemplos», refuerzan la moral pública, etc. El Romancero es tan rico en su temática que todas estas funciones pueden estar presentes, pero tampoco hay duda de que la de entretener y encantar al oyente o al que lo canta es la función más importante y la que más ha contribuido a la larga vida del género.

LA FORMA DEL ROMANCE

Métrica

Ya hemos hablado del metro: doble octosílabo o doble hexasílabo en el caso de los romancillos (también hay algunos textos en doble heptasílabo, como *Mambrú)*. Los romancillos sólo se hallan documentados en la tradición oral moderna, aunque no hay duda de que existían en los siglos de oro.

Muchos romances viejos tienen una métrica oscilante, pues son anteriores a la regularización octosilábica, iniciada en el siglo XIII y que fue generalizándose en los siglos XIV y XV. También hoy en día existen oscilaciones, debidas a ciertos recreadores y no es raro encontrar versos con una (y hasta dos) sílabas de más o de menos, pero hay que decir que en general las recreaciones respetan el metro porque el octosílabo es el verso más común en la poesía popular hispánica.

La tirada y la estrofa

El estrofismo ha sido tema de discusión durante el siglo XIX y la primera mitad del XX. Los partidarios del origen lírico del romance lo sostenían y se apoyaban en textos antiguos. Pero los argumentos en pro de la tirada, sostenidos por los partidarios del origen épico, han prevalecido. Parece ser que el estrofismo en el Romancero viejo es una invención de los músicos del siglo XVI, que querían adaptar la letra a la música con que se cantaban los textos. Tan artificial fue esta división que rara vez coincidía la frase musical con la conceptual. En el romancero de tradición oral moderna hay una tendencia a que las divisiones conceptuales abarquen cuatro octosílabos, pero raro es el texto que puede dividirse perfectamente en esta clase de unidades, por lo que podemos postular que todavía el estrofismo es extraño al género y la tirada sigue siendo la forma habitual del romance.

La rima

La rima propia del género es la asonante, pero aparecen a veces algunos versos con rima consonante. Hay infinidad de textos asonantes y varios con asonancias y consonancias, pero ninguno enteramente consonantado.

Las asonancias más corrientes son las llanas *(ía, áa, áo);* le siguen las agudas *(á, é, ó);* también son frecuentes las rimas en *éa* y *áo* y algo menos las asonancias *ío, í,* y *óe.*

La rima varia: Aunque la monorrimia caracteriza al género, muchas veces los textos presentan rimas diferentes. Ésta se debe a varias razones, entre las que podemos mencionar: 1. La desaparición de la *e* paragógica heredada de los cantares de gesta, que parece ser en muchos casos una *e* etimológica[51] y que hace que un romance, antes monorrimo, se presente con dos rimas: la grave de las palabras que tienen hoy *e* final *(madre)* y la aguda de aquellas que perdieron la *e* paragógica *(cantare:cantar).* 2. La fusión o cruce de dos romances con diferente rima. 3. La fusión o cruce de dos versiones del mismo romance, una de ellas refundida con distinta rima. 4. Las diversas tiradas épicas (cada una con su rima) que se fundieron en un solo romance. 5. Las recreaciones hechas a base de pequeños cruces con otros textos populares (romances vulgares, coplas, refranes, etc.) con distinta rima. 6. Los pareados originales de una balada convertida en romance.

Este último caso sólo se conserva en su pureza en la tradición oral moderna, aunque hay restos de él en el Romancero viejo. Algunas baladas no sufrieron íntegramente el baño formal que las conformaba a los demás textos romancísticos y persistieron en la tradición con sus rasgos originales. Ejemplo de esto son *La muerte ocultada,* que en su versión hexasílaba conserva en su primera par-

---

[51] Cfr. Menéndez Pidal, *Romancero hispánico,* I, págs. 108-121.

te los pareados originales, y *La dama pastora,* cuya mayor parte está hecha mediante repeticiones paralelísticas[52].

El estribillo

Es éste un aditamento de origen lírico que poseen algunos romances adaptados para el canto a finales del siglo XV y durante el XVI. El ejemplo más conocido es sin duda el «Ay de mi Alhama» de *La pérdida de Alhama* (cfr. texto 14). Aun en este romance tan difundido en el siglo XVI el estribillo no siempre aparece en las diversas versiones que tenemos. Acentúa su carácter de aditamento musical el que dicho estribillo no siempre marque una división conceptual entre los versos que le preceden y los que le siguen.

En la tradición oral actual quizás sea más común el estribillo, pero su carácter es el mismo: no marca una división conceptual, no hay romance con estribillo fijo (es decir, varía de versión a versión y no todas las versiones lo tienen) y un determinado estribillo se puede aplicar a varios romances según la ocasión, el gusto del cantor o la tonada con la cual se canta cada versión. Romance y estribillo rara vez están ligados por el tema específico de uno y otro, y a veces, ni tan siquiera por el tono general; suele haber, eso sí, una coincidencia de rima, esfuerzo éste por conjugar canción y estribillo, pero su verdadera relación es, como se dijo, de índole musical.

La estructura interna

El romance se presenta pocas veces como una pura narración en tercera persona. Suele tener una buena dosis de diálogo (esto se agudiza en los textos recogidos modernamente y, al parecer, es uno de los resultados de la tradicionalización). Hay algunos romances narrativos en primera persona durante una parte del texto, pero esto tampoco es muy común. También hay romances totalmente

---

52 Ver un ejemplo de estos romances en A. Marazuela, *Cancionero segoviano,* pág. 339 y en J. M. Cossío y T. Maza, *Romancero popular de la Montaña,* págs. 182-195.

dialogados. Lo habitual es una adecuada mezcla de narración y diálogo (entre el 55 y el 45 por 100) que en la tradición oral moderna oscila entre el 25 y el 75 por 100.

Menéndez Pidal habla de las diversas maneras de plasmar una historia: romances-diálogo en los cuales se desarrolla una escena, romances-cuento que relatan una acción extensa con varias situaciones, antecedente, nudo y desenlace (escasos éstos en el Romancero viejo) y romances-escena, meramente narrativos[53]. Di Stefano discute estas clasificaciones y hace notar que hay romances que, más que con una escena, se pueden identificar con una mera descripción (cfr., por ejemplo, el núm. 98), y que lo que distingue muchas veces un romance-diálogo de un romance-cuento es la duración temporal de la acción. Con éstas y otras observaciones Di Stefano hace resaltar la necesidad de tratar más a fondo los problemas de las estructuras narrativas con el fin de llegar a una clasificación más elaborada que la esbozada por Menéndez Pidal[54].

El propio Di Stefano ha dado un paso adelante en este aspecto al distinguir dos maneras primordiales de organizar el relato: la estructura *alfa* y la estructura *omega*. En la segunda, la estructura superficial del texto no se corresponde con la estructura profunda del relato, es decir, con el orden lógico y cronológico de los hechos. Cita, entre otros, el romance de *Isabel de Liar* (texto núm. 23) como prototipo de la forma *omega*. En la estructura *alfa* coinciden la estructura superficial y la profunda. Esta es la estructura típica del cuento popular y también la más común en el Romancero de tradición oral moderna.

Los estudios de Di Stefano abren múltiples perspectivas en la investigación del Romancero. Quizás se pueda demostrar la existencia de dos escuelas diferentes con distintas técnicas de composición: aquella que organiza el relato mediante la técnica propia del cuento popular, y otra más «literaria» o innovadora, que lo organiza separando la estructura temporal de la narrativa. Quizás también este descubrimiento de los dos tipos de estructura nos ilumine sobre una de las causas de la supervivencia de ciertos textos en la tradición oral. Es lógico pensar que un romance con estructura *alfa* es mucho más susceptible de retenerse en la memoria y más fácil

---

[53] Cfr. Menéndez Pidal, *Romancero hispánico,* I, 63-65.
[54] Cfr. *El romancero en la tradición oral moderna,* págs. 285-289.

de manejar y reelaborar que uno con estructura *omega,* más complejo y «artístico», y, por lo tanto menos dúctil.

Otras estructuras, minoritarias éstas, se han encontrado en el Romancero. Destaca la llamada «concéntrica» que poseen algunos romances como *La doncella guerrera* y *Delgadina,* entre otros. Está basada en la repetición enumerativa del núcleo de la historia (pruebas a la doncella, peticiones de agua y rechazo de Delgadina) con las variantes requeridas (diferentes pruebas, diferentes familiares) y repeticiones textuales en cada secuencia repetitiva. Estos romances tienen una parte introductoria y una final en la que desemboca la última secuencia, que se opone a las demás (la doncella no pasa la prueba, Delgadina sucumbe ante la sed), pero es la estructura concéntrica, que gira sobre el mismo motivo, la que sostiene el romance[55].

Algunos investigadores han querido aplicar al Romancero la teoría del Propp sobre el cuento tradicional. Sin embargo, no parece que esto haya dado los resultados esperados. Ello se debe, sin duda, a la diversidad de historias que se narran y a sus diferentes estructuras. Aun en los romances-cuento no parece posible reducir la narración a una serie más o menos fija de funciones. Además de lo anterior, no hay que olvidar que las muchas variantes que introducen los recreadores pueden cambiar las funciones de los actantes en las varias versiones de un mismo romance[56].

Consciente de lo anterior, Diego Catalán ha postulado que el romance es una estructura abierta[57], cuyo mensaje de actualidad permanente se articula con la praxis social e histórica. Preocupado por la organización poética del romance, Catalán expone en su *Catálogo General...* (I, págs. 19-25) la existencia de tres niveles: *el discurso,* actualización lingüística de un contenido (intriga); *la intriga* que es la narración artísticamente organizada de la *fábula,* o sea la historia que se narra, en su nivel más profundo. *El modelo actan-*

---

55 Cfr. M. Díaz Roig, *El Romancero y la lírica popular moderna,* págs. 65-72.

56 Por ejemplo, el caso de *Las señas del esposo,* en el que, al perderse en muchas versiones la autoidentificación del marido, todas las funciones se trastocan; cfr. M. Díaz Roig, «Sobre una estructura minoritaria y sus consecuencias diacrónicas...».

57 «El romance tradicional, un sistema abierto» en *El romancero en la tradición oral moderna,* págs. 181-205.

cial, la última y más alta categoría, sería la organización de contenidos míticos atemporales, que se traducen en fábula → intriga → discurso. Las tres primeras categorías son convincentes; no sucede lo mismo con el «modelo actancial», que puede prestarse a discusiones e interpretaciones.

EL ESTILO DEL ROMANCE

La lengua

La lengua usada en el Romancero guarda un equilibrio entre lo vulgar y lo culto que permite su comprensión y manejo; es un lenguaje al alcance de todos y al mismo tiempo con un poder poético fácilmente asible, basado en una serie de recursos comunes a toda poesía tradicional, y por lo tanto, familiares para el oyente. Asimismo recursos como la alternancia verbal estudiada por Szertics[58], nos muestran cómo el poeta popular puede llegar, con elementos simples, a crear efectos estilísticos de gran complejidad.

Los recursos formales[59]

El romancero, como género popular que es, utiliza una buena parte de los recursos comunes a toda la poesía popular y añade además otros propios. Se caracteriza por utilizar estos recursos abundantemente y por fijar algunos de ellos, ya presentes en la épica o en la lírica, en esquemas y fórmulas. La repetición, la antítesis y la enumeración son los más usados; cada uno adopta diferentes formas y modalidades y encierra contenidos diversos. Su gran valor como creadores básicos del estilo romancístico nos lleva a dar aquí algunos ejemplos de sus principales modos de aparición en los textos.

1. *La repetición:* La repetición puede ser sintáctica y producirse entre dos hemistiquios de un mismo verso, o entre dos versos, o

---

[58] J. Szertics, *Tiempo y verbo en el romancero viejo.*
[59] Para todo este apartado, cfr. mi libro *El Romancero y la lírica popular moderna.*

aun entre un grupo de versos, independientemente de que al mismo tiempo se use o no otro procedimiento como la enumeración, la antítesis, etc., por ejemplo:

Si lo haces como bueno — serás de ellas muy honrado,
si lo haces como malo — serás de ellas ultrajado.

(Rom. 61)

y encomiéndola a Oliveros — y encomiéndola a Roldán...

(Rom. 74)

La repetición puede ser también semántica. Puede referirse a simples palabras. Repeticiones textuales de este tipo son por ejemplo: *«Tate, tate,* caballero», *«Abenámar, Abenámar...»*, *«Mercedes, el rey, mercedes...»*, «Ya convidan *por Castilla, — por Castilla* y por Navarra». Repeticiones no textuales son aquellas en que se utilizan palabras semejantes, parejas de conceptos análogos que expresan una misma idea, como: «llorando y gimiendo», «miedo y pavoría», «niño y muchacho».

El paralelismo en su sentido estricto es utilizado en sus dos formas principales: variado por sinonimia o variado por inversión:

¿De qué vos reís, señora? — ¿de qué vos reís, mi vida?

(Rom. 117)

¿Qué hacéis aquí, Virgilios? — ¿Virgilios, aquí qué hacéis?

(Rom. 96)

Palabras no estrictamente sinónimas se utilizan como tales en esta clase de paralelismo, por ejemplo: camino-guía, señora-vida, siguiendo en esto el camino marcado por la tradición lírica[60]. Debido a la monorrimia, rasgo fundamental del Romancero viejo, el paralelismo estricto aparece entre hemistiquios y jamás entre versos, para no afectar la rima. En el Romancero de tradición oral actual puede aparecer entre versos.

También la repetición fónica está presente en los romances bajo

---

60 Cfr. E. Asensio, *Poética y realidad en el cancionero peninsular de la Edad Media.*

la forma de figura etimológica: «toca llevaba tocada», «moro de la morería», «caballero en un caballo».

Además de las ya citadas, hay en el Romancero innumerables repeticiones textuales de dos, tres, o cuatro palabras, y a veces (aunque no es común en el Romancero viejo) repetición de todo un hemistiquio. En los diálogos es donde más aparecen estas repeticiones y a veces la variación es la mínima necesaria para adaptarla al otro interlocutor:

> —El rey os manda prender — porque Alhama era perdida.
> —Si *el rey* me *manda prender* — *porque es Alhama perdida...*
>
> (Rom. 13)

> —¿O tenéis miedo a los moros — o en Francia tenéis amiga?
> —No tengo *miedo a los moros* — ni *en Francia* tengo *amiga,*
> que vos mora y yo cristiano...
>
> (Rom. 86)

La forma que adopta el último ejemplo citado es muy abundante en el Romancero; constituye lo que he llamado respuesta-calco y supone una mezcla de enumeración (las distintas hipótesis que plantea el primer interlocutor: «o... o...»), de repetición (reiteración de las hipótesis, negándolas: «ni... ni...»») y de antítesis, puesto que la respuesta niega las hipótesis para afirmar otra cosa («ni... ni... sino que...»).

Hay también un buen número de correlaciones, es decir de repeticiones semánticas, textuales o no, a lo largo del romance.

2. *La antítesis:* La antítesis es muy utilizada para expresar, ya sea una oposición (usando términos antitéticos), ya una diferencia (términos no antitéticos):

> Todos visten oro y seda — Rodrigo va bien armado.
>
> (Rom. 54)

(Oposición: traje cortesano/traje de guerra: son de paz/son de guerra.)

> Todos se visten de verde — el obispo de azul y blanco.
>
> (*Primavera*, 82)

(Diferencia: el obispo se destaca entre sus hombres por el color de su ropa, pero no se opone a ellos.)

La antítesis se plasma muy a menudo en esquema sintáctico-temático, es decir que el material se presenta con ciertas palabras-clave que expresan determinada noción. Además del ejemplo anterior («todos... el») que implica singularización, se pueden citar: la oposición temporal («Ayer... hoy»), el esquema referido a las alternativas («si... si...», ver *supra*) y el esquema negación/afirmación del que forma parte la respuesta-calco arriba citada.

Otras veces, la antítesis no aparece en esquemas, sino libre: «Vega abajo, vega arriba», «cómo menguaba y crecía», «De las cartas placer hubo — de las palabras pesar». Se combina con la enumeración en las series antitéticas (ver, por ejemplo, *Primavera*, 29, versos 4-9). También existe la antítesis con función estructural en los versos de transición entre un episodio y el siguiente; se establece en una especie de fórmula con unos elementos fijos y otros variables: «A la entrada de un monte — y a la salida de un valle», «A la entrada de un puerto — saliendo de un arenal» y suele utilizarse para salir de los preliminares y entrar en el acontecimiento principal. Gracias a la antítesis la «fórmula» presenta a la perfección el momento que se quiere plasmar: se «sale» de algo y se «entra» a otra cosa; se utiliza también la antítesis subir/bajar con el mismo sentido. Existen asimismo las correlaciones antitéticas en diversos momentos del poema (cfr., por ejemplo, el romance de *Nuño Vero*, texto 85).

3. *La enumeración:* Es éste el tercer recurso usado profusamente en el Romancero; hay pocos romances que no lo utilicen en sus varias modalidades, pues a la par que describe, caracteriza o informa, colma nuestro deseo de nombrar y detallar la realidad, respondiendo así a necesidades de creador y oyente.

La enumeración puede ser exhaustiva, es decir, que especifica todos los elementos que componen el total. Esto ocurre con la enumeración distributiva, que puede desglosar un número dado o un colectivo explícito o no:

> *Tres* hijuelos había el rey...
> el uno se tornó ciervo, — el otro se tornó can,
> el otro se tornó moro, — pasó las aguas del mar.
>
> (Rom. 72)

—¿Qué castillos son aquéllos? — ¡Altos son y relucían!
—El Alhambra era, señor, — y la otra la Mezquita
los otros los Alixares, — labrados a maravilla,
...
El otro es Generalife, — huerta que par no tenía,
el otro Torres Bermejas, — castillo de gran valía.

(Rom. 8)

También se pueden nombrar simplemente los elementos más representativos del todo, por ejemplo, compárese esta rápida descripción: «blanca, rubia y colorada» (color de piel y de pelo) con la enumeración detallada que la dama hace de sí misma en el romance 125, y que tampoco abarca todos los detalles.

La enumeración se combina con la repetición textual en la *variación serial* que, aunque presente en el Romancero viejo (ver, por ejemplo, rom. 121, versos 14-18), es mucho más frecuente y perfecta en los romances de tradición oral moderna.

El formulismo y los tópicos

Estos son unos recursos fundamentales del Romancero, intrínsecos a su carácter de poesía oral. No hay que pensar que son elementos invariables; cada fórmula o tópico se adapta a la situación concreta en que se usa y aun las fórmulas más fijas tienen variaciones más o menos notables, por ejemplo los saludos:

Manténgate Dios, Maestre, — Maestre, bien seáis llegado.
Sálveos, doña Isabel, — caballeros, bien vengades.
Bien venido seas, el moro, — buena sea tu venida.
Manténgaos Dios, señor, — Adalides, bien vengades.

Desde luego existen algunas fórmulas con variaciones mínimas para la rima: «Allí habló... — bien oiréis lo que diría» (o *dijera, hubo dicho, hablara*)[61].

Hay que distinguir las fórmulas generales, como las que se acaban de citar, y las particulares o propias de un romance y que se

---

[61] Para más ejemplos, cfr. R. H. Webber, *Formulistic diction in the spanish ballad*.

usan varias veces en un texto ante una misma situación, por ejemplo el conde Dirlos siempre se dirige así a sus caballeros: «¡O esforçados caualleros! — ¡O mi compaña leale!» (rom. 74, versos 128, 171, 190 y 202.)

Hay también tópicos formulísticos como los citados y otros como «al subir de una escalera», «a la mitad del camino», «a las orillas del río — a la sombra de un nogal», «debajo de un verde pino», «de altas torres...», que constituyen fórmulas variadas de localización espacial. También hay fórmulas de localización temporal: «la mañana de San Juan», «medianoche era por filo», «víspera de San Cebrián», así como una serie de epítetos generales y particulares: «el buen rey», «esa ciudad», «blanca niña», «Francia la natural» y nombres propios que se repiten: Blancaflor, Alda, Isabel. Hay asimismo una numerosa serie de pequeños motivos que aparecen en varios romances como: «hablar en algarabía», «comer de su pan», «armarse de todas armas», así como motivos más amplios y que adoptan diversas formas, como las maldiciones, los lamentos, las invocaciones y los juramentos, que también se pueden expresar formulísticamente. Tópicos son algunos números: 3, 7, 2, así como 30, 100, 300, que se repiten una y otra vez (en especial los tres primeros).

No hay que olvidar que, además de los tópicos y fórmulas mencionados, que constituyen lo que se conoce por formulismo, el Romancero utiliza con el mismo carácter elementos formales como los esquemas repetitivos y antitéticos antes mencionados y convierte a un buen número de recursos y procedimientos en «fórmulas de composición» por el enorme uso que de ellos hace.

La importancia, pues, de esquemas, fórmulas y tópicos formales y conceptuales es de primer orden. Constituyen una herramienta de gran utilidad práctica en la composición romancesca, son los hitos firmes donde se apoya el poeta para ir armando su relato y plasmar buena parte de la sustancia poética. Además, dan una unidad genérica a los diversos textos y son, para el oyente, puntos de referencia para su captación; representan lo conocido, lo familiar (con todo el encanto que tiene la repetición) y atenúan los elementos nuevos, propios de cada creación personal, tamizan el brillo deslumbrante y despistador de lo desconocido y permiten aprehender, gracias a su generalidad, lo que hay de particular en cada texto.

EL TRABAJO DE LA TRADICIÓN ORAL

Para terminar esta exposición somera de lo que es el Romancero, diré algunas palabras sobre su vida tradicional.

El romance está sometido a las dos fuerzas que rigen la poesía popular: la conservación y la renovación. Las distintas versiones de un poema son el resultado del trabajo de la tradición regido por ambas fuerzas. La conservación permite que un texto perdure en la memoria colectiva durante años (y aun siglos), pasando de boca en boca sin cambios fundamentales, incluso con versos que se repiten textualmente de generación en generación. En el ser humano hay una tendencia a repetir lo heredado tal y como lo aprendió y cada cual defiende *su* texto como un patrimonio precioso.

Al mismo tiempo, existe también un deseo (consciente o no) de renovar y mejorar lo que se posee, y esto da lugar a las variaciones que van remoldeando los textos y cambiándolos poco o mucho.

La gama de variaciones es infinita, porque infinitas son las características y capacidades de las distintas personas que aprenden un texto y no todas las variaciones son afortunadas. Hay gente para la cual el metro o la rima no tienen importancia y cuando repiten un romance añaden o quitan sílabas, o sustituyen las palabras rimantes por otras; también se da el caso contrario y gracias a otras personas metro y rima se restauran, en su caso. Para unos la música es más importante que la letra, y así repetirán fónicamente sin fijarse en que deforman las palabras o las cambian por otras con distinto significado. Aquellos para quienes lo que se dice es importante, procurarán conservar la coherencia del texto y, si lo necesita, harán las reformas necesarias para ello. Unas veces los cambios se deben a las diferentes interpretaciones que se pueden dar a un mismo motivo, y otras, a la preferencia por una parte del romance que incita al recreador a desarrollarlo, olvidando lo que no le interesa. Hay cambios de enfoque que conforman los textos (gusto por lo novelesco y no por lo épico, por ejemplo) y capacidad creadora para reformar, añadir y hasta inventar. Existe el deseo de actualización (y así se cambia *espada* por *escopeta* en muchas versiones de *La adúltera)* y también el olvido de los nombres históricos, que se sustituyen por nombres comunes. La adaptación al medio se ejerce con frecuencia y los protagonistas pasan de reyes y damas a simples particulares *(Un padre tenía tres hijas, Estaba una señorita)* y los caballeros a soldados *(¿Dónde vas el soldadito?)*. Los textos adquieren cada vez más el estilo tradicional (uso del diálogo, repeticiones, paralelismos, fórmulas, etc.) y esto es notable comparando versiones recogidas en el siglo XVI y en el XX. Se añaden motivos tomados de otros textos (o inventados), o se desarrollan otros con adiciones del mismo origen. El romance cambia y permanece, varía y queda el mismo, porque la historia rara vez se pierde; puede acortarse o alargarse y también convertirse en un romance diferente.

Todo este trabajo de la tradición es posible gracias a la conciencia que cada persona tiene de que un texto popular no pertenece a nadie en particular y se hace propio en el momento en que se aprende. Como propio que es, se puede conformar al gusto personal (o deformar, si no importa mucho). La materia de que está hecho el romance propicia su modificación: junto a los versos que van desarrollando la acción de la historia existen versos descriptivos o caracterizadores que pueden ser objeto de manipulación sin que ello afecte a la intriga (que generalmente busca conservarse). También hay pequeñas anécdotas secundarias fuera del eje de la acción y pasajes elípticos susceptibles de ampliación. Además de todo esto, el texto tiene un estilo popular que permite modificar, arreglar o sustituir dentro del mismo estilo sin que lo añadido desentone y se sienta extraño. Estos tres factores: conciencia de que se puede manipular un texto heredado como si fuera propio, la gran cantidad de motivos secundarios y de elipsis y la calidad del estilo, producen las variaciones.

Modos usuales de variación

Versos descriptivos como las enumeraciones son de los más susceptibles de adición y cambio; veamos el testamento de *El marinero*.

El alma es para mi Dios — que se la tengo mandada
y lo demás que me queda — pa la Virgen soberana.
(M. Pelayo, *Suplemento*, pág. 306)

El alma es para Dios...
el cuerpo para los peces...
el corazón pa la Virgen...

(Gil, *Cancionero popular de Extremadura*, pág. 45)

El alma no, que no es mía...
el cuerpo dejo a los peces...
la vista la dejo al agua...
el corazón a mi madre...

(Catalán, *La flor de la Marañuela*, 162)

El alma no, que no es mía — que a Dios se la tengo dada
y el corazón a María — María de Candelaria;
mi cuerpo dejo a los peces, — mi camisa dejo al agua,
mis soledades al mar, — que las lleven y las traigan.

(Ibíd., 41)

No sólo se añaden (o suprimen) elementos, sino que éstos se cambian; algunos permanecen por su importancia (el alma, el cuerpo); el tercer elemento puede ser el corazón (o los huesos, en otras versiones); el cuarto, la ropa (con sus diversas especificaciones: sombrero, camisa, vestimenta, etc.), o bien la vista, o cualquier otra cosa similar (los ojos, el pelo); el quinto es generalmente un cuerno (para el demonio que lo tienta), aunque en la versión citada son las soledades, acierto poético del reelaborador.

Un ejemplo de anécdota secundaria es la que figura en *Abenámar;* al nombrar los Alixares se incluye una pequeña historia que refuerza el valor de estos castillos:

el moro que los labró — cien doblas ganaba al día

(Primavera, 78)

en otras versiones se añade:

...
el día que no los labra — otras tantas se perdía.

(Ibíd., 78a)

...
el día que no los labra — otras tantas se perdía;
desque los tuvo labrados — el rey le quitó la vida
porque no labre otros tales — al rey de Andalucía.

(Ibíd., pág. 206, n. 2)

52

Un motivo principal también se puede reelaborar (no eliminar, porque se perdería la coherencia del relato), gracias a que en el Romancero los motivos principales pueden ser tratados con detenimiento o no. Así, por ejemplo, la pregunta del esposo de Anarbola a su madre *(La mala suegra)*:

Por la noche vino Juan: — —¿Y Carmela dónde está?
—Se ha ido a parir con su madre...

(Gil, *ob. cit.*, pág. 28)

¿A dó Calmena, mi madre, — Calmena y mi buen donaire?
de que no la veo en casa — se me oscurece el lugare.
No preguntes por Calmena...

(Alvar, *Poesía trad. de los judíos españoles*, 69a)

¿Dónde está mi espejo, madre, — donde me suelo mirar?
—¿Qué espejo preguntas, hijo, — el de vidrio o el de cristal?
—No pregunto por el de vidrio, — tampoco por el de cristal,
pregunto por mi Anarbola — que me digas dónde está.
—Tu Anarbola, hijo mío,...

(Rom. V)

El motivo es el mismo, pero se expresa de distintas maneras, con submotivos o sin ellos, en cuatro versos, en dos, y hasta en un hemistiquio.

Las variaciones estilísticas de un mismo concepto son múltiples; daré algunos ejemplos del mismo verso con repetición de palabras y sin ella:

Por el mes era de mayo...

(Primavera, 114a)

Que por mayo era, por mayo...

(Ibíd., 114)

Doliente se siente el rey, — ese buen rey don Fernando.

(Ibíd., 35, I)

Doliente estaba, doliente, — ese buen rey don Fernando.

(Ibíd., 35, II)

53

Al conde le llevan preso...

(M. Pelayo, *Suplemento,* pág. 185)

Preso va el conde, preso,...

(*Ibíd.,* pág. 184)

El rey tenía tres hijas — bonitas como la plata.

(Catalán, *La flor de la Marañuela,* 114)

Un rey tenía tres hijas — tres hijas como la plata.

(*Ibíd.,* 121)

Como dije, los ejemplos abundan. Una mirada superficial a las varias versiones de un romance puede descubrir fácilmente las pequeñas diferencias entre ellas, y también las muchas semejanzas[62].

Algunas veces, las recreaciones pueden llegar a cambiar el tema mismo del romance. Cuando *Las señas del esposo* pierde la autoidentificación del marido y se cruza (como sucede en algunos países americanos) con la canción de *La viuda abandonada,* el romance de «mujer fiel» se puede convertir en la historia de una mujer liviana, ansiosa de reemplazar al marido perdido o de recibir la admiración de los hombres[63]. Cuando, por pudor, se omite en *Delgadina* la proposición de incesto y ésta se tiene que reemplazar por otros motivos como enamoramiento de la muchacha, desobediencia, etc., el romance de padre incestuoso se convierte en una historia que narra las funestas consecuencias de un excesivo rigor paterno. Cuando *El caballero burlado* adquiere el desenlace de *La hermana cautiva,* se convierte en la historia del encuentro casual de dos hermanos y la burla al caballero queda en un segundo término. Se podrían multiplicar los ejemplos de estos cambios temáticos, que son más numerosos de lo que generalmente se cree.

La estructura misma de un romance puede cambiar debido a la recreación. Un buen ejemplo de ello es el romance de *Bernal Francés,* organizado de una manera peculiar que sólo poseen dos o tres romances más. Por lo general, aunque el personaje principal sea objeto de engaño, el público está al tanto de la realidad; pero en estos romances se mantiene al público tan ignorante como al perso-

---

62 El lector interesado puede hacerlo con los textos núms. 126 y VIII de esta antología.

63 Cfr. mi artículo citado en la nota 56.

naje engañado, hasta llegar a la revelación final. A veces, en México y otros países americanos, se crea un episodio preliminar que describe la estratagema del marido para hacerse pasar por el amante y confirmar la vileza de la mujer. Con ello, la estructura basada en la sorpresa final para el oyente, se convierte en una estructura común.

Con estos pocos ejemplos hemos querido ilustrar algunos de los más usuales modos de variación de un romance: actualización, adaptación al medio, variaciones, variaciones estilísticas, temáticas y estructurales. Esta gama de realizaciones, sus causas, sus efectos, su mecánica, etc., son parte de la atracción que el Romancero tiene para el investigador y materia de muchos estudios actuales[64].

Fuentes para la recreación

Como se ha podido ver en los ejemplos arriba citados, el recreador popular toma sus materiales de tres fuentes básicas: de su entorno, de su inspiración y de lo ya existente en la tradición. Poco hay que decir de la primera, que produce cambios por lo general mínimos (variaciones léxicas y pequeñas ampliaciones). La segunda puede producir variantes más elaboradas, como, por ejemplo, la pequeña escena final de las versiones de Valladolid de *El duque de Alba*[65], que traduce los remordimientos del caballero, o el episodio preliminar en *Bernal Francés,* del que ya se habló. La tercera fuente produce generalmente variantes muy importantes que se pueden clasificar en tres tipos: amalgamiento, fusión y cruce.

El amalgamiento se da raramente y se realiza cuando dos romances completos se funden en uno, guardando cada uno su propia historia. De ello resulta un romance con dos episodios completos. Hay pequeñas modificaciones; las más notables son el acortamiento de los textos (en especial del segundo), las variaciones en

---

[64] Cfr. mi libro *Estudios y notas sobre el romancero,* págs. 55-89, M. Alvar, *El romancero, Tradicionalidad y pervivencia,* y los ya citados estudios de Bénichou, Di Stefano y Catalán.

[65] Cfr. J. Díaz *et al, Catálogo folklórico de la provincia de Valladolid,* I, pág. 181.

los nombres de los protagonistas para conservar la coherencia y la creación de versos de transición entre uno y otro romance. El ejemplo más conocido es el de *Gerineldo + La condesita.*

La fusión se realiza cuando se toma una parte importante de un romance (una escena, un episodio) y se incorpora a otro, ya como primer episodio, ya como episodio final. El añadido embona perfectamente y se suele subordinar al romance que lo incluye. Como ejemplo se puede citar la fusión *El quintado + La aparición:* un soldado llora por su mujer, el capitán le da permiso para irse a su casa *(El quintado),* en el camino se encuentra una sombra que resulta ser su difunta esposa, quien le hace reproches o recomendaciones *(La aparición)*[66]. Como se ve, la historia no tiene ningún corte. La única señal que indica la fusión de dos romances es, a veces, la rima; cada romance suele conservar la suya (en el ejemplo citado, el primer romance tiene rima en *éa* y el segundo en *í),* pero otras veces hay coincidencia de rima entre los dos romances, como sucede en *La infantina + El caballero burlado* (ambos en *ía),* o bien (y esto es raro) se reelabora la rima de una de las partes, como sucede en *La muerte de don Juan + La muerte ocultada*[67].

Los cruces implican que un motivo se toma de otros textos (romances tradicionales, vulgares, coplas o canciones). Es el modo más común de recrear y es raro el romance que no lo utiliza (cfr., por ejemplo, el texto núm. 126 con un verso del núm. 85). *Gerineldo* puede empezar con versos de *El conde Olinos, La condesita* termina a veces con una copla popular, *La infanticida,* romance vulgar, presta a veces versos a *Blancaflor y Filomena*[68]. Estos cruces se incorporan a veces tal cual y hay un rompimiento de rima, pero lo normal es rehacerlos en la rima del romance donde se insertan.

La constancia de que los recreadores del Romancero utilizan con mucha frecuencia motivos tomados de otros textos ha llevado a considerar el motivo como una pequeña unidad temática, que

---

66 Una versión de este romance se puede encontrar en D. Ledesma, *Folklore o Cancionero salmantino,* págs. 164-165.

67 Cfr. las versiones canarias recogidas en D. Catalán, *La flor de la Marañuela,* II, núms. 440, 530.

68 Cfr. *Romancero tradicional,* VII, pág. 104, *ibíd.,* V, pág. 41 y D. Catalán, *La flor de la Marañuela,* II, pág. 103.

circula libremente en la memoria tradicional y que por su independencia básica puede ser usada en textos con historias muy diferentes, pero con situaciones semejantes, o bien en textos que puedan dar cabida a una ampliación que implique una nueva situación coherente con el resto del romance.

Existe pues en la memoria común todo un depósito temático que incluye recuerdos textuales o meramente anecdóticos; también, en ese mismo depósito hay fórmulas, tópicos y recursos formales; si a esto añadimos la conciencia de metro y rima más comunes, podemos entender cómo los depositarios de la poesía popular tienen a su alcance todo lo necesario para la recreación. Sólo se necesita una pequeña chispa para poner en marcha el proceso. Esa chispa puede proceder del texto mismo: un motivo susceptible de ampliación (por ejemplo, una enumeración), una situación implícita, una palabra o un verso que traen a la memoria otros, y también la polisemia, las diferentes interpretaciones que se le pueden dar a palabra, motivos o situación[69]. La capacidad poética y narrativa del recreador es, desde luego, la que lleva a cabo el trabajo sobre el texto con los elementos temáticos y formales a su alcance, ya en su memoria, en su entorno o en su inspiración personal.

No hay duda de que la vida dinámica del romance es una de las razones de su supervivencia, ya que éste se adapta a las circunstancias temporales, espaciales y hasta de gusto o imaginación personales de los que lo reciben. El paso de los textos por la tradición oral no consiste pues en su mera transmisión, resultado del interés que despiertan las historias que se relatan, de la facilidad y familiaridad de su estilo, de su encanto poético, sino en su doble cualidad de algo que se conserva y se varía a la vez.

---

[69] Cfr. por ejemplo, P. Bénichou, *Creación poética en el romancero tradicional,* págs. 95-124, así como M. Díaz Roig, «Palabra y contexto en la recreación del romancero tradicional».

Esta edición

Hemos modernizado la ortografía y la acentuación para una mejor comprensión de los romances. Sin embargo, en algunos casos y como un ejemplo de las lecciones de impresores, hemos transcrito los textos tal y como aparecen en la fuente de la cual se tomaron. Este es el caso de los romances 28, 57, 58, 59 y 74.

Nos hemos basado en cinco fuentes: *Cancionero de romances* (*Anvers, 1550*), edición de Rodríguez-Moñino; *Nueva colección de pliegos sueltos*, edición de Castañeda y Huarte; *Primavera y flor de romances* de Wolf y Hofmann, *apud* Menéndez Pelayo; *Apéndice a Primavera y flor de romances*, de Menéndez Pelayo y *Romancero tradicional*, edición de Menéndez Pidal (cfr. *Abreviaturas*, pág. 3).

Hemos copiado los textos en versos largos, divididos en hemistiquios, aunque en las fuentes figuren a veces en versos cortos, para marcar tipográficamente la estrecha relación que une al romance con la canción de gesta, de acuerdo con la teoría de Menéndez Pidal.

Hemos incluido un apéndice con diez romances recogidos de la tradición oral moderna. La selección ha sido difícil, pero hemos procurado que fuera representativa del mundo hispánico, por lo que hemos admitido siete textos españoles, dos americanos y uno sefardí. En estos textos hay una versión infantil, un romance religioso, una versión moderna de un romance viejo de la Antología, y un romancillo hexasílabo. Los romances fueron elegidos teniendo en cuenta su difusión y su belleza o ambas.

Abreviaturas

Revistas

Al-An	Al-Andalous. Madrid.
ALM	Anuario de Letras. México.
AO	Archivum. Oviedo.
ASFM	Anuario de la Sociedad Folklórica de México. México.
BHi	Bulletin Hispanique. Burdeos.
CuN	Cultura Neolatina. Roma.
Fil	Filología. Buenos Aires.
HR	Hispanic Review. Filadelfia.
Lan	Language. Baltimore.
LR	Lettres Romanes. Lovaina.
MAe	Medium Aevum. Oxford.
MLR	Modern Language Review. Liverpool.
MRo	Marche Romane. Lieja.
NRFH	Nueva Revista de Filología Hispánica. México.
PhQ	Philological Quarterly. Iowa City.
RABM	Revista de Archivos, Bibliotecas y Museos. Madrid.
RDTP	Revista de Dialectología y Tradiciones Populares. Madrid.
RF	Romanische Forschungen. Colonia.
RFE	Revista de Filología Española. Madrid.
RFH	Revista de Filología Hispánica. Buenos Aires.
RHi	Revue Hispanique. París.
RNC	Revista Nacional de Cultura. Caracas.
Ro	Romania. París.
ROcc	Revista de Occidente. Madrid.

RPh   Romance Philology. Berkeley, California.
RSi   Revista de Sicoanálisis. Buenos Aires.
ZRPh   Zeitschrift für Romanische Philologie. Tubinga.

Libros

Apéndice: MENÉNDEZ PELAYO, M., «Apéndice a *Primavera y flor de romances* de Wolf y Hofmann», *Antología de poetas líricos castellanos,* tomo VII, Buenos Aires, Espasa-Calpe, 1952, págs. 11-148.
Cancionero de 1550: Cancionero de romances (Anvers 1550), edición de A. Rodríguez-Moñino, Madrid, Castalia, 1967.
M. PELAYO, *Suplemento:* MENÉNDEZ PELAYO, M., «Suplemento a *Primavera y flor de romances* de Wolf y Hofmann», *Antología de poetas líricos castellanos, ob. cit.,* págs. 149-439.
M. PELAYO, IX: MENÉNDEZ PELAYO, M., *Antología de poetas líricos castellanos,* tomo IX, Buenos Aires, Espasa-Calpe, 1952.
M. PIDAL, *Estudios:* MENÉNDEZ PIDAL, R., *Estudios sobre el Romancero,* Madrid, Espasa-Calpe, 1970. *Obras completas,* XI.
M. PIDAL, *R. Hispánico:* MENÉNDEZ PIDAL, R., *Romancero Hispánico (Hispano-portugués, americano y sefardí). Teoría e historia,* Madrid, Espasa-Calpe, 1953, 2 tomos.
Pliego S.: Nueva colección de pliegos sueltos, edición de V. Castañeda y A. Huarte, Madrid, 1933.
Primavera: WOLF, F. J. y HOFMANN, C., *Primavera y flor de romances* en MENÉNDEZ PELAYO, M., *Antología de poetas líricos castellanos,* tomo VI, Buenos Aires, Espasa-Calpe, 1952.
Rom. tradicional: MENÉNDEZ PIDAL, R., *Romancero tradicional de las lenguas hispánicas (español-portugués-catalán-sefardí),* Madrid, Seminario Menéndez Pidal y ed. Gredos, tomo I, 1957; tomo II, 1963; tomo III, 1969; tomo IV, 1971; tomo V, 1971-1972; tomos VI y VII, 1975; tomo VIII, 1976; tomo IX, 1978; tomos X y XI, 1977-78; tomo XII, 1984-85.

Clasificación

que tienen los romances, de acuerdo con el Catálogo General del romancero elaborado por el Seminario Menéndez Pidal, y que tiene validez internacional.

Número del romance en la antología	Número en el catálogo	Número del romance en la antología	Número en el catálogo
2	0010	55	0001
5	0054	56	0037
6	0011	57	0004
8	0051	58	0004
13	0055	59	0021
14	0040	60	0033
16	0070	65	0034
17	0061	66	0035
18	0106	67	0032
21	0270	68	0045
23	0047	71	0116
24	0047	74	0190
30	0046	75	0145
31	0124	76	0145
39	0018	79	0087
41	0019	80	0087
42	0020	84	0118
43	0013	86	0109
45	0027	90	0072
48	0123	93	0150
49	0031	97	0078
54	0036	97a	0078

Número del romance en la antología	Número en el catálogo	Número del romance en la antología	Número en el catálogo
98	0107	125	0191
103	0133	126	0160
105	0095		
106	0152		
107	0168	I	0080
110	0074	II	0049
112	0149	III	0184
115	0138	IV	0075
116	0023	V	0153
117	0100	VII	0169
118	0164	VIII	0160
121	0234	IX	0110
124	0233	X	0104

Bibliografía

TEXTOS

A. *Principales colecciones de romances viejos en reediciones modernas*

Cancionerillos góticos castellanos, edición de Antonio Rodríguez Moñino, Valencia, Castalia, 1954.

Cancionero de romances (Anvers, 1550), edición de Antonio Rodríguez Moñino, Madrid, Castalia, 1967.

Cancionero de romances impresos en Amberes, s.a., edición facsímil con notas de R. Menéndez Pidal, Madrid, Junta para la ampliación de Estudios e Investigaciones Científicas, 1914. Reimpresión: Madrid, Consejo Superior de Investigaciones Científicas, 1945.

Cancionero general recopilado por Hernando del Castillo (Valencia, 1511), edición de Antonio Rodríguez Moñino, Madrid, 1958.

DURÁN, Agustín, *Romancero general o Colección de romances castellanos anteriores al siglo XVIII,* Madrid, Biblioteca de Autores Españoles, 1945, 2 tomos.

ESCOBAR, Juan de, *Historia y romancero del Cid (Lisboa, 1605),* edición de Antonio Rodríguez Moñino, Madrid, Castalia, 1973.

Pliegos góticos españoles de la Universidad de Praga, prólogo de Ramón Menéndez Pidal, Madrid, Joyas Bibliográficas, 1961, 2 tomos.

Pliegos poéticos españoles de la Biblioteca Nacional de Viena, edición de María Cruz García de Enterría, Madrid, 1975.

‎ *Pliegos poéticos góticos de la Biblioteca Nacional,* Madrid, Joyas Bibliográficas, 1957-1961, 6 tomos.

RODRÍGUEZ, Lucas, *Romancero historiado (Alcalá, 1582),* edición de Antonio Rodríguez Moñino, Madrid, Castalia, 1967.

SEPÚLVEDA, Lorenzo de, *Cancionero de romances (Sevilla, 1584),* edición de Antonio Rodríguez Moñino, Madrid, Castalia, 1967.

Silva de romances (Zaragoza, 1550-1551), edición de Antonio Rodríguez Moñino, Zaragoza, 1970.

TIMONEDA, Juan, *Rosas de romances. Valencia, 1573,* Madrid, Castalia, 1963.

WOLF, F. J., y C. HOFMANN, *Primavera y flor de romances,* en M. Menéndez Pelayo, *Antología de poetas líricos castellanos,* tomo VI, Buenos Aires, Espasa-Calpe, 1952.

B. *Principales colecciones de romances*
    de tradición oral moderna

ALMOINA DE CARRERA, Pilar, *Diez romances hispanos en la tradición oral venezolana,* Caracas, Universidad de Venezuela, s.a. [1975].

ALONSO CORTÉS, Narciso, *Romances de Castilla,* Valladolid, Instituto Cultural Simancas y D. P. de Valladolid, 1982 (reedición de *Romances populares de Castilla,* Sáenz, Valladolid, 1906, y de «Romances tradicionales», *RHi,* 50, 1920).

ALVAR, Manuel, *Poesía tradicional de los judíos españoles,* México, Porrúa, 1971.

— *Romances en pliegos de cordel,* Málaga, 1974.

ANGLÉS, Higinio, *La música en la corte de Carlos V,* II, *Polifonía profana. Cancionero musical de palacio (siglos XV-XVI),* Barcelona, CSIC, 1947.

ARMISTEAD, Samuel G., «Romances tradicionales entre los hispano-hablantes del Estado de Luisiana», *NRFH,* 27 (1978), págs. 39-56, y «Más romances de Luisiana», *ibíd.,* 33 (1983), págs. 41-54.

ARMISTEAD, Samuel G., y SILVERMAN, Joseph H., «Dos romances fronterizos en la tradición sefardí oriental», *NRFH,* XIII, (1959), págs. 88-97.

— *The judeo-spanish ballad chapbooks of Yacob Abraham Yoná,* Berkeley-Los Angeles, 1971.

— *Romances judeo-españoles de Tánger,* recogidos por Zarita Nahón, Madrid, 1977.

— *Tres calas en el romancero sefardí (Rodas, Jerusalén, Estados Unidos),* Madrid, Castalia, 1979.

BÉNICHOU, Paul, *Romancero judeo-español de Marruecos,* Madrid, Castalia, 1968.

BEUTLER, Gisela, *Estudios sobre el romancero español en Colombia en su tradición escrita y oral desde la época de la conquista hasta la actualidad,* Bogotá, 1977 (Publicaciones del Instituto Caro y Cuervo, XLIV, primera ed.; en alemán, Heidelberg, 1969).

CAMPA, Arthur L., *Spanish folk poetry in New Mexico,* Albuquerque, University of New Mexico, 1946.

CAPDEVIELLE, Ángela, *Cancionero de Cáceres y su provincia,* Madrid, D. P. de Cáceres, 1969.

CARRIZO, Juan Alfonso, *Cancionero popular de Salta,* Buenos Aires, Baiocco, 1933.

— *Cancionero popular de Jujuy,* Tucumán, Universidad Nacional de Tucumán, 1934.

— *Cancionero popular de Tucumán,* Buenos Aires, Espasa-Calpe, 1937, 2 tomos.

— *Cancionero popular de La Rioja,* Buenos Aires, Espasa-Calpe, 1942, 3 tomos.

CATALÁN, Diego, con la colaboración de María Jesús López de Vergara, Mercedes Morales, Araceli González, María Victoria Izquierdo y Ana Valenciano, *La flor de la Marañuela: Romancero general de las Islas Canarias,* Madrid, Seminario Menéndez Pidal y Editorial Gredos, 1969, 2 vols.

CID, Jesús Antonio, «Romances en Garganta la Olla (Materiales y notas de excursión)», *RDTP,* 30 (1974), págs. 467-527.

CÓRDOVA Y OÑA, S., *Cancionero infantil español,* Santander, 1947.

COSSÍO, José María de, *Romances de tradición oral,* Buenos Aires-México, Espasa-Calpe, 1947 (Colección Austral, núm. 762).

COSSÍO, José María de, y MAZA SOLANO, Tomás, *Romancero popular de la Montaña: colección de romances tradicionales,* Santander, 1933-34, 2 vols.

CRUZ-SÁENZ, M. S. de, *Romancero tradicional de Costa Rica,* Newark, Delaware, Juan de la Cuesta, 1986.

DÍAZ, Joaquín, VAL, José Delfín, y DÍAZ VIANA, Luis, *Catálogo folklórico de la provincia de Valladolid. «Romances tradicionales»,* Valladolid, 1978, 2 tomos.

DÍAZ, Joaquín, y DÍAZ VIANA, Luis, *Romances tradicionales de Castilla y León,* Madison, Hispanic Seminary of Medieval Studies, 1982.

DÍAZ ROIG, Mercedes, y GONZÁLEZ, Aurelio, *Romancero tradicional de México,* México, UNAM, 1986.

DÍAZ VIANA, Luis, *Romancero tradicional soriano,* D. P. de Soria, 1983, 2 tomos.

ECHEVARRÍA, Pedro, *Cancionero musical popular manchego,* Madrid, 1951.

ESPINOSA, Aurelio, «Romances tradicionales en California», *Homenaje ofrecido a Menéndez Pidal,* Madrid, Hernando, 1925, I, págs. 299-313.

— *Romancero de Nuevo México,* Madrid, CSIC, 1953.

FERNÁNDEZ Y FERNÁNDEZ NÚÑEZ, M., *Folk-lore leonés,* Madrid, 1931 (reedición: León, Nebrija, 1980).

GARCÍA MATOS, M., *Cancionero popular de la provincia de Madrid,* Barcelona-Madrid, Consejo Superior de Investigaciones Científicas, 1951-1953, 3 tomos.

GIL, Bonifacio, *Cancionero popular de Extremadura. Contribución al folklore musical de la región,* I, 1931; Badajoz, II, 1956, 2. vols.

— *Romances populares de Extremadura recogidos de la tradición oral,* Badajoz, 1944.

— *Cancionero infantil (Antología),* Madrid, Taurus, 1964.

KUNDERT, Hans, «Romancerillo Sanabrés», *RDTP,* 18 (1962), págs. 37-124.

LEDESMA, Dámaso, *Folk-lore o Cancionero salmantino,* edición facsímil, Salamanca, 1972 (1.ª edición, 1907).

LEITE DE VASCONCELOS, J., *Romanceiro português,* Coimbra, 1958-1960, 2 tomos.

MARAZUELA, Agapito, *Cancionero segoviano,* Segovia, 1964.

MARTÍNEZ RUIZ, Juan, «Romancero de Güejar Sierra (Granada)», *RDTP,* 11 (1956), págs. 360-386 y 495-543.

MEJÍA SÁNCHEZ, Ernesto, *Romances y corridos nicaragüenses,* México, Imprenta Universitaria, 1946.

MENDOZA, Vicente T., *El romance español y el corrido mexicano. Estudio comparativo*, México, UNAM, 1939.

MENÉNDEZ PELAYO, M., «Apéndices y Suplemento a la *Primavera y flor de romances* de Wolf y Hofmann», en *Antología de poetas líricos castellanos*, tomo VIII, Buenos Aires, Espasa-Calpe, 1952.

— «Suplemento a *Primavera y flor de romances* de Wolf y Hofmann», en *Antología de poetas líricos castellanos, ob. cit.*, tomo VI.

MENÉNDEZ PIDAL, Ramón, *Flor nueva de romances viejos*, Madrid, Espasa-Calpe, 1939 (Colección Austral, núm. 100).

MILÁ Y FONTANALS, M., *Romancer català*, Barcelona, La Caixa, 1980 (selección del *Romancerillo catalán*, 1882).

NAVARRETE, Carlos, «El romance tradicional y el corrido en Guatemala», en *Revista de la Universidad de San Carlos*, 59 (1963), págs. 181-254.

PARDO, Isaac, «Investigaciones folklóricas. Viejos romances españoles en la tradición popular venezolana», *RNC*, 36 (1943), págs. 33-74.

PÉREZ BALLESTEROS, José, *Cancionero popular gallego*, Buenos Aires, Dorna, 1942, 2 tomos (romances en el tomo II).

PETERSEN, Suzanne, *Voces nuevas del romancero castellano-leonés*, Madrid, CSMP y Editorial Gredos, 1982, 2 tomos.

PONCET Y DE CÁRDENAS, Carolina, *El romance en Cuba*, 2.ª ed., La Habana, Instituto Cubano del Libro, 1972 (1.ª ed., 1914).

PUIG CAMPILLO, A., *Cancionero popular de Cartagena*, Cartagena, 1953.

REUTER, Jas, *Los niños de Campeche cantan y juegan*, México, SEP, 1978.

Romancero tradicional de las lenguas hispánicas, Madrid, Seminario Menéndez Pidal y Editorial Gredos, 1957-1985; tomo I, 1957; tomo II, 1963; tomo III, 1969; tomo IV, 1970; tomo V, 1971-1972; tomo VI, 1975; tomo VII, 1975; tomo VIII, 1976; tomo IX, 1978; tomos X y XI, 1977-1978; tomo XII, 1984-1985.

ROMERO, Emilia, *El romance tradicional en el Perú*, México, El Colegio de México, 1952.

SANTULLANO, Luis, *Romances y canciones de España y América*, Buenos Aires, Hachette, s.a., 1955.

SCHINDLER, Kurt, *Folk music and poetry of Spain and Portugal,* Nueva York, 1941.

SERRANO MARTÍNEZ, Celedonio, «Romances tradicionales en Guerrero», *ASFM,* 7 (1951), págs. 7-72.

TRAPERO, Maximiano, *Romancero de Gran Canaria I,* Las Palmas, Instituto Canario de Etnografía y Folklore, Cabildo de Gran Canaria, 1982.

— *Romancero de la Isla del Hierro,* Madrid, Seminario Menéndez Pidal-Cabildo Insular del Hierro, Editorial Gredos, 1985.

VICUÑA CIFUENTES, Julio, *Romances populares y vulgares,* Santiago, Biblioteca de escritores de Chile, 1912.

WOLF, F. J., y HOFMANN, C., *Primavera y flor de romances,* en Menéndez Pelayo, M., *Antología de poetas líricos castellanos, ob. cit.,* tomo VI.

ESTUDIOS

AGUIRRE, J. M., «Épica oral y épica castellana», *RF,* 80 (1968), págs. 13-43.

— *Moraima* y *El prisionero:* Ensayo de interpretación», en *Studies of the spanish and portuguese ballad,* Londres, Tamesis Books, 1972, págs. 53-72.

ALVAR, Manuel, «Romance de *La bella en misa* y romance de *Vergilios* en Marruecos», *AO,* 4 (1954), págs. 264-276.

— «Patología y terapéutica rapsódicas. Cómo una canción se convierte en romance», *RFE,* 42 (1958-1959), págs. 19-35.

— *El romancero. Tradicionalidad y pervivencia,* Barcelona, Planeta, 1970.

— «Transmisión lingüística de los romances antiguos», *Prohemio,* III, 1972, págs. 197-219.

ARMISTEAD, Samuel G., «The enamored doña Urraca in chronicles and balladry», *R Ph,* 9 (1957-1958), págs. 26-29.

— con la colaboración de Selma Margaretten, Paloma Montero y Ana Valenciano, *El romancero judeo-español en el Archivo Menéndez Pidal (Catálogo-Índice de romances y canciones),* Madrid, 1978 (FERS, I, II, III), 3 vols.

— y SILVERMAN, Joseph H., *En torno al romancero sefardí,* Madrid, CSMP, 1982 (contiene estudios publicados entre 1959 y 1979).

— «Romancero antiguo y moderno (dos notas documentales)», *Annali dell'Istituto Universitario Orientale,* 16 (1974), págs. 245-259.

— «Siete vueltas dio al castillo...», *RDTP,* 30 (1974), páginas 323-326.

ASENSIO, E., *«Fonte frida* o encuentro del romance con la canción de mayo», *Poética y realidad en el cancionero peninsular de la Edad Media,* Madrid, Editorial Gredos, 1957, páginas 241-277.

AVALLE ARCE, Juan Bautista, «Bernal Francés y su romance», *Anuario de estudios medievales,* III (1966), págs. 327-391.

BAEHR, Rudolf, *Manual de versificación española,* traducción y adaptación de K. Wagner y F. López Estrada, Madrid, Editorial Gredos, 1973.

BATAILLON, Marcel, «La tortolica de *Fontefrida* y del *Cántico espiritual»,* NRFH, 7 (1953), págs. 291-306.

BEATIE, Bruce A., «"Romances tradicionales" and spanish traditional ballads; Menéndez Pidal *vs.* Vladimir Propp», *Journal of the Folklore Institute,* 13 (1976), págs. 37-55.

BÉNICHOU, Paul, «El casamiento del Cid», *NRFH,* 7 (1953), págs. 316-336.

— «La belle qui ne saurait pas chanter. Notes sur un motif de poésie populaire», *Revue de littérature comparée,* París, 1954, páginas 257-281.

— *Creación poética en el romancero tradicional,* Madrid, Gredos, 1968.

— «Al margen del coloquio sobre el romancero tradicional (carta a Diego Catalán)», *El romancero en la tradición oral moderna. Primer coloquio internacional (1971)* edición de D. Catalán y S. G. Armistead, colaboración de A. Sánchez Romeralo, Madrid, Seminario Menéndez Pidal y Editorial Gredos, 1972, páginas 297-301.

— «El romance de *La muerte del Príncipe de Portugal* en la tradición moderna», *NRFH,* 24 (1975), págs. 113-124.

Bibliografía del romancero oral, 1, preparada por A. Sánchez Romeralo, S. G. Armistead y S. H. Petersen, Madrid, CSMP y Editorial Gredos, 1980.

BRONZINI, G. B., *«Las Señas del marido e La prova»,* CuN, 18 (1958), págs. 217-247.

71

CATALÁN, Diego, «El "motivo" y la "variación" en la transmisión tradicional del romancero», *BHi,* 61 (1959), páginas 149-182.

— *Siete siglos de romancero (historia y poesía),* Madrid, Gredos, 1969.

— *Por campos del romancero: Estudios sobre la tradición oral moderna,* Madrid, Editorial Gredos, 1970.

— «Memoria e invención en el romancero de tradición oral», *RPh,* 24 (1970), págs. 1-25 y 1971, págs. 441-463.

— con la colaboración de Teresa Catarella, «El romance tradicional, un sistema abierto», *El romancero en la tradición oral moderna. Primer coloquio internacional sobre el Romancero,* Madrid, 1971.

— «Análisis electrónico de la creación poética oral», *Homenaje a la memoria de D. Antonio Rodríguez Moñino,* Madrid, Castalia, 1975, págs. 157-194.

— «Análisis electrónico del mecanismo reproductivo en un sistema abierto: el modelo "Romancero"», *Revista de la Universidad Complutense,* 25 (1976), págs. 55-77.

— «Los modos de producción y "reproducción" del texto literario y la noción de apertura», *Homenaje a Julio Caro Baroja,* edición de Antonio Carreira, Jesús Antonio Cid, Manuel Gutiérrez Esteve y Rogelio Rubio, Madrid, 1978, págs. 245-270.

— «El modelo de investigación pidalino cara al mañana», *¡Alza la voz, pregonero! Homenaje a Don Ramón Menéndez Pidal,* Madrid, CSMP, 1979, págs. 81-124.

— y otros, *Catálogo general del romancero,* Madrid, Seminario Menéndez Pidal y Editorial Gredos, 1982-1984, 3 tomos (tomo 1, Teoría general y metodología; tomos 2 y 3, Catálogo general descriptivo).

CATALÁN, Diego, y GALMÉS DE FUENTES, Álvaro, «El tema de la boda estorbada: proceso de tradicionalización de un romance juglaresco», *Vox Romanica,* 1953-1954, págs. 66-98.

CAZAL, Françoise, «L'Idéologie du compilateur de romances: remodelage du personnage du Cid dans le *Romancero e historia del Cid* de Juan de Escobar (1605)», *L'Idéologique dans le texte. Textes hispaniques: Actes du IIe Coloque du Séminaire d'Etudes Littéraires de L'Université de Toulouse-Le Mirail,* Université de Toulouse-Le Mirail, 1978, págs. 197-209.

CID, Jesús Antonio, «Calderón y el romance de *"El bonetero de la trapería"*», *HR*, 45 (1977), págs. 421-434.

CIROT, G., «Le mouvement quaternaire dans les romances», *BHi*, 21 (1919), págs. 103-142.

CHÂLON, Louis, *L'Historie et l'épopée castillane au Moyen Age*, París, Champion, 1976.

CHEVALIER, Jean-Claude, «Architecture temporelle du "Romancero traditionnel"», BHi, 73 (1971), págs. 50-103.

DEBAX, Michelle, «Problèmes idéologiques dans le *Romancero traditionnel*», *L'Idéologique dans le texte...*, *Actes du IIè Coloque du Séminaire d'Etudes Littéraires*, Université de Toulouse-Le Mirail, 1978, págs. 141-163.

DEVOTO, Daniel, «Un ejemplo de la labor tradicional en el Romancero viejo», *NRFH*, 7 (1953), págs. 383-394.

— «Sobre el estudio folklórico del romancero español. Proposiciones para un método de estudio de la transmisión tradicional», *BHi*, 57 (1955), págs. 233-291.

— «Entre las siete y las ocho», *Fil*, 5 (1959), págs. 65-80.

— «El mal cazador», *Studia philologica, Homenaje ofrecido a Dámaso Alonso*, I, Madrid, Editorial Gredos, 1960, págs. 481-491.

— «Un no aprehendido canto. Sobre el estudio del romancero tradicional y el llamado "método geográfico"», *Abaco, Estudios sobre la literatura española*, I, Madrid, Castalia, 1969, págs. 11-14.

DEYERMOND, A., en colaboración con Margaret Chaplin, «Folk-Motifs in the medieval spanish epic», *Ph Q*, 51 (1972), páginas 36-53.

DÍAZ ROIG, Mercedes, «Un rasgo estilístico del Romancero y de la lírica popular», *NRFH*, 21 (1972), págs. 79-94.

— *El Romancero y la lírica popular moderna*, México, 1976.

— «Lo maravilloso y lo extraordinario en el romancero tradicional», *Deslindes literarios*, México, El Colegio de México, 1977, págs. 46-63.

— «Palabra y contexto en la recreación del Romancero tradicional», *NRFH*, 26 (1977), págs. 460-567.

— «Sobre una estructura narrativa minoritaria y sus consecuencias diacrónicas: el caso del romancero *Las señas del esposo*», *El Romancero hoy. Segundo Coloquio Internacional;* tomo 2: *Poética*, Madrid, CSMP-Universidad de California-Editorial Gredos, 1979, págs. 121-131.

— «Contribución de los romances vulgares al romancero tradicional», *ALM,* 18 (1980), págs. 269-278.
— «El romancero en América», *Historia de la literatura hispanoamericana,* I, Madrid, Cátedra, 1982, págs. 301-316.
— «Algunas observaciones sobre el romancero tradicional de México», *Sabiduría popular,* editor A. Chamorro, Zamora, Michoacán (México), El Colegio de Michoacán y COPSIFE, 1983, págs. 45-57.
— *Estudios y notas sobre el romancero,* México, El Colegio de México, 1986.
DI STEFANO, Giuseppe, *Sincronia e diacronia nel Romanzero,* Pisa, 1967.
— «Marginalia sul Romanzero», *Miscellanea di studi ispanici,* Pisa, 1968, págs. 139-178.
— «Marginalia sul Romanzero (2.ª serie)», *Miscellanea di studi ispanici,* Pisa, 1969-1970.
— «Il pliego suelto cinquecentesco el il *Romancero», Studi di filologia romanza offerti a Silvio Pellegrini,* Padua, 1971, páginas 111-143.
— «Tradición antigua y tradición moderna. Apuntes sobre poética e historia del Romancero», *El romancero en la tradición oral moderna. Primer coloquio internacional sobre el Romancero,* Madrid, 1971, págs. 277-296.
— *El Romancero; Estudio, notas y comentario de texto,* Madrid, Narcea, 1973.
— «Discorso retrospettivo e schemi narrativi nel *Romancero», Linguistica e letteratura,* 1, Pisa (1976), págs. 35-55.
— «La difusión impresa del romancero antiguo en el siglo XVI», *RDTP,* 33 (1977), págs. 373-411.
DO NASCIMENTO, Braulio, «Processos de variação de romance», *Revista brasileira de folklore,* 4 (1964), págs. 59-125.
— «Eufemismo e criação poetica no romanceiro tradicional», *El romancero en la tradición oral moderna. Primer coloquio internacional,* 1971, págs. 233-275.
DONCIEUX, George, «La chanson du Roi Renaud», *Ro,* 29 (1900), págs. 219-256.
ENWISTLE, William J., «The adventure of *Le cerf au pied blanc* in spanish and elsewhere», *MLR,* 18 (1925), páginas 435-448.

— «The Romancero del rey don Pedro in Ayala and the Cuarta Crónica general», *MLR*, 1930.

— «La dama de Aragón», *HR*, 6 (1938), págs. 185-192.

— «Blancaniña», *RFH*, 2 (1939), págs. 159-164.

— *European balladry*, Oxford, 1939.

— «El Conde Dirlos», *MAe*, 10 (1941), págs. 1-14.

— «El Conde Sol o la Boda Estorbada», *RFE*, 33 (1949), págs. 251-264.

— *«La Odisea* fuente del romance del *Conde Dirlos»*, *Estudios dedicados a Menéndez Pidal*, I, Madrid, 1950, páginas 265-273.

— «El Conde Olinos», *RFE*, 35 (1951), págs. 237-248.

FINNEGAN, Ruth, *Oral poetry (its nature, significance and social context)*, Cambridge, Cambridge University Press, 1977.

FOSTER, D. W., *The early spanish ballad*, Nueva York, Twayne, 1971.

GARCÍA DE ENTERRÍA, María Cruz, *Sociedad y poesía de cordel en el barroco*, Madrid, Taurus, 1973.

GONZÁLEZ, Aurelio, *Formas y funciones de los principios en el romancero viejo*, México, UAMI, 1984 (Cuadernos universitarios, 16).

GOYRI, María, «Romances que deben buscarse en la tradición oral», *RABM*, 10 (1906), págs. 374-386 y, 1907, páginas 24-36.

GRAY, Bennison, «Repetition in oral literature», *Journal of American Folklore*, 84, Los Angeles (1971), págs. 289-303.

GUTIÉRREZ ESTEVE, Manuel, «Sobre el sentido de cuatro romances de incesto», *Homenaje a Julio Caro Baroja*, páginas 551-579.

HAUF, A., y AGUIRRE, J. M., «El simbolismo mágico-erótico de *El infante Arnaldos»*, *RF*, 81 (1969), págs. 88-118.

HORRENT, Jules, *La Chanson de Roland dans les littératures française et espagnole au Moyen-Âge*, París, 1951.

— *Roncesvalles*, París, Les Belles Lettres, 1951.

— «Sur les romances carolingiens de Roncevaux», *LR*, 9 (1955), págs. 161-175.

— «Comment vit un romance», *LR*, 11 (1957), págs. 379-394.

— «La jura de Santa Gadea, historia y poesía», *Studia philologica*, Homenaje ofrecido a Dámaso Alonso, págs. 241-266.

— «Traits distinctifs du romance espagnol», *M Ro*, 20 (1970), págs. 29-38.

JAKOBSON, Roman, «Gramatical parallelism and its russian facet», *Lan*, 42 (1966), págs. 399-429.

KATZ, Israel J., «On the music of the ballads», Armistead, S. G. y Silverman, Joseph H., *Romances judeo-españoles de Tánger*, recogidos por Zarita Nahón, Madrid, 1977, páginas 199-205.

— «Sobre las melodías de los romances», Armistead, S. G. y Silverman, J. H., *Tres calas en el romancero sefardí (Rodas, Jerusalén, Estados Unidos)*, Madrid, Castalia, págs. 145-151.

LANGER, M., y FERNÁNDEZ, T., «Notas para el romance de doña Alda», *RSi*, 3 (1945-1946), págs. 720-730.

LAPESA, Rafael, «La lengua en la poesía épica, en los cantares de gesta y en el romancero viejo», *ALM*, 4 (1964), págs. 5-24.

LEONARD, Irving A., *Los libros del conquistador*, México, Fondo de Cultura Económica, 1953.

LEVÍ, E., «El romance florentino de Jaume de Olesa», *RFE*, 14 (1927), págs. 134-160.

LIDA DE MALKIEL, María Rosa, «El romance de la misa de amor», *RFH*, 3 (1941), págs. 24-42.

LOMBA Y PEDRAJA, J. R., «El rey don Pedro en el teatro», *Homenaje a Menéndez Pelayo en el año vigésimo de su profesorado*, Madrid, 1899.

LORD, Albert, B., *The singer of tales*, Cambridge, 1960.

MARCO, Joaquín, «El pliego suelto», *ROcc*, 101-102 (1971), págs. 334-339.

— *Literatura popular en España en los siglos XVIII y XIX*, Madrid, Taurus, 1977, 2 vols.

MARISCAL DE RETH, Beatriz, «El romance de *La muerte oculta*», *Romancero tradicional*, tomo XII, págs. 281-333.

MARTÍNEZ TORNER, Eduardo, «Indicaciones prácticas sobre la notación musical de los romances», *RFE*, 10 (1923), páginas 389-394.

— «Ensayo de clasificación de las melodías de romance», *Homenaje a Menéndez Pidal*, II, 1925, págs. 391-402.

— *Lírica hispánica. Relaciones entre lo popular y lo culto*, Madrid, Castalia, 1966 (La lupa y el escalpelo, 5).

MARTÍNEZ YANES, F., «Los desenlaces en el romance de Blancaniña: tradición y originalidad», *El romancero hoy. Segundo Coloquio Internacional:* tomo II: *Poética,* Madrid, 1979, páginas 132-153.

MENDOZA, Vicente T., *El romance español y el corrido mexicano. Estudio comparativo, ob. cit.*

MENÉNDEZ PELAYO, M., «Tratado de romances viejos», *Antología de poetas líricos castellanos,* tomos VIII y IX, Buenos Aires, Espasa-Calpe, 1952.

MENÉNDEZ PIDAL, Ramón, *La leyenda de los infantes de Lara,* Madrid, 1896 (3.ª ed., Madrid, Espasa-Calpe, 1971).

— «Notas para el romancero de Fernán González», *Homenaje a Menéndez Pelayo,* I, Madrid, 1899.

— «Poesía popular y romancero», *RFE,* 1 (1914), páginas 357-377; 2 (1915), págs. 16-20, 105-136, 329-338; 3 (1916), págs. 233-289 (reimpresión en *Estudios sobre el romancero,* págs. 89-216).

— *«Roncesvalles.* Un nuevo cantar de gesta español del siglo XIII», *RFE,* 4 (1917), págs. 105-204.

— «Sobre geografía folklórica. Ensayo de un método», *RFE,* 7 (1920), págs. 229-338 (reimpresión en *Estudios sobre el romancero,* págs. 219-323).

— «Supervivencia del *poema de Kudrun* (orígenes de la balada)», *RFE,* 20 (1933), págs. 1-59.

— *«La Chanson des Saisnes* en España», *Mélanges de lingüistique et de littérature romanes offerts á Mario Roques,* tomo I, París, 1950, págs. 229-244.

— *Reliquias de la poesía española,* Madrid, 1951.

— *Romancero hispánico (hispano-portugués, americano y sefardí), Teoría e Historia,* Madrid, 1953, 2 vols.

— *Floresta de leyendas heroicas españolas. Rodrigo, el último godo,* Madrid, Espasa-Calpe, 1958, 2 tomos.

— *Poesía juglaresca y juglares,* Madrid, Espasa-Calpe, 1942 (Colección Austral, núm. 300).

— *Los romances de América y otros estudios,* Madrid, Espasa-Calpe, 1939 (Colección Austral, 55).

— *Estudios sobre el romancero,* Madrid, Espasa-Calpe, 1973.

MENÉNDEZ PIDAL, R. (1920), CATALÁN, D., y GALMÉS, A. (1950), *Cómo vive un romance. Dos ensayos sobre tradicionalidad,* Madrid, 1954 *(RFE,* Anejo LX).

MICHAËLIS DE VASCONCELLOS, Carolina, *Estudios sobre o romanceiro peninsular: Romances velhos en Portugal,* Coimbra, 1934.

MILÁ Y FONTANALS, Manuel, *Observaciones sobre la poesía popular con muestras de romances catalanes inéditos,* Barcelona, 1853.

— *De la poesía heroico-popular castellana,* Barcelona, 1959 (primera edición 1874).

MORLEY, S. G., «Are the spanish romances written in quatrains? and other questions», *RR,* 7 (1916), págs. 42-82.

— «El romance del "Palmero"», *RFE,* 9 (1922), págs. 298-310.

— «Chronological list of early spanish ballads», *HR,* 13 (1945), págs. 273-287.

PARRY, Milman, «Studies in the epic techniques of oral verse making. I, Homer and homeric style», *Harvard studies in classical philology,* 41 (1930), págs. 73-147.

PÉREZ VIDAL, José, «Romances con estribillos y bailes romancescos», *RDTP,* 4 (1948), págs. 197-241.

— «Santa Irene (Contribución al estudio de un romance tradicional)», *RDTP,* 4 (1948), págs. 518-569.

POPE, Isabel, «Notas sobre la melodía del *Conde Claros», NRFH,* 7 (1953), págs. 395-402.

PORRATA, Francisco E., *Incorporación del romancero a la temática de la comedia española,* Madrid, 1973.

PROPP, Vladimir, *Morfología del cuento,* Madrid, Fundamentos, 1974.

RODRÍGUEZ MOÑINO, Antonio, *Construcción crítica y realidad histórica en la poesía española de los siglos XVI y XVII,* Madrid, Castalia, 1968.

— *Poesía y cancioneros (siglo XVI),* Madrid, 1968.

— *La Silva de romances de Barcelona, 1561. Contribución al estudio bibliográfico del romancero español en el siglo XVI,* Universidad de Salamanca, 1969.

— *Diccionario de pliegos sueltos poéticos (siglo XVI),* Madrid, Castalia, 1970.

— *Manual bibliográfico de cancioneros y romanceros,* Madrid, Castalia, 1973, 2 vols.

— *La transmisión de la poesía española en los siglos de oro,* Barcelona, Ariel, 1976.

RODRÍGUEZ PUÉRTOLAS, Julio, «El romancero, historia de una frustración», *Ph Q,* 51 (1972), págs. 85-104.

— «El cancionero popular. El romancero y sus héroes fragmentados», Blanco Aguinaga, Carlos, Rodríguez Puértolas, Julio, Zavala, Iris M., *Historia social de la literatura española (en lengua castellana),* vol. I, Madrid, Castalia, 1978, págs. 140-154.

El romancero en la tradición oral moderna: Primer coloquio internacional, editores Armistead, S. G., Sánchez Romeralo, A., Madrid, 1971.

El romancero hoy. Segundo coloquio internacional, tomo I: *Nuevas fronteras;* tomo II: *Poética;* tomo III: *Historia, comparatismo, bibliografía crítica,* editores: Catalán, D., Armistead, S. G., y Sánchez Romeralo, A., Madrid, CSMP-Universidad de California-Editorial Gredos, 1979.

ROMEU I FIGUERAS, Josep, *Poesia i literatura,* Barcelona, Curial, 1974.

SÁNCHEZ ROMERALO, Antonio, «Creación poética. Nuevos métodos de estudio», *El romancero en la tradición oral moderna. Primer coloquio internacional,* Madrid, 1971, págs. 209-231.

— «Razón y sinrazón en la creación tradicional», *El romancero hoy. Segundo coloquio internacional,* tomo II: *Poética,* págs. 13-28.

SECO DE LUCENA PAREDES, Luis, «La historicidad del romance *Río verde, río verde*», *Al-An,* 23 (1958), págs. 55-95.

SIEMENS HERNÁNDEZ, Lothar, «La música de los romances», Trapero, M., *Romancero de Gran Canaria,* Las Palmas, Instituto Canario de Etnografía y Folklore, Cabildo de Gran Canaria, 1982, págs. 47-65.

SMITH, C. Colin, «On the ethos of the "Romancero viejo"», *Studies of the spanish and portuguese ballad,* ed. N. D. Shergold, Londres, Tamesis Books, 1973, págs. 5-25.

SOLÁ-SOLÉ J., «En torno al romance de la morilla burlada», *HR,* 33 (1965).

SPITZER, Leo, «Stilistsch syntaktisches aus den spanisch-portugiessischen romanzen», *ZRPh,* 35 (1911), págs. 192-230 y 258-308.

— «Notas sobre el romancero español», *RFE,* 22 (1935), páginas 153-174.

— «The folklorist pre-stage of the spanish romance *Count Arnaldos*», *HR,* 23 (1955), págs. 173-187.

— *Romanische Literatur-Studien, 1936-1956,* Tubinga, Niemeyer Verlag, 1959.

— *Sobre antigua poesía española,* Buenos Aires, 1962.

SUÁREZ PALLASÁ, Aquilino, «Romance del conde Arnaldos: Interpretación de sus formas simbólicas», *Románica,* 8, 1975, págs. 135-180.

SZERTICS, Joseph, *Tiempo y verbo en el romancero viejo,* Madrid, Editorial Gredos, 1967.

THOMSON, S., *Motif index of folk literature,* Bloomington, 1955-1958, 6 vols.

WEBBER, R. House, *Formulistic diction in the spanish ballad,* Berkeley y Los Angeles, University of California Press, 1951.

El romancero viejo

cauallo ¶ E los ſus vaſſallos con
lo vieron eſtar en aquella cuyta tor-
naron a el por le acorrer ¶ E don pero
coronel z los aragoneſes amio fer.
que vna ya caſo nueuos vezes
los nauaros eſtar detenudos con eſte
ſeñor que ſe no ayudaua boluieron
las rriendas delos cauallos contra
ellos ¶ E fueron los aſperz muy de rre
zio en manera quelos vençeron.

E quando en feyendo el dicho Juan.
coruala conlos ſſeyes ſſeyens vn caños en manera que podieta eſcapt:
pareſſe le eſta moça con vna arquada en
la treruis del cauallo z tomole la rrie-
da en manera quelo no ſxpu vz
vz Juã coruala ſſeyens muy eſpan
tado deſta moça dixole vos vn a
ſilana por q me fizieredes tanto mal
¶ E ella le dixo eſte quela; ayuda

XVII

ROMANCES HISTÓRICOS NOTICIEROS

Romances fronterizos

1

Romance del cerco de Baeza*

Cercada tiene a Baeza — ese arráez[1] Andalla Mir,
con ochenta mil peones, — caballeros cinco mil.
Con él va ese traidor, — el traidor de Pero Gil.
Por la puerta de Bedmar — la empieza de combatir;
ponen escalas al muro, — comiénzanle a conquerir;   5
ganada tiene una torre, — no le pueden resistir,
cuando de la de Calonge — escuderos vi salir.
Ruy Fernández va delante, — aquese caudillo ardil[2],
arremete con Andalla, — comienza de le ferir,
cortado le ha la cabeza, — los demás dan a fuir.   10

---

* *Apéndice*, pág. 28. Es el romance fronterizo más viejo de los fechables;
debe haber sido compuesto muy poco tiempo después del acontecimiento histórico que relata (cerco de Baeza), es decir, *c.a.* 1368, puesto
que alude a Pedro I con el apodo de «el traidor de Pero Gil» que le dio
su hermano Enrique, apodo que se olvidó al poco tiempo.
   No fue recogido por Wolf ni por Durán pero sí por Argote de Molina
en su *Nobleza de Andalucía*. De ahí lo tomó Menéndez Pelayo para su
Apéndice.
   [1] 'caudillo árabe'.
   [2] 'astuto'.

2
Moricos, los mis moricos...*

Moricos, los mis moricos, — los que ganáis mi soldada,
derribédesme a Baeza, — esa ciudad torreada,
y los viejos y las viejas — los meted todos a espada,
y los mozos y las mozas — los trae[d]en la cabalgada,
y la hija de Pero Díaz — para ser mi enamorada,   5
y a su hermana Leonor — de quien sea acompañada.
Id vos, capitán Vanegas — porque venga más honrada,
porque enviándoos a vos — no recelo en la tornada
que recibiréis afrenta, — ni cosa desaguisada.

---

* *Cancionero de 1550*, pág. 249. Se refiere a otro sitio de Baeza, éste
en 1407. La versión parece no ser contemporánea al hecho histórico,
ya que contiene algunos anacronismos, como señala Lafuente (*Historia de Granada*, III, pág. 34). Es uno de los varios romances fronterizos
que relatan la acción desde el campo moro.

3

De la salida del rey Chico de Granada y de Reduán para recobrar Jaén*

—Reduán, bien se te acuerda — que me diste la palabra
que me darías a Jaén — en una noche ganada.
Reduán, si tú lo cumples, — daréte paga doblada,
y si tú no lo cumplieres, — desterrarte he de Granada;
echarte he en una frontera — do no goces de tu dama.   5
Reduán le respondía — sin demudarse la cara:
—Si lo dije, no me acuerdo, — mas cumpliré mi palabra.
Reduán pide mil hombres, — el rey cinco mil le daba.
Por esa puerta de Elvira — sale muy gran cabalgada.
¡Cuánto del hidalgo moro! — ¡Cuánta de la yegua baya!   10
¡Cuánta de la lanza en puño! — ¡Cuánta de la adarga blanca!
¡Cuánta de marlota¹ verde! — ¡Cuánta aljuba² de escarlata!
¡Cuánta pluma y gentileza! — ¡Cuánto capellar³ de grana!
¡Cuánto bayo borceguí! — ¡Cuánto lazo que le esmalta!
¡Cuánta de la espuela de oro! — ¡Cuán estribera de plata!   15
Toda es gente valerosa — y experta para batalla;
en medio de todos ellos — va el rey Chico de Granada.
Míranlo las damas moras — de las torres del Alhambra.
La reina mora, su madre, — de esta manera le habla:
—Alá te guarde, mi hijo, — Mahoma vaya en tu guarda,   20
y te vuelva de Jaén — libre, sano y con ventaja,
y te dé paz con tu tío, — señor de Guadix y Baza.

---

* *Primavera*, pág. 197. En 1407 atacó Reduán la ciudad de Jaén y murió en la empresa. El romance calla el desenlace trágico y se concentra sobre todo en la magnificencia de los guerreros moros, que más parecen ir ataviados para un desfile que para entrar en batalla; esta escena está más cercana al Romancero nuevo que al tradicional. Wolf y Hofmann tomaron esta versión de Pérez de Hita, *Historia de los bandos de Cegríes...*
¹ 'vestidura ajustada'.
² 'gabán de manga corta'.
³ 'manto'.

4

Romance de Fernandarias *

—¡Buen alcaide de Cañete, — mal consejo habéis tomado
en correr a Setenil, — hecho se había voluntario!
¡Harto hace el caballero — que guarda lo encomendado!
Pensaste correr seguro — y celada os han armado.
Hernandarias Sayavedra, — vuestro padre os ha vengado,   5
ca cuerda correr a Ronda — y a los suyos va hablando:
—El mi hijo Hernandarias — muy mala cuenta me ha dado,
encomendéle a Cañete, — él muerto fuera en el campo.
Nunca quiso mi consejo, — siempre fue mozo liviano,
que por alancear un moro — perdiera cualquier estado.   10
Siempre esperé su muerte — en verle tan voluntario,
mas hoy los moros de Ronda — conocerán que le amo.
A Gonzalo de Aguilar — en celada le han dejado.
Viniendo a vista de Ronda, — los moros salen al campo.
Hernandarias dio una vuelta — con ardid muy concertado,   15
y Gonzalo de Aguilar — sale a ellos denodado,
blandeando la su lanza — iba diciendo: —¡Santiago,
a ellos, que no son nada, — hoy venguemos a Fernando!
Murió allí Juan Delgadillo — con hartos buenos cristianos;
mas por las puertas de Ronda — los moros iban entrando,   20
venticinco traía presos, — trescientos moros mataron,
mas el viejo Hernandarias — no se tuvo por vengado.

---

* *Primavera*, pág. 198. El suceso es del año 1410 (cfr. Lafuente, *ob.
cit.*, pág. 67). La versión de *Primavera* procede de un pliego suelto del
siglo xvi.
  Para este romance, cfr. M. Pidal, *Estudios*, págs. 167-168 y 193.

5

Romance del moro de Antequera*

De Antequera sale un moro, — de Antequera, aquesa villa,
cartas llevaba en su mano, — cartas de mensajería,
escritas iban con sangre, — y no por falta de tinta,
el moro que las llevaba — ciento y veinte años había.
Ciento y veinte años el moro, — de doscientos parecía,   5
la barba llevaba blanca — muy larga hasta la cinta,
con la cabeza pelada — la calva le relucía;
toca llevaba tocada, — muy grande precio valía,
la mora que la labrara — por su amiga la tenía.
Caballero en una yegua — que grande precio valía,   10
no por falta de caballos, — que hartos él se tenía;
alhareme[1] en su cabeza — con borlas de seda fina.
Siete celadas le echaron, — de todas se escabullía;
por los cabos de Archidona — a grandes voces decía:
—Si supieres, el rey moro, — mi triste mensajería   15
mesarías tus cabellos — y la tu barba vellida.
Tales lástimas haciendo — llega a la puerta de Elvira;
vase para los palacios — donde el rey moro vivía.
Encontrado ha con el rey — que del Alhambra salía
con doscientos de a caballo, — los mejores que tenía.   20
Ante el rey, cuando le halla, — tales palabras decía:
—Mantenga Dios a tu alteza, — salve Dios tu señoría.
—Bien vengas, el moro viejo, — días ha que te atendía.
¿Qué nuevas me traes, el moro, — de Antequera esa mi villa?
—No te las diré, el buen rey, — si no me otorgas la vida.   25
—Dímelas, el moro viejo, — que otorgada te sería.

---

* *Pliego S.*, pág. 64. La toma de Antequera ocurrió en 1410. El romance
tiene un aire plenamente tradicional, pese a que el final parece un añadido
inspirado en la *Crónica de Juan II*. Milá y Fontanals y Menéndez Pelayo
ven en él semejanzas con *La pérdida de Alhama* (rom. 14); cfr. M. Pelayo, IX, pág. 162.
    Esta versión procede de un pliego suelto que parece haber sido impre-
so en Salamanca, *c.a.* 1541, por Pedro de Castro (cfr. *Pliego S.*, pág. XIII).
  [1] 'alfareme': toca árabe.

—Las nuevas que, rey, sabrás — no son nuevas de alegría:
que ese infante don Fernando — cercada tiene tu villa.
Muchos caballeros suyos — la combaten cada día:
aquese Juan de Velasco — y el que Henríquez se decía,   30
el de Rojas y Narváez, — caballeros de valía.
De día le dan combate, — de noche hacen la mina;
los moros que estaban dentro — cueros de vaca comían,
si no socorres, el rey, — tu villa se perdería.

6

La mañana de San Juan...*

La mañana de San Juan — al tiempo que alboreaba,
gran fiesta hacen los moros — por la vega de Granada.
Revolviendo sus caballos — y jugando de las lanzas,
ricos pendones en ellas — broslados por sus amadas,
ricas marlotas vestidas — tejidas de oro y grana.   5
El moro que amores tiene — señales de ello mostraba,
y el que no tenía amores — allí no escaramuzaba.
Las damas moras los miran — de las torres del Alhambra,
también se los mira el rey — de dentro de la Alcazaba.
Dando voces vino un moro — con la cara ensangrentada: 10
—Con tu licencia, el rey, — te daré una nueva mala:
el infante don Fernando — tiene a Antequera ganada;
muchos moros deja muertos, — yo soy quien mejor librara,
siete lanzadas yo traigo, — el cuerpo todo me pasan,
los que conmigo escaparon — en Archidona quedaban.   15
Con la tal nueva el rey — la cara se le demudaba;
manda juntar sus trompetas — que toquen todas el arma,
manda juntar a los suyos, — hace muy gran cabalgada,
y a las puertas de Alcalá, — que la Real se llamaba,
los cristianos y los moros — una escaramuza traban.   20
Los cristianos eran muchos, — mas llevaban orden mala,
los moros, que son de guerra, — dádoles han mala carga,
de ellos matan, de ellos prenden, — de ellos toman en celada.
Con la victoria, los moros — van la vuelta de Granada;
a grandes voces decían: — —¡La victoria ya es cobrada!   25

---

* *Primavera*, pág. 202, versión tomada de la *Silva de 1550;* Pisador,
en su *Libro de música de vihuela* (1552) incluye una parte de este romance
(cfr. M. Pidal, *R. Hispánico, II*, pág. 36).
La descripción inicial de la fiesta mora parece tomada de un romance
amoroso de tipo morisco: *Jarifa y Abindarráez (ibíd.)* El suceso histórico es el mismo del romance anterior.

7

Caballeros de Moclín... *

Caballeros de Moclín, — peones de Colomera,
entrado habían en acuerdo, — en su aconsejada negra,
a los campos de Alcalá — donde irían a hacer presa.
Allá la van a hacer, — a esos molinos de Huelma.
Derrocaban los molinos, — derramaban la civera,   5
prendían lo molineros, — cuantos hay en la ribera.
Ahí hablara un viejo — que era más discreto en guerra:
—Para tanto caballero — chica cabalgada es esta;
soltemos un prisionero — que a Alcalá lleve la nueva;
démosle tales heridas — que en llegando luego muera,   10
cortémosle el brazo derecho, — porque no nos haga guerra.
Por soltar un molinero — un mancebo se les sale
que era nacido y criado — en Jerez de la Frontera,
que corre más que un gamo — y salta más que una cierva.
Por los campos de Alcalá — diciendo va: —¡Afuera, afuera! 15
caballeros de Alcalá — no os alabaréis de aquesta,
que por una que hicisteis — y tan caro como cuesta,
que los moros de Moclín — corrido vos han la ribera,
robado vos han el campo, — llevado vos han la presa.
Oído lo ha don Pedro, — por su desventura negra;   20
al salir de la ciudad — se encontró con Sayavedra:
—No vayades allá, hijo, — sí mi maldición os venga,
que si hoy fuere la suya, — mañana será la vuestra.

---

* *Cancionero de 1550*, pág. 247. El texto relata una de las muchas co-
rrerías moras; en ésta muere Pedro Fernández de Córdoba, hijo del
alcaide de Alcalá la Real. La muerte tuvo lugar en 1424.

8

Romance de Abenámar*

—¡Abenámar, Abenámar, — moro de la morería,
el dia que tú naciste — grandes señales había!
Estaba la mar en calma, — la luna estaba crecida,
moro que en tal signo nace — no debe decir mentira.
Allí respondiera el moro, — bien oiréis lo que diría: 5
—Yo te la diré[1], señor, — aunque me cueste la vida,
porque soy hijo de un moro — y una cristiana cautiva;
siendo yo niño y muchacho — mi madre me lo decía
que mentira no dijese, — que era grande villanía;
por tanto pregunta, rey, — que la verdad te diría.   10
—Yo te agradezco, Abenámar, — aquesa tu cortesía.
¿Qué castillos son aquéllos? — ¡Altos son y relucían!
—El Alhambra era, señor, — y la otra la mezquita,
los otros los Alixares, — labrados a maravilla.
El moro que los labraba — cien doblas ganaba al día,   15

---

* *Primavera*, pág. 207. Este romance, más circunstanciado, se publicó en
el *Cancionero de romances s.a.*, en su reedición de 1550 y en la *Silva* del
mismo año. Hemos reproducido la versión de Pérez de Hita, que se separa
ligeramente de las arriba citadas, por parecernos más valiosa poéticamente.
El romance tiene en su base un tema de origen árabe: el ver a la ciudad de-
seada como una mujer que se quiere conquistar. La identificación se consu-
ma con los ofrecimientos del rey (regalos valiosos, proposición de casamiento); la ciudad, ya convertida en mujer, responde como tal.
De su protagonista, dice Bénichou *(ob. cit):* «no es... un personaje histórico; su única función en el poema es revelar como moro la excelencia sin par
de la ciudad y exaltar el deseo del rey»; y sobre su estilo: «Ejemplo de inten-
sa poetización ... un tono distinto del tono épico ... una libertad excepcional
de invención en los detalles ... la muestra más convincente de la originalidad del Romancero.»
Sobre este romance, uno de los más bellos, se han escrito numerosas páginas, tanto sobre su historicidad como sobre su estilo y calidad. Cfr., entre
otros, M. Pidal, *Estudios*, págs. 33-35; P. Bénichou, *Creación poética en el
Romancero tradicional*, págs. 61-92; L. Spitzer, *Sobre antigua poesía española*, págs. 61-84, y M. Pelayo, IX, págs. 167-171.
[1] Se entiende: «te diré la verdad».

y el día que no los labra, — otras tantas se perdía.
El otro es Generalife, — huerta que par no tenía,
el otro Torres Bermejas, — castillo de gran valía.
Allí habló el rey don Juan, — bien oiréis lo que decía:
—Si tú quisieses, Granada, — contigo me casaría; 20
daréte en arras y dote — a Córdoba y a Sevilla.
—Casada soy, rey don Juan, — casada soy, que no viuda;
el moro que a mí me tiene — muy grande bien me quería.

9

Romance de Álora la bien cercada*

Álora la bien cercada, — tú que estás en par del río,
cercote el adelantado[1] — una mañana en domingo,
de peones y de armas — el campo bien guarnecido;
con la gran artillería — hecho te había un portillo.
Viérades moros y moras — todos huir al castillo: 5
las moras llevaban ropa, — los moros, harina y trigo,
y las moricas de quince años — llevaban el oro fino,
y los moricos pequeños — llevaban la pasa y higo.
Por cima de la muralla — su pendón llevan tendido.
Entre almena y almena — quedado se había un morico   10
con una ballesta armada — y en ella puesta un cuadrillo[2].
En altas voces decía, — que la gente lo había oído:
  ¡Treguas, treguas, adelantado, — por tuyo se da el castillo!
Alza la visera arriba, — por ver el que tal le dijo,
asestárale a la frente, — salido le ha el colodrillo.   15
Sacólo Pablo de rienda, — y de mano Jacobillo,
estos dos que había criado — en su casa desde chicos.
Lleváronle a los maestros — por ver si será guarido.
A las primeras palabras — el testamento les dijo.

---

   * *Primavera*, pág. 208. El adelantado es Diego de Rivera; su muerte tuvo lugar en 1434. Se alude a este romance (o a uno muy semejante) en el *Laberinto* de Juan de Mena (1444).
   Menéndez Pidal cita este romance para afirmar su idea de la contemporaneidad del romance con los hechos históricos. Cfr. M. Pidal, *Estudios*, págs. 33, 166, 193 y 386.
   [1] *adelantado* era el gobernador de una provincia fronteriza.
   [2] 'saeta de madera'.

10

Romance del obispo don Gonzalo*

Un día de San Antón, — ese día señalado,
se salían de San Juan — cuatrocientos hijosdalgo.
Las señas que ellos llevaban — es pendón rabo de gallo;
por capitán se lo llevan — al obispo don Gonzalo,
armado de todas armas, — encima de un buen caballo;   5
íbase para La Guarda, — ese castillo nombrado;
sáleselo a recibir — don Rodrigo, ese hidalgo.
—Por Dios os ruego, obispo, — que no pasedes el vado,
porque los moros son muchos — que a La Guarda habían
                                     [llegado;
muerto me han tres caballeros, — de que mucho me ha   10
                                     [pesado:
el uno era mi primo, — y el otro era mi hermano,
y el otro era un paje mío, — que en mi casa se ha criado.
Demos la vuelta, señores, — demos la vuelta a enterrarlos,
haremos a Dios servicio — y honraremos los cristianos.
Ellos estando en aquesto, — llegó don Diego de Haro: 15
—Adelante, caballeros, — que me llevan el ganado;
si de algún villano fuera — ya lo hubiérades quitado,
empero, alguno está aquí — a quien place de mi daño;
no cabe decir quién es, — que es el del roquete blanco.
El obispo, que lo oyera, — dio de espuelas al caballo.   20
El caballo era ligero — y saltado había un vallado,
mas al salir de una cuesta, — a la asomada de un llano,
vido mucha adarga blanca, — mucho albornoz colorado

---

* *Cancionero de 1550*, pág. 240. Lafuente opina (y con él Menéndez
Pelayo) que Gonzalo de Zúñiga, obispo de Jaén fue preso por los moros
en 1456. Menéndez Pidal rechaza esto (M. Pidal, *Estudios*, págs. 133 y ss.)
y traza un cuadro de la evolución del romance en sus diferentes versiones
(ibídem, pág. 152). La versión reproducida aquí es una de las que Menéndez
Pidal considera con caracteres más originarios; no se habla en ella de
la prisión del obispo, sino de una de sus muchas incursiones que son
históricamente reales.

y muchos hierros de lanzas — que relucen en el campo.
Metido se había por ellos, — como león denodado;   25
de tres batallas de moros — las dos ha desbaratado,
mediante la buena ayuda — que en los suyos ha hallado;
aunque algunos de ellos mueren, — eterna fama han ganado.
Todos pasan adelante, — ninguno atrás se ha quedado;
siguiendo a su capitán, — el cobarde es esforzado.   30
Honra ganan los cristianos, — los moros pierden el campo:
diez moros pierden la vida — por la muerte de un cristiano,
si alguno de ellos escapa, — es por uña de caballo.
Por su mucha valentía — toda la prez han cobrado.
Así, con esta victoria — como señores del campo,   35
se vuelven para Jaén — con la honra que han ganado.

11

Romance del cerco de Baza*

Sobre Baza estaba el rey, — lunes, después de yantar.
Miraba las ricas tiendas — que estaban en su real,
miraba las huertas grandes — y miraba el arrabal,
miraba el adarve[1] fuerte — que tenía la ciudad,
miraba las torres espesas, — que no las puede contar.   5
Un moro tras una almena — comenzóle de fablar:
—Vete, el rey don Fernando, — non querrás aquí envernar[2],
que los fríos de esta tierra — no los podrás comportar[3].
Pan tenemos por diez años, — mil vacas para salar;
veinte mil moros hay dentro, — todos de armas tomar,   10
ochocientos de caballo — para el escaramuzar;
siete caudillos tenemos, — tan buenos como Roldán,
y juramento tienen hecho — antes morir que se dar.

---

* *Apéndice*, pág. 33. Este romance no se halla en Cancioneros ni pliegos sueltos. Menéndez Pelayo lo toma del *Cancionero musical...* de Barbieri, quien a su vez lo toma del *Cancionero de Palacio*. Ello es una muestra de la importancia ocasional de los libros de música en lo que se refiere a la conservación de los textos antiguos.

El cero de Baza por los Reyes Católicos tuvo lugar en 1489. Cfr. M. Pidal, *R. Hispánico*, II, págs. 31-32.

[1] 'muralla'.
[2] 'invernar'.
[3] 'soportar'.

12

Romance de la muerte del conde de Niebla *

—Dadme nuevas, caballeros, — nuevas me queredes dar
de aquese conde de Niebla, — don Enrique de Guzmán,
que hace guerra a los moros, — y ha cercado a Gibraltar.
Veo hoy lutos en mi corte, — ayer vi fiestas muy grandes;
o el príncipe es fallecido, — o alguno de mi sangre,   5
o don Álvaro de Luna, — el maestre y condestable.
—No es muerto, señora, el príncipe, — mas ha fallecido un
                                                            [grande,
que veredes a los moros — cuán poco vos temerán,
que a éste sólo temían — y no osaban saltear.
Es el buen conde de Niebla — que se ha anegado en la mar;   10
por acorrer a los suyos — nunca se quiso salvar,
en un batel donde venía — le hicieron trastornar,
socorriendo un caballero — que se le iba a anegar.
La mar andaba tan alta — que no se pudo escapar,
teniendo casi ganada — la fuerza de Gibraltar.   15
Lloranle todas las damas, — galanes otro que tal,
llorale gente de guerra — por ser tan buen capitán,
llorale duques y condes, — porque a todos sabía honrar.
—¡Oh, qué nuevas me traedes, — caballeros, de pesar!
Vístanse todos de jerga¹, — no se hagan fiestas más,   20
vaya luego un mensajero, — venga su hijo don Juan;
confirmarle he lo del padre, — más le quiero acrecentar,
y de Medina Sidonia — duque le hago de hoy más,
que a hijo de tan buen padre — poco galardón se da.

---

* *Primavera*, pág. 209. En mayo de 1436 pereció ahogado don Enrique
de Guzmán, conde de Niebla, frente a Gibraltar. Este romance es de
factura erudita, pero ya se halla medianamente tradicionalizado (cfr.
M. Pidal, *Estudios*, pág. 215, nota 3).

¹ 'tela gruesa y tosca'.

13

Romance del alcaide de Alhama*

—Moro alcaide, moro alcaide, — el de la barba vellida,
el rey os manda prender — porque Alhama era perdida.
—Si el rey me manda prender — porque es Alhama perdida.
el rey lo puede hacer, — mas yo nada le debía,
porque yo era ido a Ronda — a bodas de una mi prima;   5
yo dejé cobro en Alhama — el mejor que yo podía.
Si el rey perdió su ciudad, — yo perdí cuanto tenía:
perdí mi mujer y hijos, — la cosa que más quería.

---

* *Cancionero de 1550*, pág. 248. Romance fragmentario que seguramente perteneció a un texto más largo. En *Primavera* aparece además la versión
de Pérez de Hita que tiene un carácter marcadamente morisco en su parte
final. Nosotros hemos elegido la que figura en el *Cancionero de 1550* por
parecernos de tipo tradicional.

Es éste también uno de los raros romances fronterizos que conserva la
tradición sefardí (Cfr. Armistead y Silverman, *Tres calas...*, pág. 124).

El castillo de Alhama se conquistó en febrero de 1482.

14
Romance de la pérdida de Alhama*

Paseábase el rey moro — por la ciudad de Granada
desde la puerta de Elvira — hasta la de Vivarambla
—¡Ay de mi Alhama!—
Cartas le fueron venidas — que Alhama era ganada.
Las cartas echó en el fuego, — y al mensajero matara.
—¡Ay de mi Alhama!—
Descabalga de una mula — y en un caballo cabalga;   5
por el Zacatín arriba — subido se había al Alhambra.
—¡Ay de mi Alhama!—
Como en el Alhambra estuvo, — al mismo punto mandaba
que se toquen sus trompetas, — sus añafiles de plata.
—¡Ay de mi Alhama!—
Y que las cajas de guerra — apriesa toquen el arma,
porque lo oigan sus moros, — los de la vega y Granada.   10
—¡Ay de mi Alhama!—
Los moros, que el son oyeron — que al sangriento Marte
                                             [llama,
uno a uno y dos a dos — juntado se ha gran batalla.
—¡Ay de mi Alhama!—
Allí habló un moro viejo, — de esta manera hablara:
—¿Para qué nos llamas, rey? — ¿Para qué es esta llamada?
—¡Ay de mi Alhama!—

---

* *Primavera*, pág. 247. Es uno de los romances más conocidos y de mayor fama en los siglos XVI y XVII. Pérez de Hita (cuya versión publicamos aquí) pretende que es un romance originalmente compuesto en arábigo. Tanto Milá Fontanals como Menéndez Pelayo le dan crédito, pero no así Menéndez Pidal quien piensa que es un texto compuesto en castellano y que, como tantos otros, se presenta desde el campo moro (M. Pidal, *R. Hispánico*, II, págs. 33-34).

Tiene la particularidad de ser uno de los pocos romances viejos que poseen estribillo en algunas de sus versiones (como la presente), ya que se adaptaron para el canto.

—Habéis de saber, amigos, — una nueva desdichada: 15
que cristianos de braveza — ya nos han ganado Alhama.
      —¡Ay de mi Alhama!—
Allí habló un alfaquí, — de barba crecida y cana:
—¡Bien se te emplea, buen rey, — buen rey, bien se te
                                     [empleara!
      —¡Ay de mi Alhama!—
Mataste los Bencerrajes, — que eran la flor de Granada,
cogiste los tornadizos — de Córdoba la nombrada.   20
      —¡Ay de mi Alhama!—
Por eso mereces, rey, — una pena muy doblada:
que te pierdas tú y el reino, — y aquí se pierda Granada.
      —¡Ay de mi Alhama!—

15

Romance del Maestre de Calatrava*

¡Ay, Dios, qué buen caballero — el Maestre de Calatrava!
¡Cuán bien que corre los moros — por la vega de Granada,
desde la puerta de Elvira — hasta la de Vivarambla!
Con su brazo arremangado — arrojara la su lanza.
Aquesta injuria que hace — nadie osa demandarla.   5
Cada día mata moros, — cada día los mataba;
vega bajo, vega arriba, — ¡oh, cómo los acosaba!
hasta a lanzadas meterlos — por las puertas de Granada.
Tiénenle tan grande miedo — que nadie salir osaba,
nunca huyó a ninguno, — a todos los esperaba,   10
hasta que a espaldas vueltas — los hace entrar en Granada.
El rey, con grande temor, — siempre encerrado se estaba,
no osa salir de día, — de noche bien se guardaba.

---

* *Primavera*, pág. 223. Publicado en la *Silva de 1550*. Este romance
y el siguiente no tienen, al parecer, más fundamento histórico que la
figura real del Maestre Rodrigo de Girón, arrojado aventurero muerto
a los 27 años después de una serie de crueles hazañas guerreras que exci-
taron la imaginación popular y lo hicieron protagonista de singulares
combates que nunca tuvieron lugar (M. Pelayo, IX, págs. 194-196).

16

Romance del moro Alatar*

De Granada parte el moro — que Alatar se llamaba,
primo hermano de Bayaldos, — el que el Maestre matara,
caballero en un caballo — que de diez años pasaba,
tres cristianos se le curan — y él mismo le da cebada;
una lanza con dos hierros — que de treinta palmos pasa,   5
hízola aposta el moro — para bien señorearla;
una adarga ante sus pechos — toda muza[1] y cotellada[2];
una toca en su cabeza — que nueve vueltas le daba,
los cabos eran de oro, — de oro y seda de Granada;
lleva el brazo arremangado, — sóla la mano alheñada.   10
Tan sañudo iba el moro, — que bien demuestra su saña,
que mientras pasa la puente, — jamás a Darro mirara.
Rogando iba a Mahoma, — y Alá le suplicaba,
le demuestre algún cristiano — en que sangriente su lanza.
Camino va de Antequera, — parecía que volaba,   15
solo va, sin compañía, — con una furiosa saña.
Antes que llegue a Antequera, — vido una seña cristiana,
vuelve riendas al caballo — y para allá le guiaba,
la lanza iba blandiendo, — parecía que la quebraba.
Sáleselo a recibir — el Maestre de Calatrava,   20
caballero en una yegua, — que ese día la ganara,
con esfuerzo y valentía — a ese alcaide del Alhama;
armado de todas armas, — hermoso se divisaba,
una veleta[3] traía — en una lanza acerada.
Arremete el uno al otro, — el moro gran grito daba: 25

---

* *Primavera*, pág. 229. Cfr. la nota al romance anterior. Parece que
el único punto de contacto entre el Maestre y Alatar fue justamente la
muerte del primero a manos (o en un ataque) del segundo en el cerco de
Loja (1482). Tanto este romance como el anterior parecen ser novelescos.
[1] 'prenda de vestir fina, a modo de esclavina'.
[2] 'cubierta de malla de hierro o acero'.
[3] 'banderola de la lanza'.

—¡Por Alá, perro cristiano, — te prenderé por la barba!
Y el Maestre entre sí mismo — a Jesús se encomendaba.
Ya andaba cansado el moro, — su caballo ya cansaba;
el Maestre, que es valiente, — muy gran esfuerzo tomara,
acometió recio al moro, — la cabeza le cortara;   30
el caballo, que era bueno, — al rey se lo presentara,
la cabeza en el arzón, — porque supiese la causa.

17

Romance de don Manuel Ponce de León *

—¿Cuál será aquel caballero — de los míos más preciado,
que me traiga la cabeza — de aquel moro señalado
que delante de mis ojos — a cuatro ha lanceado,
pues que las cabezas trae — en el pretal del caballo?
Oídolo ha don Manuel, — que andaba allí paseando,   5
que de unas viejas heridas — no estaba del todo sano.
Apriesa pide las armas, — y en un punto fue armado,
y por delante el corredor — va arremetiendo el caballo.
Con la gran fuerza que puso, — la sangre le ha reventado,
gran lástima le han las damas — de verle que va tan flaco.   10
Ruéganle todos que vuelva, — mas él no quiere aceptarlo.
Derecho va para el moro, — que está en la plaza parado.
El moro, desque lo vido, — de esta manera ha hablado:
—Bien sé yo, don Manuel, — que vienes determinado,
y es la causa conocerme — por las nuevas que te han dado;   15
mas, porque logres tus días, — vuélvete y deja el caballo,
que yo soy el moro Muza, — ese moro tan nombrado,
soy de los Amnoradíes, — de quien el Cid ha temblado.
—Yo te lo agradezco, moro, — que de mí tengas cuidado,
que pues las damas me envían, — no volveré sin recaudo.   20
Y sin hablar más razones, — entrambos se han apartado,
y a los primeros encuentros — el moro deja el caballo,
y puso mano a un alfanje, — como valiente soldado.
Fuese para don Manuel, — que ya le estaba aguardando,

---

* *Primavera*, pág. 235. La versión procede de un pliego suelto del siglo XVI publicado por Durán en su *Romancero General*.
   A Manuel Ponce de León se le atribuyen multitud de heroicas hazañas; parece que la de su combate con Muza es totalmente inventada.
   Entre los escasos romances fronterizos que han quedado en la tradición oral moderna se cuenta éste. Cossío recoge una versión santan-
derina en sus *Romances de tradición oral*, págs. 27-28. También Diego
Catalán (*Siete siglos de Romancero*, págs. 106-107) publica otras versiones
montañesas. En las versiones modernas se acentúa el carácter novelesco
del romance.

mas don Manuel, como diestro, — la lanza le había terciado, 25
vara y media queda fuera, — que le queda blandeando,
y desque muerto lo vido, — apeóse del caballo.
Cortado ha la cabeza, — y en la lanza la ha hincado,
y por delante las damas — al buen rey la ha presentado.

18

Romance de Sayavedra*

Río Verde, río, Verde — más negro vas que la tinta.
Entre ti y Sierra Bermeja — murió gran caballería.
Mataron a Ordiales, — Sayavedra huyendo iba;
con el temor de los moros — entre un jaral se metía.
Tres días ha, con sus noches, — que bocado no comía;   5
aquejábale la sed — y la hambre que tenía.
Por buscar algún remedio — al camino se salía.
visto lo habían los moros — que andan por la serranía.
Los moros, desque lo vieron, — luego para él se venían.
Unos dicen: —¡Muera, muera!, — otros dicen: —¡Viva, viva! 10
Tómanle entre todos ellos, — bien acompañado iba.
Allá le van a presentar — al rey de la morería.
Desque el rey moro lo vido, — bien oiréis lo que decía:
—¿Quién es ese caballero — que ha escapado con la vida?
—Sayavedra es, señor, — Sayavedra el de Sevilla;   15
el que mataba tus moros — y tu gente destruía,
el que hacía cabalgadas — y se encerraba en su manida.
Allí hablara el rey moro, — bien oiréis lo que decía:
—Dígasme tú, Sayavedra, — sí Alá te alargue la vida,
si en tu tierra me tuvieses — ¿qué honra tú me harías?   20
Allí habló Sayavedra, — de esta suerte le decía:
—Yo te lo diré, señor, — nada no te mentiría:
si cristiano te tornases, — grande honra te haría
y si así no lo hicieses, — muy bien te castigaría:
la cabeza de los hombros — luego te la cortaría.   25
—Calles, calles, Sayavedra, — cese tu melancolía;
tórnate moro si quieres — y verás qué te daría:
darte he villas y castillos — y joyas de gran valía.

* *Cancionero de 1550*, pág. 238. El romance, del cual existen versiones muy diferentes, se refiere a Juan Sayavedra (preso en 1448). La versión que hemos utilizado es una de las más antiguas y de estilo más tradicional. Este romance ha sido ampliamente estudiado por Menéndez Pidal (M. Pidal, *Estudios*, págs. 155-163 y 463-488), quien dice que es un ejemplo de novelización e invención en ciertos motivos como los ofrecimientos del rey moro y la muerte de Sayavedra, sin dejar de tener en su base un hecho histórico real.

Gran pesar ha Sayavedra — de esto que oír decía.
Con una voz rigurosa, — de esta suerte respondía: 30
—Muera, muera Sayavedra — la fe no renegaría,
que mientras vida tuviere — la fe yo defendería.
Allí hablara el rey moro — y de esta suerte decía:
—Prendedlo, mis caballeros, — y de él me haced justicia.
Echó mano a su espada, — de todos se defendía;   35
mas como era uno solo, — allí hizo fin su vida.

Romances históricos varios

Initiũ sapientie
timor dominí ē

19

Romance del rey don Juan de Navarra*

Los aires andan contrarios, — el sol eclipse hacía,
la luna perdió su lumbre, — el norte no parecía,
cuando el triste rey don Juan — en la su cama yacía,
cercado de pensamientos, — que valer no se podía.
—¡Recuerda, buen rey, recuerda, — llorarás tu mancebía![1]   5
¡Cierto no debe dormir — el que sin dicha nacía!
—¿Quién eres tú, la doncella? — dímelo por cortesía.
—A mí me llaman Fortuna, — que busco tu compañía.
—¡Fortuna, cuánto me sigues, — por la gran desdicha mía,
apartado de los míos, — de los que yo más quería!   10
¿Qué es de ti, mi nuevo amor, — qué es de ti, triste hija mía?
que en verdad hija tú tienes, — Estella, por nombradía.
¿Qué es de ti, Olite y Tafalla? — ¿qué es de mi genealogía?
¡Y ese castillo de Maya — que el duque me lo tenía!
Pero si el rey no me ayuda, — la vida me costaría.   15

---

* *Primavera*, pág. 245. De un pliego suelto de la Biblioteca de Praga
(siglo XVI). Se refiere al rey Juan d'Albret que perdió Navarra en la guerra
contra Fernando el Católico (1513-1515). El duque del verso 14 es el
duque de Alba, general de Fernando; el rey aludido en el verso 15 es
Luis XII de Francia (cfr. *Primavera*, nota al romance 98).
Hay indudables semejanzas entre el comienzo de este romance y el
del rey Rodrigo (rom. 40). Wolf opina que el navarro copia al otro.
Menéndez Pelayo piensa, por el contrario, que el del rey Rodrigo, más
tardío y literario, es quien toma versos y motivos del romance del rey
de Navarra (M. Pelayo, IX, pág. 253). Menéndez Pidal está de acuerdo
con Wolf, sobre todo por la importancia y fama respectiva de los asuntos
de ambos romances y el conocimiento, en el caso del rey Rodrigo, de
su fuente (M. Pidal, *R. Hispánico*, I, págs. 45-46).
[1] 'juventud'.

20

Romance del rey Ramiro*

Ya se asienta el rey Ramiro, — ya se asienta a sus yantares,
los tres de sus adalides — se le pararon delante:
al uno llaman Armiño, — al otro llaman Galvane,
al otro Tello Lucero, — que los adalides trae.
—Mantengaos Dios, señor, — —Adalides, bien vengades.   5
¿Qué nuevas me traedes — del campo de Palomares?
—Buenas las traemos, señor, — pues que venimos acá;
siete días anduvimos — que nunca comimos pan,
ni los caballos cebada, — de lo que nos pesa más,
ni entramos en poblado, — ni vimos con quién hablar,   10
sino siete cazadores — que andaban a cazar.
Que nos pesó o nos plugo, — hubimos de pelear:
los cuatro de ellos matamos, — los tres traemos acá,
y si lo creéis, buen rey, — si no, ellos lo dirán.

---

* *Cancionero de 1550,* pág. 286. Fragmento que alude al rey Ramiro de Aragón. Es un texto muy popular y que ha sido glosado y contrahecho varias veces.

Los conquistadores de América lo tenían presente, según se desprende de una cita que de él hace Alonso Zuazo y que recoge Oviedo en su *Historia general de las Indias.*

21

Romance del rey de Aragón *

Miraba de Campo-Viejo — el rey de Aragón un día,
miraba la mar de España — cómo menguaba y crecía;
miraba naos y galeras, — unas van y otras venían:
unas venían de armada, — otras de mercadería;
unas van la vía de Flandes, — otras la de Lombardía;   5
esas que vienen de guerra — ¡oh, cuán bien le parecían!
Miraba la gran ciudad — que Nápoles se decía,
miraba los tres castillos — que la gran ciudad tenía:
Castel Novo y Capuana, — Santelmo, que relucía,
aqueste relumbra entre ellos — como el sol de mediodía.   10
Lloraba de los sus ojos, — de la su boca decía:
—¡Oh ciudad, cuánto me cuestas — por la gran desdicha mía!
cuéstasme duques y condes, — hombres de muy gran valía,
cuéstasme un tal hermano, — que por hijo le tenía;
de esotra gente menuda — cuento ni par no tenía;   15
cuéstame ventidós años, — los mejores de mi vida,
que en ti me nacieron barbas, — y en ti las encanecía.

———
* *Primavera*, pág. 248. Alfonso V, el Magnánimo, rey de Aragón,
luchó durante más de 20 años por conquistar el reino de Nápoles (de
1420 a 1442). Su lamento es uno de los romances más hermosos y paté-
ticos del Romancero y revela una maestría notable en su composición,
sin dejar por eso de tener un aire popular.

22

Romance de la reina de Nápoles *

La triste reina de Nápoles — sola va, sin compañía;
va llorando y gritos dando — do su mal contar podía;
—¡Quién amase la tristeza — y aborreciese alegría,
porque sepan los mis ojos — cuanto lloro yo tenía!
Yo lloré el rey, mi marido, — las cosas que yo más quería: 5
lloré al príncipe don Pedro, — que era la flor de Castilla.
Vínome lloro tras lloro, — sin haber consuelo un día.
Yo me estando en esos lloros, — vínome mensajería
de aquese buen rey de Francia, — que el mi reino me pedía.
Subiérame a una torre, — la más alta que tenía,   10
vi venir siete galeras — que en mi socorro venían;
dentro venía un caballero, — almirante de Castilla.
¡Bien vengas, el caballero, — buena sea tu venida!

* *Primavera*, pág. 250. Versión del *Cancionero de romances s.a.* Romance artístico compuesto hacia 1495 por un poeta cortesano en lo que quiere ser el estilo de los romances viejos. La reina nombrada es Juana de Aragón, hermana de Fernando el Católico y segunda esposa de Fernando I de Nápoles, muerto en 1494. El «príncipe don Pedro» es el hermano de Alfonso V de Aragón que murió en 1438; el «rey de Francia» es Carlos VIII, y el «almirante de Castilla», el Gran Capitán.

23
Romance de doña Isabel de Liar*

Yo me estando en Giromena — a mi placer y holgar,
subiérame a un mirador — por más descanso tomar;
por los campos de Monvela — caballeros vi asomar,
ellos no vienen de guerra, — ni menos vienen de paz,
vienen en buenos caballos, — lanzas y adargas traen.   5
Desque yo los vi, mezquina, — parémelos a mirare,
conociera al uno de ellos — en el cuerpo y cabalgar:
don Rodrigo de Chavela, — que llaman del Marichale,
primo hermano de la reina, — mi enemigo era mortale.
Desque yo, triste, le viera, — luego vi mala señale.   10
Tomé mis hijos conmigo — y subíme al homenaje[1];
ya que yo iba a subir, — ellos en mi sala estane;
don Rodrigo es el primero, — y los otros tras él vane.
—Sálveos Dios, doña Isabel, — —Caballeros, bien vengades.
—¿Conocédesnos, señora, — pues así vais a hablare?   15
—Ya os conozco, don Rodrigo, — ya os conozco por mi male.
¿A qué era vuestra venida? — ¿Quién os ha enviado acae?

___
* *Cancionero de 1550*, pág. 235. Este romance y el siguiente se refieren
sin duda a Inés de Castro, asesinada en 1355 por cortesanos envidiosos;
era esposa del infante Pedro de Portugal. Los nombres han sido cam-
biados; así, el príncipe es el rey don Juan Manuel, y los asesinos reales
(Álvaro González, Diego López Pacheco y Pedro Coello) son aquí: el
marqués de Villareal, don Rodrigo de Chavela, el duque de Bavia y hasta
el obispo de Oporto. Menéndez Pelayo (M. Pelayo, IX, págs. 255-258)
no se explica este cambio de nombres, ya que el suceso era por todos
conocido.
Varios autores han utilizado este romance; entre ellos: García de Re-
sende (fines del xv), y en el siglo xvii, Mejía de la Cerda y Vélez de
Guevara; este último escribió *Reinar después de morir*, la obra más
notable basada en la desgracia de Inés de Castro y en sus romances.
Véanse las semejanzas entre este romance (versos 70 a 122) con el
de *El conde Alarcos* (rom. 106).
Di Stefano toma este romance para ejemplificar un tipo de estructura
que llama *omega* en la cual no coinciden la estructura profunda y la superficial (Cfr. Di Stefano, *El Romancero*, págs. 372-374).
[1] 'la torre más alta de un castillo'.

—Perdonédesme, señora, — por lo que os quiero hablare:
sabed que la reina, mi prima, — acá enviado me hae,
porque ella es muy mal casada — y esta culpa en vos estae, 20
porque el rey tiene en vos hijos — y en ella nunca los hae,
siendo, como sois, su amiga, — y ella mujer naturale,
manda que murais, señora, — paciencia querais prestare.
Respondió doña Isabel — con muy gran honestidade:
—Siempre fuisteis, don Rodrigo, — en toda mi contrariedade; 25
si vos queredes, señor, — bien sabedes la verdade:
que el rey me pidió mi amor, — y yo no se le quise dare,
temiendo más a mi honra, — que no sus reinos mandare.
Desque vio que no quería, — mis padres fuera a mandare;
ellos tampoco quisieron, — por la su honra guardare. 30
Desque todo aquesto vido, — por fuerza me fue a tomare,
trújome a esta fortaleza, — do estoy en este lugare,
tres años he estado en ella — fuera de mi voluntade,
y si el rey tiene en mí hijos, — plugo a Dios y a su bondade,
y si no los ha en la reina — es así su voluntade. 35
¿Por qué me habeis de dar muerte, — pues que no merezco
                                    [male?
Una merced os pido, señores, — no me la queráis negare:
desterréisme de estos reinos, — que en ellos no estaré mase;
irme ha yo para Castilla, — o a Aragón más adelante
y si aquesto no bastare, — a Francia me iré a morare. 40
—Perdonédesnos, señora, — que no se puede hacer mase;
aquí está el duque de Bavia — y el marqués de Villareale
y aquí está el obispo de Oporto, — que os viene a confesare;
cabe vos está el verdugo — que os había de degollare,
y aun aqueste pajecico — la cabeza ha de llevare. 45
Respondió doña Isabel, — con muy gran honestidade;
—Bien parece que soy sola, — no tengo quién me guardare,
ni tengo padre ni madre, — pues no me dejan hablare,
y el rey no está en esta tierra, — que era ido allende el mare,
mas desque él sea venido, — la mi muerte vengaráe. 50
—Acabedes ya, señora, — acabedes ya de hablare.
Tomadla, señor obispo, — y metedla a confesare.
Mientras en la confesión, — todos tres hablando estane
si era bien hecho o mal hecho — esta dama degollare:
los dos dicen que no muera, — que en ella culpa no hae, 55

don Rodrigo es tan cruel, — dice que la ha de matare.
Sale de la confesión — con sus tres hijos delante:
el uno dos años tiene, — el otro para ellos vae,
y el otro era de teta, — dándole sale a mamare,
toda cubierta de negro, — lástima es de la mirare.   60
—Adiós, adiós, hijos míos, — hoy os quedaréis sin madre;
caballeros de alta sangre, — por mis hijos queráis mirare,
que al fin son hijos de rey, — aunque son de baja madre.
Tiéndenla en un repostero — para haberla de degollare;
así murió esta señora, — sin merecer ningún mal.   65

24

Romance de la venganza de doña Isabel*

El rey don Juan Manuel — que era en Ceuta y Tanjar
después que venció a los moros — volviérase a Portugal.
Desembarcara en Lisboa, — no va do la reina está,
fuérase para Coimbra — a doña Isabel hablar.
Llegando a la fortaleza — visto había mala señal: 5
que no halló a los porteros — que la solían guardar;
no quiso entrar más adentro, — preguntara en la ciudad
qué era de doña Isabel, — qué era de ella o dónde está.
Dijéronle que la reina — la ha mandado degollar
por celos que de ella había — por verla con él holgar,   10
y que cuatro caballeros — lo hubieron de efectuar:
el uno era don Rodrigo, — que dicen del Mariscal,
los otros tres caballeros — no saben quién se serán.
Dos hermanos de la reina — le fueron aconsejar,
que la lleven a Viseo — a su cuerpo sepultar.   15
Desque aquesto oyó el rey — no quiso más escuchar;
fuese donde está la reina, — triste y con gran pesar,
y dende a muy pocos días — la reina caído ha mal.
No le saben su dolencia, — no la aciertan a curar;
muerto se había la reina — de encubierta enfermedad.   20
Después que fue enterrada — el rey a Viseo va,
prender hizo a don Rodrigo — que él solía mucho amar.
Vase a la sepultura — do doña Isabel está,
hecho la había sacar de ella — y luego desenterrar.
Encima de un rico estrado — allí la mandó sentar,   25
púsole daga en la mano — y a don Rodrigo delante.
El rey le tiene la mano, — de puñaladas le da.
—Aquí os vengaréis, señora, — de quien os hizo este mal.
Luego se casó con ella, — así muerta como está,
porque pudiesen sus hijos — a sus reinos heredar.   30

---

* *Primavera*, pág. 258. Ver nota al romance anterior.

25

Romance de la duquesa de Berganza*

Un lunes a las cuatro horas, — ya después de mediodía,
ese duque de Berganza — con la duquesa reñía;
lleno de muy grande enojo, — de aquesta suerte decía:
—Traidora sois, la duquesa, — traidora, fementida.
La duquesa muy turbada, — de esta suerte respondía: 5
—No soy yo traidora, el duque, — ni en mi linaje lo habia,
nunca salieron traidores — de la casa do venía.
Yo me lo merezco, el duque, — en venirme de Castilla,
para estar en vuestra casa — en tan mala compañía.
El duque con grande enojo — la espada sacado había;   10
la duquesa con esfuerzo — en un punto a ella se asía.
—Suelta la espada, duquesa, — cata que te cortaría.
—No podéis cortar más, duque, — harto cortado me había.
Viéndose en este aprieto, — a grandes voces decía:
—Socorredme, caballeros, — los que truje de Castilla.   15
Quiso la desdicha suya — que ninguno parecía,
que todos son portugueses — cuantos en la sala había.

---

* *Primavera*, pág. 260. Wolf opina que este romance se refiere a doña
María Téllez, muerta a manos de su esposo el infante don Juan de Portugal, pero Menéndez Pelayo piensa que se trata de doña Leonor de
Mendoza, esposa de don Jaime, duque de Braganza, muerta en 1512
(cfr. M. Pelayo, IX, págs. 268-276).
    Lope de Vega usó este romance en su comedia *El más galán portugués,
duque de Braganza*.
    La versión de *Primavera* está tomada de la *Silva de 1550*.

26

Romance de la mujer del duque
de Guymaraes de Portugal*

—Quéjome de vos, el rey, — por haber crédito dado
del buen duque, mi marido, — lo que le fue levantado.
Mandástemelo prender — no siendo en nada culpado;
mal lo hicisteis, señor, — mal fuisteis aconsejado,
que nunca os hizo aleve[1] — para ser tan maltratado,   5
antes vos sirvió, ¡mezquina!, — poniendo por vos su estado;
siempre vino a vuestras cortes — por cumplir vuestro
                                            [mandado;
no lo hiciera, señor, — si en algo os hubiera errado,
que gente y armas tenía — para darse a buen recaudo,
mas vino como inocente — que estaba de aquel pecado.   10
Vos, no mirando justicia, — habéismelo degollado.
No lloro tanto su muerte, — como verlo deshonrado
con un pregón que decía — lo por él nunca pensado.
Murió por culpas ajenas, — injustamente juzgado;
él ganó por ello gloria, — yo para siempre cuidado   15
y en prisiones muy esquivas — en que vos me habéis echado
con una hija que tengo, — que otro bien no me ha quedado,
que tres hijos que tenía — habéismelos apartado.
El uno es muerto en Castilla, — el otro, desheredado,
el otro tiene su ama, — no espero de verlo criado,   20
por el cual pueden decir — inocente desdichado;
y pido de vos enmienda, — rey, señor, primo y hermano,
a la justicia de Dios — de hecho tan mal mirado,
por verme a mí con venganza — y a él sin culpa, desculpado.

---

* *Cancionero de 1550*, pág. 241. Don Juan II de Portugal hizo sentenciar y degollar por traición a su cuñado don Fernando II, duque de Guimaraes, en 1483.
[1] 'nunca os hizo traición'.

27

Romance de los cinco maravedís que pidió el rey*

En esa ciudad de Burgos — en cortes se habían juntado
el rey que venció las Navas — con todos los hijosdalgo.
Habló con don Diego el rey, — con él se había aconsejado,
que era señor de Vizcaya, — de todos el más privado:
—Consejédesme, don Diego, — que estoy muy necesitado,   5
que con las guerras que he hecho — gran dinero me ha faltado;
quería llegarme a Cuenca, — no tengo lo necesario;
si os pareciese, don Diego, — por mí fuese demandado
que cinco maravedís — me peche cada hidalgo.
—Grave cosa me parece, — le respondiera el de Haro,   10
que querades vos, señor, — al libre her[1] tributario,
mas por lo mucho que os quiero — de mí sereis ayudado,
porque yo soy principal, — de mí os será pagado.
Siendo juntos en las cortes — el rey se lo había hablado.
Levantado está don Diego, — como ya estaba acordado: 15
—Justo es lo que el rey pide, — por nadie le sea negado,
mis cinco maravedís — helos aquí de buen grado.
Don Nuño, conde de Lara, — mucho mal se había enojado;
pospuesto todo temor, — de esta manera ha hablado:
—Aquellos donde venimos — nunca tal pecho[2] han pagado,   20
nos, menos lo pagaremos, — ni al rey tal será dado;
el que quisiere pagarle — quede aquí como villano,
váyase luego tras mí — el que fuere hijodalgo.
Todos se salen tras él, — de tres mil, tres han quedado.
En el campo de la Glera — todos allí se han juntado,   25

---

* *Cancionero de 1550*, pág. 241. El rey Alfonso VIII es el protagonista del romance, que posiblemente tiene fundamentos históricos (cfr. M. Pelayo, IX, págs. 78-83). En todo caso, retrata perfectamente la actitud de la nobleza frente al rey a la hora de defender sus privilegios.

[1] 'hacer'.

[2] 'tributo al rey o señor'.

el pecho que el rey demanda — en las lanzas lo han atado
y envíanle a decir — que el tributo está llegado,
que envíe sus cogedores, — que luego será pagado,
mas que si él va en persona — no será del acatado,
pero que enviase aquellos — de quien fue aconsejado.   30
Cuando esto oyera el rey, — y que solo se ha quedado,
volvióse para don Diego, — consejo le ha demandado.
Don   Diego, como sagaz, — este consejo le ha dado:
—Desterrédesme, señor, — como que yo lo he causado,
y así cobraréis la gracia — de los vuestros hijosdalgo.   35
Otorgó el rey el consejo: — a decir les ha enviado
que quien le dio tal consejo — será muy bien castigado,
que hidalgos de Castilla — no son para haber pechado.
Muy alegres fueron todos. — Todo se hubo apaciaguado.
Desterraron a don Diego — por lo que no había pecado,   40
mas dende a pocos días — a Castilla fue tornado.
El bien de la libertad — por ningún precio es comprado.

28

Romance del rey don Fernando el quarto *

Valasme nuestra señora — qual dizen de la ribera
donde el buen rey don Fernando — tuuo la su quarentena
desde'el miercoles coruillo¹ — hasta el jueues de la cena²
quel rey no hizo la barba — ni peyno la su cabeça
vna silla era su cama — vn canto por cabecera   5
los quarenta pobres comen — cada dia a la su mesa
de lo que a los pobres sobra — el rey haze la su cena
con vara de oro en su mano — bien haze seruir la mesa
dizen le sus caualleros — donde yras tener la fiesta
a Iaen dize señores — con mi señora la reyna   10
despues que estuvo en Iaen — y la fiesta ouo passado
párte se para Alcaudete — esse castillo nombrado
el pie tiene en el estriuo — que aun no se auia apeado
quando le dauan querella — de dos hombres hijos dalgo
y la querella le dauan — dos hombres como villanos   15
abarcas traen calçadas — y aguijadas en las manos
justicia justicia rey — pues que somos tus vasallos
de don Pedro Caruajal — y de don Alonso su hermano
que nos corren nuestras tierras — y nos robauan el campo
y nos fuerçan las mugeres — a tuerto y desaguisado   20
comian nos la ceuada — sin despues querer pagallo
hazen otras desuerguenças — que verguença era contallo.
Yo hare dello justicia — tornaos a vuestro ganado
manda pregonar el rey — y por todo su reynado

---

* *Cancionero de 1550*, pág. 212. Se trata de dos romances unidos; el
primero (asonancia en *éa)* se refiere a Fernando III, el Santo (siglo XIII).
El segundo (asonancia en *áo)* a Fernando IV y debe fecharse poco después de su muerte (1312), por lo que se le considera el texto noticiero
más antiguo (Cfr. M. Pidal, *R. Hispánico*, I, págs. 310-311).
   Reproducimos el texto del original, sin ninguna enmienda, para dar
una idea de su presentación en el siglo XVI.
   ¹ 'miércoles de ceniza'.
   ² 'jueves santo'.

que qualquier que lo hallasse — le daria buen hallazgo[3]   25
hallo los el Almirante — alla en Medina del campo
comprando muy ricas armas — jaezes para cauallos.
Presos presos caualleros — presos presos hijos dalgo.
No por vos el Almirante — si de otro no traeys mandado.
Estad presos caualleros — que del rey traygo recaudo.   30
Plaze nos el Almirante — por complir el su mandado
por las sus jornadas ciertas — en Iaen auian entrado.
Mantenga te dios el rey. — Mal vengades hijos dalgo
manda les cortar los pies — manda les cortar las manos   35
y manda los despeñar — de aquella peña de Martos.
Ay hablara el vno dellos — el menor y mas osado,
Porque lo hazes el rey — porque hazes tal mandado
querellamonos el rey — para ante el soberano
que dentro de tryanta dias — vays con nosotros a plazo
y ponemos por testigos — a san Pedro y a san Pablo   40
ponemos por escriuano — al apostol Santiago.
El rey no mirando en ello — hizo complir su mandado
por la falsa información — que los villanos le han dado
y muertos los Caruajales — que lo auian emplazado
antes de los trynta dias — el se fallara muy malo   45
y desque fueron cumplidos — en el postrer dia del plazo
fue muerto dentro en Leon — do la sentencia ouo dado.

---

[3] 'recompensa por hallar a los inculpados'.

29

Entre las gentes se suena...*

Entre las gentes se suena, — y no por cosa sabida,
que de ese buen Maestre — don Fadrique de Castilla,
la reina estaba preñada; — otros dicen que parida;
no se sabe por de cierto, — mas el vulgo lo decía:
ellos piensan que es secreto — ya esto no se escondía.   5
La reina con su [criado] — por Alonso Pérez envía,
mandóle que viniese — de noche y no de día,
secretario es del Maestre, — en quien fiarse podía.
Cuando lo tuvo delante, — de esta manera decía:
—¿Adónde está el Maestre? — ¿Qué es de él, que no parecía?   10
¡Para ser de sangre real — ha hecho grande villanía!
Ha deshonrado mi casa, — y dícese por Sevilla
que una de mis doncellas — del Maestre está parida.
—El Maestre, mi señora, — tiene cercada a Coimbra,
y si vuestra alteza manda, — yo luego lo llamaría;   15
y sepa vuestra alteza — que el Maestre no se escondía:
lo que vuestra alteza dice — debe ser muy gran mentira.
—No lo es, dijo la reina, — que yo te lo mostraría.
Mandara sacar un niño — que en su palacio tenía,
sacólo su camarera — envuelto en una faldilla.   20
—Mirá, mirá, Alonso Pérez, — el niño, ¿a quién parecía?
—Al Maestre, mi señora, — Alonso Pérez decía[1].
—Pues dadlo luego a criar, — y a nadie esto se diga.
Sálese Alonso Pérez, — ya se sale de Sevilla.

---

* *Primavera*, pág. 188. Pertenece al ciclo de los romances sobre el reinado de Pedro el Cruel, poesía nacida entre los partidarios de Enrique de
Trastamara. No se sabe de cierto si la historia tiene base real, es decir,
si hubo efectivamente amores entre doña Blanca y don Fadrique, pero
la simpatía por la reina víctima de su esposo se manifiesta aun en este
romance que trata de su adulterio, disculpando en cierta forma su falta
por el abandono en que la tiene don Pedro.

[1] Este verso falta en el original y fue añadido por Durán para com-
pletar el sentido del diálogo.

Muy triste queda la reina, — que consuelo no tenía,   25
llorando de los sus ojos, — de la su boca decía:
—Yo, desventurada reina, — más que cuantas son nacidas,
casáronme con el rey — por la desventura mía.
De la noche de la boda — nunca más visto lo había,
y su hermano el Maestre — me ha tenido en compañía.   30
Si esto ha pasado, — toda la culpa era mía.
Si el rey don Pedro lo sabe, — de ambos se vengaría,
mucho más de mí, la reina, — por la mala suerte mía.
Ya llegaba Alonso Pérez — a Llerena, aquesa villa;
puso el infante a criar — en poder de una judía,   35
criada fue del Maestre, — Paloma por nombre había;
y como el rey don Enrique — reinase luego en Castilla,
tomara aquel infante — y almirante lo hacía:
hijo era de su hermano, — como el romance decía.

30
Romance de don Fadrique*

Yo me estaba allá en Coimbra, — que yo me la hube ganado,
cuando me vinieron cartas — del rey don Pedro, mi hermano,
que fuese a ver los torneos — que en Sevilla se han armado.
Yo, Maestre sin ventura, — yo, Maestre desdichado,
tomara trece de mula, — venticinco de caballo,   5
todos con cadenas de oro, — de jubones de brocado.
Jornada de quince días — en ocho la había andado.
A la pasada de un río, — pasándole por el vado,
cayó mi mula conmigo, — perdí mi puñal dorado,
ahogáraseme un paje, — de los míos más privados,   10
criado era en mi sala — y de mí muy regalado.
Con todas estas desdichas — a Sevilla hube llegado.
A la puerta Macarena — encontré con un ordenado,
ordenado de evangelio[1], — que misa no había cantado.
—Manténgate Dios, Maestre, — Maestre, bien seáis llegado. 15
Hoy te ha nacido hijo, — hoy cumples ventiún año,
si te plugiese, Maestre, — volvamos a bautizarlo,
que yo sería el padrino, — tú, Maestre, el ahijado.

___
* *Cancionero de 1550*, pág. 233. El asesinato tuvo lugar en 1358 y en
el romance se proclama la inocencia del Maestre, bastante dudosa
históricamente, y se difama a doña María de Padilla, que, según la
Crónica de Ayala, estaba a salvo de toda complicidad en el crimen,
y aun de toda crítica «ca ella era una dueña muy buena» *(apud*, M. Pelayo, IX, pág. 109). Lo cierto es que la figura de doña María de Padilla
ha pasado a la tradición como encarnación diabólica a la que se le atribuyen no pocas maldades (ver, *ibíd.*, pág. 110). A propósito de la *Crónica*
de Ayala, cfr. W. J. Entwistle, «The Romancero del rey don Pedro in
Ayala and the *Cuarta Crónica General*».
    Es de notar en este romance su redacción en primera persona durante
una buena parte del texto, representativa de este tipo de narración en
algunos romances (por ejemplo, el 23).
    El romance ha quedado en la tradición oral actual y se utiliza como
canción aguinaldera (Cfr. M. Pidal, *R. Hispánico*, II, pág. 383 y M. Díaz
Roig, *El Romancero y la lírica popular moderna*, págs. 180-181.

[1] 'diácono'.

Allí hablara el Maestre, — bien oiréis lo que ha hablado:
—No me lo mandéis, señor, — padre, no queráis mandarlo,   20
que voy a ver qué me quiere — el rey don Pedro, mi hermano.
Di de espuelas a mi mula, — en Sevilla me hube entrado.
De que no vi tela² puesta, — ni vi caballero armado,
fuime para los palacios — del rey don Pedro, mi hermano.
En entrando por las puertas, — las puertas me habían cerrado;   25
quitáronme la mi espada, — la que traía a mi lado,
quitáronme mi compañía, — la que me había acompañado.
Los míos, de que esto vieron, — de traición me han avisado
que me saliese yo fuera — que ellos me pondrían en salvo.
Yo, como estaba sin culpa, — de nada hube curado.   30
   Fuime para el aposento — del rey don Pedro, mi hermano.
—Mantengaos Dios, el rey, — y a todos de cabo a cabo.
—Mal hora vengáis, Maestre, — Maestre, mal seais llegado.
Nunca nos venís a ver — sino una vez en el año,
y ésta que venís, Maestre, — es por fuerza o por mandado.   35
Vuestra cabeza, Maestre, — mandada está en aguinaldo.
—¿Por qué es aqueso, buen rey? — nunca os hice desaguisado,
ni os dejé yo en la lid — ni con moros peleando.
—Venid acá, mis porteros, — hágase lo que mandado.
Aún no lo hubo bien dicho, — la cabeza le han cortado;   40
a doña María de Padilla — en un plato la ha enviado.
Así hablaba con ella, — como si estuviera sano³,
las palabras que le dice — de esta suerte está hablando:
—Aquí pagaréis, traidor, — lo de antaño y lo de hogaño,
el mal consejo que diste — al rey don Pedro, tu hermano.   45
Asióla por los cabellos, — echádosela a un alano;
el alano es del Maestre, — púsola sobre un estrado,
a los aullidos que daba — atronó todo el palacio.
Allí demandara el rey: — —¿Quién hace mal a ese alano?
Allí respondieron todos — a los cuales ha pesado: 50
—Con la cabeza lo ha, señor, — del Maestre, vuestro
                                          [hermano.
Allí hablara una su tía — que tía era de entrambos:
—Cuán mal lo mirastes, rey, — rey, qué mal lo habéis mirado.

_____

² 'espacio reservado para un torneo o fiesta'.
³ 'vivo'.

130

Por una mala mujer — habéis muerto un tal hermano.
Aún no lo había bien dicho — cuando ya le había pesado.   55
Fuese para doña María, — de esta suerte le ha hablado:
—Prendedla, mis caballeros, — ponédmela a buen recaudo,
que yo le daré tal castigo — que a todos sea sonado.
En cárceles muy oscuras — allí la había aprisionado,
él mismo le da a comer, — él mismo con la su mano,   60
no se fía de ninguno, — sino de un paje que ha criado.

31

Romance del rey don Pedro el Cruel*

Por los campos de Jerez — a caza va el rey don Pedro;
en llegando a una laguna, — allí quiso ver un vuelo.
Vido volar una garza, — disparóle un sacre[1] nuevo,
remontárale un neblí[2], — a sus pies cayera muerto.
A sus pies cayó el neblí, — túvolo por mal agüero.   5
Tanto volaba la garza, — parece llegar al cielo.
Por donde la garza sube — vio bajar un bulto negro;
mientras más se acerca el bulto, — más temor le va
                                                    [poniendo,
con el abajarse tanto, — parece llegar al suelo
delante de su caballo, — a cinco pasos de trecho.   10
De él salió un pastorcico, — sale llorando y gimiendo,
la cabeza desgreñada, — revuelto trae el cabello,
con los pies llenos de abrojos — y el cuerpo lleno de vello;
en su mano una culebra, — y en la otra un puñal sangriento,
en el hombro una mortaja, — una calavera al cuello;   15
a su lado, de traílla, — traía un perro negro,
los aullidos que daba — a todos ponían gran miedo;
y a grandes voces decía: — —Morirás, el rey don Pedro,
que mataste sin justicia — los mejores de tu reino:
mataste tu propio hermano, — el Maestre, sin consejo,   20
y desterraste a tu madre, — a Dios darás cuenta de ello.
Tienes presa a doña Blanca, — enojaste a Dios por ello,
que si tornas a quererla — darte ha Dios un heredero,

---

* *Primavera*, pág. 185. La versión que presentamos es la de Timoneda,
Rosa española; es muy semejante a la de un pliego suelto del siglo XVI
(Pliegos de Praga, XLVII).

El motivo parece tomado de la *Crónica* de Ayala y desarrollado por
un poeta que construye así uno de los pocos romances existentes que
poseen motivos fantásticos.

[1] 'ave rapaz'.
[2] '*id*'.

y si no, por cierto sepas — te vendrá desmán por ello:
serán malas las tus hijas — por tu culpa y mal gobierno,   25
y tu hermano don Enrique — te habrá de heredar el reino,
morirás a puñaladas, — tu casa será el infierno.
Todo esto recontado, — despareció el bulto negro.

32
Muerte de la reina Blanca*

Doña María de Padilla — no os me mostráis triste vos
que si me casé dos veces — hícelo por vuestra pro
y por hacer menosprecio — a doña Blanca de Borbón.
A Medina Sidonia envío — a que me labre un pendón,
será el color de su sangre, — de lágrimas la labor;   5
tal pendón, doña María, — le haré hacer por vos;
y llamara a Íñigo Ortiz, — un excelente varón,
díjole fuese a Medina — a dar fin a tal labor.
Respondiera Íñigo Ortiz: — —Aqueso no haré yo,
que quien mata a su señora — hace aleve a su señor.   10
El rey de aquesto enojado — en su cámara se entró
y a un ballestero de maza — el rey entregar mandó.
Aqueste vino a la reina — y hallóla en oración.
Cuando vido al ballestero — la su triste muerte vio;
aquel le dijo: —Señora, — el rey acá me envió   15
a que ordenéis vuestra alma — con aquel que la crió,
que vuestra hora es llegada, — no puedo alargarla yo.
—Amigo, dijo la reina, — mi muerte os perdono yo,
si el rey mi señor lo manda — hágase lo que ordenó,
confesión no se me niegue — sino pido a Dios perdón.   20
Sus lágrimas y gemidos — al macero enterneció,
con la voz flaca temblando — esto a decir comenzó:

---

* *Cancionero de 1550*, pág. 234. Este romance debe ser muy poco posterior a la muerte de doña Blanca de Borbón, ordenada, según parece, por don Pedro el Cruel en 1361, aunque algunos historiadores piensan que quizá la reina murió de muerte natural. La intervención de doña María de Padilla es, como en el rom. 30, una mera ficción.
Es este un romance notable por el contraste entre la dulzura, juventud y resignación de la reina y su injusta y cruel ejecución (nótese, por ejemplo, la imagen bárbara del último verso). También es de relevar la metáfora del pendón, más elaborada que el común de las metáforas romancescas.
Para éste y los anteriores romances del rey don Pedro, cfr. José R. Lomba y Pedraja, «El rey don Pedro en el teatro».

—¡Oh Francia, mi noble tierra! — ¡Oh mi sangre de Borbón!
Hoy cumplo diecisiete años, — en los dieciocho voy.
El rey no me ha conocido, — con las vírgenes me voy.   25
Castilla, ¿dí qué te hice? — no te hice traición,
las coronas que me diste — de sangre y suspiros son,
mas otra tendré en el cielo, — será de más valor.
Y dichas estas palabras — el macero la hirió,
los sesos de su cabeza — por la sala les sembró.   30

33

Romance del prior de Sant Juan*

Don Rodrigo de Padilla, — aquel que Dios perdonase,
tomara al rey por la mano — y apartólo en puridad:
—Un castillo está en Consuegra — que en el mundo no lo hay
[tal:
más vale para vos, el rey, — que para el prior de Sant Juan.
Convidédesle, el buen rey, — convidédesle a cenar,   5
la cena que vos le diésedes — fuese como en Toro a don Juan:
que le cortes la cabeza — sin ninguna piedad:
desque se la hayáis cortado, — en tenencia me la dad.
Ellos en aquesto estando, — el prior llegado ha.
—Mantenga Dios a tu Alteza, — y a tu corona real.   10
—Bien vengáis vos, el prior, — el buen prior de Sant Juan.
Digádesme, el prior, — digádesme la verdad:
¿el castillo de Consuegra, — digades, por quién está?
—El castillo con la villa — está todo a tu mandar.
—Pues convídoos, el prior, — para conmigo a cenar.   15
—Pláceme, dijo el prior, — de muy buena voluntad.
Déme licencia tu Alteza, — licencia me quiera dar,
mensajeros nuevos tengo, — irlos quiero aposentar.
—Vais con Dios, el buen prior, — luego vos queráis tornar.
Vase para la cocina, — donde el cocinero está: 20
así hablaba con él — como si fuera su igual:
—Tomades estos mis vestidos, — los tuyos me quieras dar;
ya después de medio día — saliéseste a pasear.
Vase a la caballeriza — donde el macho suele estar.
—De tres me has escapado, — con esta cuatro serán,   25

---

* *Primavera*, pág. 193. Versión de la *Silva de 1550*. Diego Catalán hace
un buen estudio de los hechos históricos inspiradores de este romance
(*Siete siglos de Romancero*, págs. 15-56): rebelión en 1328 del prior
de San Juan, Fernán Rodríguez de Valbuena, en Consuegra, Zamora
y Valladolid, y su reconciliación con Alfonso XI. Considera muy posible
que el romance se compusiera a raíz del suceso que canta, aunque ha
sufrido diversas modificaciones a través del tiempo.

y si de ésta me escapas, — de oro te haré herrar.
Presto le echó la silla, — comienza de caminar.
Media noche era por filo, — los gallos quieren cantar
cuando entra por Toledo, — por Toledo, esa ciudad.
Antes que el gallo cantase — a Consuegra fue a llegar.   30
Halló las guardas velando, — empiézales de hablar:
—Digádesme, veladores, — digádesme la verdad:
¿el castillo de Consuegra, — digades, por quién está?
—El castillo con la villa — por el prior de Sant Juan.
—Pues abrádesme las puertas, — catalde aquí donde está.   35
La guarda desque lo vido — abriólas de par en par.
—Tomédesme allá este macho, — y dél me queráis curar:
dejadme a mí la vela, — porque yo quiero velar.
¡Velá, velá, veladores, — que rabia os quiera matar!
que quien a buen señor sirve, — este galardón le dan.   40
Y él estando en aquesto — el buen rey llegado ha:
halló a los guardas velando, — comiénzales de hablar:
—Digádesme, veladores, — que Dios os quiera guardar:
¿el castillo de Consuegra, — digades, por quién está?
—El castillo con la villa, — por el prior de Sant Juan.   45
—Pues abrádesme las puertas; — catalde aquí donde está.
—Afuera, afuera, el buen rey, — que el prior llegado ha.
—¡Macho rucio, macho rucio, — muermo [1] te quiera matar!
¡siete caballos me cuestas, — y con este ocho serán!
Abridme, el buen prior, — allá me dejéis entrar;   50
por mi corona te juro — de nunca te hacer mal.
—Harélo, eso, el buen rey, — que ahora en mi mano está.

_____
[1] 'enfermedad que afecta a los equinos'.

34
Romance de los Infantes de Aragón*

Alburquerque, Alburquerque, — bien mereces ser honrado
en ti están los tres infantes — hijos del rey don Fernando.
Desterrélos de mis reinos, — desterrélos por un año;
Alburquerque era muy fuerte, — con él se me habían alzado.
¡Oh don Álvaro de Luna, — cuán mal que me habías burlado!   5
dijísteme que Alburquerque — estaba puesto en un llano,
véole yo cavas hondas — y de torres bien cercado;
dentro mucha artillería, — gente de pie y de caballo,
y en aquella torre mocha — tres pendones han alzado:
el uno por don Enrique, — otro por don Juan, su hermano,   10
el otro era por don Pedro, — infante desheredado.
Álcese luego el real — que excusado era tomarlo.

---

* *Apéndice*, pág. 27. El texto está tomado por Menéndez Pelayo de
Barbieri *(Cancionero musical...)* quien lo tomó del *Cancionero musical
de Palacio,* y completado con el de un manuscrito de la Biblioteca Nacional de Madrid. Se le considera el más antiguo romance del que se
posee la música.

El suceso a que alude es el fracaso de Juan II ante Alburquerque
(1430) donde se habían fortificado los infantes don Enrique y don Pedro.
Parece ser que el tercer infante nombrado, don Juan, estaba ausente.

35

Romance del duque de Arjona*

En Arjona estaba el duque — y el buen rey en Gibraltar,
envióle un mensajero — que le hubiese a hablar.
Malaventurado duque — vino luego sin tardar;
jornada de quince días — en ocho la fuera a andar.
Hallaba las mesas puestas — y aparejado el yantar.   5
Desque hubieron comido, — vanse a un jardín a holgar;
andándose paseando, — el rey comenzó a hablar:
—De vos, el duque de Arjona, — grandes querellas me dan:
que forzades las mujeres — casadas y por casar,
que les bebíais el vino — y les comíais el pan,   10
que les tomáis la cebada, — sin se la querer pagar.
—Quien os lo dijo, buen rey, — no vos dijo la verdad.
—Llámenme mi camarero — de mi cámara real,
que me trajese unas cartas — que en mi barjuleta¹ están.
Vedeslas aquí, el duque, — no me lo podéis negar.   15
Preso, preso, caballeros, — preso de aquí lo llevad:
entregadlo al de Mendoza, — este mi alcalde el leal.

---

* *Cancionero de 1550*, pág. 317. Juan II mandó aprisionar al duque
de Arjona, por sospechas de traición, en 1429. Las causas que aparecen
en el romance son imaginarias, producto de la novelización del suceso
histórico (cfr. su semejanza con los desmanes de los Carvajales en el
romance 28). En tiempo de los Reyes Católicos el romance ya había
pasado de moda (cfr. M. Pelayo, IX, págs. 140-144).

¹ 'bolsa'.

36

Romance de don García *

Atal[1] anda don García — por un adarve[2] adelante,
saetas de oro en la mano, — en la otra un arco trae,
maldiciendo a la fortuna, — grandes querellas le dae:
—Crióme el rey de pequeño, — hízome Dios barragán[3],
diome armas y caballo, — por do todo hombre más vale,   5
diérame a doña María — por mujer y por iguale,
diérame a cien doncellas — para ella acompañare,
diome el castillo de Ureña — para con ella casare,
diérame cien caballeros — para el castillo guardare,
basteciómele de vino, — basteciómele de pane,   10
bastecióle de agua dulce, — que en el castillo no la haye.
Cercáronmelo los moros — la mañana de San Juane;
siete años son pasados, — el cerco no quieren quitare,
veo morir a los míos — no teniendo qué les dar,
póngolos por las almenas, — armados como se están,   15
por que pensasen los moros — que podrían pelear.
En el castillo de Ureña — no hay sino sólo un pan,
si le doy a los mis hijos, — la mi mujer ¿qué harae?,
si lo como yo, mezquino, — los míos se quejarán.
Hizo el pan cuatro pedazos — y arrojólos al real,   20
el un pedazo de aquellos — a los pies del rey fue a dar.
—Alá pese a mis moros, — Alá le quiera pesar,
de las sobras del castillo — nos bastecen el real.
Manda tocar los clarines — y su cerco luego alzare.

---

* *Cancionero de 1550*, pág. 301. Este romance se suele clasificar entre los novelescos, ya que no se tienen referencias del hecho histórico concreto que le dio origen. Sin embargo, me parece más cercano por tema y estilo a los romances históricos, y me he permitido colocarlo entre éstos.

[1] 'así', 'tal'.
[2] 'muralla'.
[3] 'fuerte y valeroso'.

37

Romance de la linda infanta *

Estaba la linda infanta — a la sombra de una oliva,
peine de oro en las sus manos — los sus cabellos bien cría.
Alzó los ojos al cielo — en contra do el sol salía,
vio venir un fuste¹ armado — por Guadalquivir arriba;
dentro venía Alfonso Ramos, — almirante de Castilla.   5
—Bien vengáis, Alfonso Ramos, — buena sea tu venida.
¿Y qué nueva me traedes — de mi flota bien guarnida?
—Nuevas te traigo, señora, — si me aseguras la vida.
—Diéselas, Alfonso Ramos, — que segura te sería.
—Allá llevan a Castilla — los moros de la Berbería.   10
—Si no me fuese por qué, — la cabeza te cortaría.
—Si la mía me cortases, — la tuya te costaría.

   * *Cancionero de 1550*, pág. 255. Mismas observaciones que para el
texto anterior; el romance tiene seguramente un origen histórico. Sus
últimos versos son confusos, producto seguramente de un cruce o de una
deformación.

   ¹ 'especie de galera'.

Romances histórico-épicos

38

Seducción de la Cava*

Amores trata Rodrigo, — descubierto ha su cuidado;
a la Cava lo decía — de quien era enamorado;
miraba su lindo rostro, — miraba su rostro alindado,
sus lindas y blancas manos — él se las está loando:
—Querría que me entendieses — por la vía que te hablo: 5
darte hía[1] mi corazón — y estaría al tu mandado.
La Cava, como es discreta, — a burlas lo había echado;
el rey hace juramento — que de veras se lo ha hablado;
todavía lo disimula — y burlando se ha excusado.
El rey va a tener la siesta — y en un retrete se ha entrado;   10
con un paje de los suyos — por la Cava ha enviado.
La Cava, muy descuidada, — cumplió luego su mandado.
El rey, luego que la vido, — hale de recio apretado,
haciéndole mil ofertas, — si ella hacía su rogado.
Ella nunca hacerlo quiso, — por cuanto él le ha mandado,   15
y así el rey lo hizo por fuerza — con ella, y contra su grado.
La Cava se fue enojada, — y en su cámara se ha entrado.
No sabe si lo decir, — o si lo tener callado.
Cada día gime y llora, — su hermosura va gastando.
Una doncella, su amiga, — mucho en ello había mirado,   20
y hablóle de esta manera, — de esta suerte le ha hablado:
—Agora siento, la Cava, — mi corazón engañado,
en no me decir lo que sientes — de tu tristeza y tu llanto.
La Cava no se lo dice, — mas al fin se lo ha otorgado.
Dice cómo el rey Rodrigo — la ha por fuerza deshonrado,   25

---

  * *Rom. tradicional*, I, pág. 23. Procede de la *Silva de 1550*.
    Los romances del rey don Rodrigo son bastante modernos (posiblemente de finales del xv, principios del xvi). Este en particular condensa 25 breves capítulos de la *Crónica sarracina* de Pedro del Corral, y es de estilo juglaresco.
    Para este texto y los cuatro siguientes, cfr. Menéndez Pidal, *Floresta de leyendas épicas. Rodrigo, el último godo*.

  [1] 'habría'.

y por que más bien lo crea, — háselo luego mostrado.
La doncella, que lo vido, — tal consejo le ha dado:
—Escríbeselo a tu padre, — tu deshonra demostrando.
La Cava lo hizo luego, — como se lo ha aconsejado,
y da la carta a un doncel — que de la Cava es criado.   30
Embarcárase en Tarifa — y en Ceuta la hubo llevado,
donde era su padre, el conde, — y en sus manos la hubo dado.
Su madre, como lo supo, — grande llanto ha comenzado.
El conde la consolaba — con que la haría bien vengado
de la deshonra tan grande — que el rey les había causado.   35

39

La venganza de don Julián*

En Ceuta está Julián, — en Ceuta la bien nombrada;
por las partes de aliende[1] — quiere enviar su embajada.
Moro·viejo la escribía — y el conde se la notaba;
después de haberla escrito — al moro luego matara.
Embajada es de dolor, — dolor para toda España;   5
las cartas van al rey moro — en las cuales le juraba
que si le daba aparejo — le dará por suya España.
Madre España, ¡ay de ti! — en el mundo tan nombrada,
de las partidas la mejor, — la mejor y más ufana,
donde nace el fino oro — y la plata no faltaba,   10
dotada de hermosura — y en proezas extremada;·
por un perverso traidor — toda eres abrasada,
todas tus ricas ciudades — con su gente tan galana
las domeñan hoy los moros — por nuestra culpa malvada,
si no fueran las Asturias, — por ser la tierra tan brava.   15
El triste rey don Rodrigo, — el que entonces te mandaba,
viendo sus reinos perdidos, — sale a la campal batalla,
el cual en grave dolor — enseña su fuerza brava,
mas tantos eran los moros — que han vencido la batalla.
No parece el rey Rodrigo, — ni nadie sabe do estaba.   20
¡Maldito de ti, don Orpas, — obispo de mala andanza!
En esta negra conseja — uno a otro se ayudaba.
¡Oh dolor sobremanera! — ¡Oh, cosa nunca cuidada!,
que por sola una doncella, — la cual Cava se llamaba,
causen estos dos traidores — que España sea domeñada,   25
y perdido el rey señor, — sin nunca de él saber nada.

---

* *Rom. tradicional*, I, pág. 36. Basado en la *Crónica General de España*
y de estilo juglaresco. El loor a España (versos 8-15) se remonta a San
Isidoro.
    [1] 'allende'.

40

Visión del rey Rodrigo*

Los vientos eran contrarios, — la luna estaba crecida,
los peces daban gemidos — por el mal tiempo que hacía,
cuando el buen rey don Rodrigo — junto a la Cava dormía,
dentro de una rica tienda — de oro bien guarnecida.
Trescientas cuerdas de plata — que la tienda sostenían: 5
dentro había cien doncellas — vestidas a maravilla:
las cincuenta están tañendo — con muy extraña armonía,
las cincuenta están cantando — con muy dulce melodía.
Allí habló una doncella — que Fortuna se decía:
—Si duermes, rey don Rodrigo, — despierta por cortesía,   10
y verás tus malos hados, — tu peor postrimería,
y verás tus gentes muertas, — y tu batalla rompida,
y tus villas y ciudades — destruidas en un día;
tus castillos fortalezas — otro señor los regía.
Si me pides quién lo ha hecho, — yo muy bien te lo diría: 15
ese conde don Julián — por amores de su hija,
porque se la deshonraste — y más de ella no tenía;
juramento viene echando — que te ha de costar la vida.
Despertó muy congojado — con aquella voz que oía,
con cara triste y penosa — de esta suerte respondía: 20
—Mercedes a ti, Fortuna, — de esta tu mensajería.
Estando en esto ha llegado — uno que nueva traía
cómo el conde don Julián — las tierras le destruía.

---

* *Rom. tradicional,* I, pág. 42. De un pliego suelto de la Universidad de Praga.

Estos trastornos de la Naturaleza son usados aquí para anunciar un desastre que afecta al protagonista; éste es un motivo tradicional bastante usual en la literatura popular (pero escaso en el Romancero). El sueño présago, al contrario, se utiliza más, en especial en los romances caballerescos (ver textos núms. 74, 75 y 94).

Menéndez Pidal piensa que el romance tradicional termina en el verso 23 y los otros versos que figuran en el pliego suelto son para unir este texto con el romance de *Las huestes de don Rodrigo...* (cfr. *Rom. tradicional,* I, página 43, nota 1). Esa es también nuestra opinión, por lo cual hemos suprimido los versos 24 a 27 del texto publicado por Menéndez Pidal.

41

La derrota de don Rodrigo*

Las huestes de don Rodrigo — desmayaban y huían,
cuando en la octava batalla — sus enemigos vencían.
Rodrigo deja sus tiendas — y del real se salía;
solo va el desventurado, — que no lleva compañía,
el caballo de cansado — ya mudar no se podía,   5
camina por donde quiere, — que no le estorba la vía.
El rey va tan desmayado — que sentido no tenía;
muerto va de sed y hambre — que de verle era mancilla,
iba tan tinto de sangre — que una brasa parecía.
Las armas lleva abolladas, — que eran de gran pedrería,   10
la espada lleva hecha sierra — de los golpes que tenía,
el almete[1], de abollado, — en la cabeza se le hundía,
la cara lleva hinchada — del trabajo que sufría.
Subióse encima de un cerro, — el más alto que veía;
desde allí mira su gente — cómo iba de vencida;   15
de allí mira sus banderas — y estandartes que tenía,
cómo están todos pisados — que la tierra los cubría;
mira por los capitanes, — que ninguno parecía;
mira el campo tinto en sangre, — la cual arroyos corría.
El triste, de ver aquesto, — gran mancilla en sí tenía;   20
llorando de los sus ojos — de esta manera decía:
—Ayer   era rey de España, — hoy no lo soy de una villa;
ayer villas y castillos, — hoy ninguno poseía;
ayer tenía criados — y gente que me servía,
hoy no tengo una almena — que pueda decir que es mía.   25
¡Desdichada fue la hora, — desdichado fue aquel día
en que nací y heredé — la tan grande señoría,
pues lo había de perder — todo junto y en un día!
¡Oh muerte!, ¿por qué no vienes — y llevas esta alma mía
de aqueste cuerpo mezquino, — pues se te agradecería?   30

---

* *Rom. tradicional*, I, pág. 47. Inspirado en la *Crónica sarracina* de
Corral. El verso 22: «Ayer era rey de España, — hoy no lo soy de una
villa» fue muy citado y perdura aún en la memoria de la gente.
[1] 'pieza de la armadura que cubre la cabeza'.

42

La penitencia de don Rodrigo *

Después que el rey don Rodrigo — a España perdido había,
íbase desesperado — por donde más le placía;
métese por las montañas, — las más espesas que vía,[1]
porque no le hallen los moros — que en su seguimiento iban.
Topado ha con un pastor — que su ganado traía,   5
díjole: —Dime, buen hombre, — lo que preguntarte quería:
si hay por aquí poblado — o alguna casería
donde pueda descansar, — que gran fatiga traía.
El pastor respondió luego — que en balde la buscaría,
porque en todo aquel desierto — sola una ermita había,   10
donde estaba un ermitaño — que hacía muy santa vida.
El rey fue alegre de esto — por allí acabar su vida;
pidió al hombre que le diese — de comer, si algo tenía.
El pastor sacó un zurrón, — que siempre en él pan traía;
diole de él y de un tasajo — que acaso allí echado había;   15
el pan era muy moreno, — al rey muy mal le sabía,
las lágrimas se le salen, — detener no las podía,
acordándose en su tiempo — los manjares que comía.
Después que hubo descansado — por la ermita le pedía;
el pastor le enseñó luego[2] — por donde no erraría;   20
el rey le dio una cadena — y un anillo que traía,
joyas son de gran valor, — que el rey en mucho tenía.

---

* *Rom. tradicional*, I, pág. 59. De un pliego suelto del siglo XVI. La
leyenda de la penitencia de Rodrigo nació a fines del siglo XIV (cfr.
ibídem, págs. 77-84). El romance, juglaresco, resume el relato de Pedro
del Corral en la *Crónica* ya citada.
Este es el único romance del ciclo del rey Rodrigo del que se conservan varias versiones, fragmentarias, en la tradición oral moderna,
aunque se ha perdido totalmente la figura del rey y sólo ha quedado la
penitencia, aplicada ahora bien a un enamorado, bien a un pecador.
Tanto en los siglos de oro como en el siglo XIX el tema de la penitencia
de Rodrigo fue utilizado por varios autores (cfr. *ibíd.*, págs. 92-95).
[1] 'veía'.
[2] 'al momento'.

Comenzando a caminar, — ya cerca el sol se ponía,
llegado es a la ermita — que el pastor dicho le había.
Él, dandó gracias a Dios, — luego a rezar se metía; 25
después que hubo rezado — para el ermitaño se iba,
hombre es de autoridad — que bien se le parecía.
Preguntóle el ermitaño — cómo allí fue su venida;
el rey, los ojos llorosos, — aquesto le respondía:
—El desdichado Rodrigo — yo soy, que rey ser solía; 30
véngome a hacer penitencia — contigo en tu compañía;
no recibas pesadumbre, — por Dios y Santa María.
El ermitaño se espanta, — por consolarlo decía:
—Vos cierto habeis elegido — camino cual convenía
para vuestra salvación, — que Dios os perdonaría. 35
El ermitaño ruega a Dios — por si le revelaría
la penitencia que diese — al rey, que le convenía.
Fuele luego revelado — de parte de Dios un día
que le meta en una tumba — con una culebra viva
y esto tome en penitencia — por el mal que hecho había. 40
El ermitaño al rey — muy alegre se volvía,
contóselo todo al rey — como pasado le había.
El rey, de esto muy gozoso, — luego en obra lo ponía:
métese como Dios manda — para allí acabar su vida.
El ermitaño muy santo — mírale al tercero día, 45
dice: —¿Cómo os va, buen rey? — ¿Vaos bien con la compañía?
—Hasta ora³ no me ha tocado, — porque Dios no lo querría;
ruega por mí, el ermitaño, — porque acabe bien mi vida.
El ermitaño lloraba, — gran compasión le tenía,
comenzóle a consolar — y esforzar cuanto podía. 50
Después vuelve el ermitaño — a ver si ya muerto había;
halló que estaba rezando — y que gemía y plañía;
preguntóle cómo estaba. — —Dios es en la ayuda mía,
respondió el buen rey Rodrigo, — la culebra me comía;
cómeme ya por la parte — que todo lo merecía, 55
por donde fue el principio — de la mi muy gran desdicha.
El ermitaño lo esfuerza, — el buen rey allí moría.
Aquí acabó el rey Rodrigo, — al cielo derecho se iba.

---

³ 'ahora'.

43

El nacimiento de Bernardo*

En los reinos de León — el casto Alfonso reinaba;
hermosa hermana tenía, — doña Jimena se llama;
enamorárase de ella — ese conde de Saldaña,
mas no vivía engañado, — porque la infanta lo amaba.
Muchas veces fueron juntos, — que nadie lo sospechaba;   5
de las veces que se vieron — la infanta quedó preñada.
La infanta parió a Bernardo, — y luego monja se entraba.
Mandó el rey prender al conde — y ponerle muy gran guarda.

---

* *Rom tradicional*, I, pág. 176. Del *Cancionero de 1550*. Romance de
tono erudito y de estilo narrativo y que, pese a su sequedad, ha per-
manecido en la tradición sefardí, con algunas adiciones tradicionales
afortunadas.

44

Por las riberas de Arlanza...*

Por las riberas de Arlanza — Bernardo el Carpio cabalga,
en un caballo morcillo[1] — enjaezado de grana;
la lanza terciada lleva — y en el arzón una adarga.
Mirábanle los de Burgos, — toda la gente admirada,
porque no se suele armar — sino a cosa señalada;   5
también le miraba el rey, — que está volando una garza.
Decía el rey a los suyos: — —Esta es una buena lanza;
o era Bernardo del Carpio, — o era Muza el de Granada.
Estando en estas razones, — Bernardo el Carpio llegaba;
sosegando va el caballo, — mas no dejara la lanza.   10
Habló como hombre esforzado, — de esta suerte al rey hablaba:
—Bastardo me llaman, rey, — siendo hijo de tu hermana;
tú y los tuyos lo dicen, — que ninguno otro no osaba;
cualquiera que tal ha dicho — ha mentido por la barba,
que ni mi padre es traidor, — ni mala mujer tu hermana,   15
que cuando yo fui nacido, — ya mi madre era casada.
Metiste a mi padre en hierros — y a mi madre en orden sacra
por dejar esos tus reinos — a aquesos reyes de Francia.
Con gascones y leoneses — y con la gente asturiana
yo iré por su capitán — o moriré en la batalla.   20

---

* *Rom. tradicional*, I, pág. 186. Esta versión figura en un manuscrito del siglo XVII de la Biblioteca Real de Madrid. Es muy semejante a las versiones del siglo XVI. Menéndez Pidal opina que es de inspiración libre (no basada en una crónica) y de estilo vigoroso, suelto y animado. Tuvo gran difusión en los siglos de oro (cfr. *ibíd.*, págs. 189-190).

[1] 'negro con visos rojizos'.

45

Entrevista de Bernardo con el rey*

Con cartas y mensajeros — el rey al Carpio envió;
Bernardo, como es discreto, — de traición se receló;
las cartas echó en el suelo — y al mensajero habló:
—Mensajero eres, amigo, — no mereces culpa, no,
mas al rey que acá te envía — dígasle tú esta razón: 5
que no lo estimo yo a él — ni aun a cuantos con él son;
mas por ver lo que me quiere — todavía allá iré yo.
Y mandó juntar los suyos, — de esta suerte les habló:
—Cuatrocientos sois, los míos, — los que comedes mi pan:
los ciento irán al Carpio, — para el Carpio guardar,   10
los ciento por los caminos, — que a nadie dejan pasar;
doscientos iréis conmigo — para con el rey hablar;
si mala me la dijere, — peor se la he de tornar.
Por sus jornadas contadas — a la corte fue a llegar:
—Dios os mantenga, buen rey, — y a cuantos con vos están.   15
—Mal vengades vos, Bernardo, — traidor, hijo de mal padre,
dite yo el Carpio en tenencia, — tú tómaslo en heredad.
—Mentides, el rey, mentides, — que no dices la verdad,
que si yo fuese traidor, — a vos os cabría en parte;
acordárseos debía — de aquella del Encinal,   20
cuando gentes extranjeras — allí os trataron tan mal,
que os mataron el caballo — y aun a vos querían matar;
Bernardo, como traidor, — de entre ellos os fue a sacar.
Allí me disteis el Carpio — de juro y de heredad[1],
prometístesme a mi padre, — no me guardaste verdad.   25
—Prendedlo, mis caballeros, — que igualado se me ha.
—Aquí, aquí los mis doscientos, — los que comedes mi pan,

---

* *Rom. tradicional*, I, pág. 153. Del *Cancionero de 1550*. Deriva de la *Gesta de Bernardo* (siglo XIII) en refundiciones posteriores. Muy conocido en los siglos de oro; en este siglo se han recogido algunas versiones de la tradición oral.

[1] 'definitivamente; para él y sus descendientes'.

que hoy era venido el día — que honra habemos de ganar.
El rey, de que aquesto viera, — de esta suerte fue a hablar:
—¿Qué ha sido aquesto, Bernardo, — que así enojado te has?   30
¿lo que hombre dice de burla — de veras vas a tomar?
Yo te do el Carpio, Bernardo, — de juro y de heredad.
—Aquesas burlas, el rey, — no son burlas de burlar;
llamásteme de traidor, — traidor, hijo de mal padre;
el Carpio yo no lo quiero, — bien lo podeis vos guardar,   35
que cuando yo lo quisiere, — muy bien lo sabré ganar.

46

Crianza de Fernán González*

En Castilla no había rey, — ni menos emperador,
sino un infante niño, — [niño] y de poco valor;
andábanlo por hurtar — caballeros de Aragón.
Hurtado le ha un carbonero — de los que hacen carbón.
No le muestra a cortar leña, — ni menos hacer carbón,   5
muéstrale a jugar las cañas — y muéstrale justador[1],
también a jugar los dados — y las tablas muy mejor.
—Vámonos, dice, mi ayo, — a mis tierras de Aragón;
a mí me alzarán por rey — y a vos por gobernador.

---

* *Rom. tradicional*, II, pág. 283. Romado del *Cartapacio poético del
músico toledano Juan de Peraza* (hacia 1575) y publicado por primera
vez por A. Rodríguez-Moñino, *HR*, 31 (1963), págs. 5-7.

Respecto a este romance dice Menéndez Pidal *(ibíd.,* págs. 285-290)
que los compiladores alfonsíes no tomaron en cuenta los relatos sobre
las mocedades de Fernán González. Sólo Pedro de Barcelós lo hizo
someramente, y con algunos arreglos, en su *Crónica de 1344,* utilizando
el *Poema* y una gesta popular.

Varios autores han aventurado hipótesis sobre el origen del motivo
del carbonero; es éste un motivo folklórico: el carbonero es simbóli-
camente usado como contraste de caballero.

Es un romance viejo y tradicional, muy ligado al relato legendario de
Fernán González. Varios versos corresponden a los del *Poema* y el
comienzo parece estar basado en la tradición historiográfica *(ibíd.).*
El romance debió ser popular en el siglo XVI, pues no solamente se
cantaba, sino que su primer verso aparece, variado, en la *Ensalada de
Praga.*

[1] 'el que pelea en las justas'.

47

Castellanos y leoneses... *

Castellanos y leoneses — tienen grandes divisiones,
el conde Fernán González — y el buen rey don Sancho
                                    [Ordóñez;
sobre el partir de las tierras, — ahí pasan malas razones:
llámanse de hideputas, — hijos de padres traidores;
echan mano a las espadas, — derriban ricos mantones.   5
No les pueden poner tregua — cuantos en la corte sone;
pónenselas dos hermanos, — aquesos benditos monjes,
pónenlas por quince días, — que no pueden por más, no,
que se vayan a los prados — que dicen de Carrión.
Si mucho madruga el rey, — el conde no dormía, no.   10
El conde partió de Burgos, — y el rey partió de León;
venido se han a juntar — al vado de Carrión,
y a la pasada del río — movieron una cuestión:
los del rey, que pasarían, — y los del conde, que no.
El rey, como era risueño, — la su mula revolvió,   15
el conde, con lozanía, — su caballo arremetió;
con el agua y el arena — al buen rey él salpicó.
Allí hablara el buen rey, — su gesto muy demudado:
—Buen conde Fernán González, — mucho sois desmesurado,
si no fuera por las treguas — que los monjes nos han dado,   20
la cabeza de los hombros — ya vos la hubiera quitado;
con la sangre que os sacara — yo tiñiera aqueste vado.
El conde le respondiera, — como aquel que era osado:
—Eso que decís, buen rey, — véolo mal aliñado:
vos venís en gruesa mula, — yo en ligero caballo;   25
vos traéis sayo de seda, — yo traigo un arnés trenzado[1];
vos traéis alfanje de oro, — yo traigo lanza en mi mano

---

* *Rom. tradicional*, II, pág. 8. Del *Cancionero de romances s.a.* Procede
del *Cantar de gesta*, seguramente en una refundición tardía (siglo XIV) y no
de la *Crónica de 1344 (ibíd.*, pág. 14).

El tema del vasallo rebelde que se enfrenta al rey figura en algunos romances y es un producto histórico. Cfr. el texto núm. 54, de gran semejanza
con éste en el contraste entre guerreros y cortesanos.

[1] 'armadura corta'.

vos traéis cetro de rey, — yo un venablo acerado;
vos con guantes olorosos, — yo con los de acero claro;
vos con la gorra de fiesta, — yo con un casco afinado;   30
vos traéis ciento de mula, — yo trescientos de caballo.
Ellos en aquesto estando, — los frailes que han allegado:
—¡Tate, tate, caballeros! — ¡Tate, tate, hijosdalgo!
¡Cuán mal cumplisteis las treguas — que nos habíades
                                   [mandado!
Allí hablara el buen rey: — —Yo las cumpliré de grado.   35
Pero respondiera el conde: — —Yo de pies puesto en el
                                     [campo².
Cuando vido aquesto el rey, — no quiso pasar el vado.
Vuélvese para sus tierras, — malamente va enojado,
grandes bascas³ va haciendo, — reciamente va jurando,
que había de matar al conde — y destruir su condado.   40
Y mandó llamar a cortes, — por los grandes ha enviado;
todos ellos son venidos, — sólo el conde ha faltado.
Mensajero se le hace — a que cumpla su mandado;
el mensajero que fue — de esta suerte le [ha] hablado⁴.

---

² 'en el campo de batalla'.
³ 'gestos coléricos'.
⁴ sigue el texto: *Buen conde Fernán González*...

48

Buen conde Fernán González...*

—Buen conde Fernán González, — el rey envía por vos,
que vayades a las cortes — que se hacen en León,
que si vos allá vais, conde, — daros han buen galardón:
daros han a Palenzuela — y a Palencia la mayor,
daros han las nueve villas, — con ellas a Carrión,   5
daros han a Torquemada, — la torre de Mormojón;
buen conde, si allá no ides — daros hían por traidor.
Allí respondiera el conde — y dijera esta razón:
—Mensajero eres, amigo, — no mereces culpa, no;
yo no tengo miedo al rey, — ni a cuantos con él son;   10
villas y castillos tengo, — todos a mi mandar son:
de ellos me dejó mi padre, — de ellos me ganara yo;
las que me dejó el mi padre — pobléllas de ricos hombres,
las que me ganara yo — pobléllas de labradores;
quien no tenía más que un buey — dábale otro, que eran dos, 15
al que casaba su hija — doile yo muy rico don;
cada día que amanece — por mí hacen oración,
no la hacían por el rey, — que no lo merece, no,
él les puso muchos pechos[1] — y quitáraselos yo.

---

* *Rom. tradicional*, II, pág. 18. Misma fuente que el anterior. Martín Nucio al reeditar su *Cancionero* en 1550 hizo algunos retoques basándose en versiones de tradición oral. Este romance continúa el anterior y su procedencia es la misma. Fue muy difundido en el siglo XVI, y algunos de sus versos se convirtieron en dichos. Lope de Vega lo utilizó para su comedia *El conde Fernán González* (cfr. M. Pidal, *ob. cit.*, páginas 19-28).

Nótese el juego de palabras en los versos 4-7: «daros... (regalos), daros (por traidor)».

[1] 'tributos'.

49

¡Ay Dios, qué buen caballero...!*

¡Ay Dios, qué buen caballero — fue don Rodrigo de Lara,
que mató cinco mil moros — con trescientos que llevaba!
Si aqueste muriera entonces, — ¡qué grande fama dejara!,
no matara a sus sobrinos, — los siete infantes de Lara,
ni vendiera sus cabezas — al moro que las llevaba.   5
Ya se trataban sus bodas — con la linda doña Lambra.
Las bodas se hacen en Burgos, — las tornabodas en Salas;
las bodas y tornabodas — duraron siete semanas:
las bodas fueron muy buenas, — mas las tornabodas malas.
Ya convidan por Castilla, — por Castilla y por Navarra: 10
tanta viene de la gente — que no hallaban posadas,
y aún faltan por venir — los siete infantes de Lara.
Helos, helos por do vienen — por aquella vega llana;
sálelos a recibir — la su madre doña Sancha.
—Bien vengades, los mis hijos, — buena sea vuestra llegada. 15
—Norabuena estéis, señora, — nuestra madre doña Sancha.
Ellos le besan las manos, — ella a ellos en la cara.
—Huelgo de veros a todos, — que ninguno no faltaba,
y más a vos, Gonzalvico, — porque a vos mucho amaba.
Tornad a cabalgar, hijos, — y tomedes vuestras armas,   20
y allá ireis a posar¹ — al barrio de Cantarranas.

---

* *Rom. tradicional*, II, pág. 104. De la *Segunda parte de la Silva de 1550.*
Los romances de la boda de doña Lambra y don Rodrigo se conocen
en tres versiones independientes. Hemos tomado para esta *Antología*
una sección de cada una de las versiones, considerándolas romances
independientes. Así, la primera sección comprende la preparación de las
bodas (tomada de la tercera versión), la segunda sección se refiere al
episodio del tablado (primera versión) y las quejas de doña Lambra,
de la segunda versión. Nos parece que así hemos podido seleccionar
los mejores textos y dar una idea cabal de las tres versiones. Para éste
y los cuatro textos siguientes, cfr., M. Pidal, *La leyenda de los infantes
de Lara*, e íd., *Rom. tradicional*, II, págs. 98-160.

¹ 'tomar posada', alojarse.

Por Dios os ruego, mis hijos, — no salgáis de las posadas,
porque en semejantes fiestas — se urden buenas lanzadas.
Ya cabalgan los infantes — y se van a sus posadas,
hallaron las mesas puestas — y viandas aparejadas.   25

50
Doña Lambra con fantasía...*

Doña Lambra, con fantasía, — grandes tablados armara.
Allí salió un caballero — de los de Córdoba la llana,
caballero en un caballo — y en la su mano una vara;
arremete su caballo, — al tablado la tirara,
diciendo: —Amad, señoras, — cada cual como es amada,   5
que más vale un caballero — de los de Córdoba la llana,
más vale que cuatro ni cinco — de los de la flor de Lara.
Doña Lambra, que lo oyera, — de ello mucho se holgara:
—¡Oh, maldita sea la dama — que su cuerpo te negaba!,
que si yo casada no fuera — el mío yo te entregara.   10
Allí habló doña Sancha, — esta respuesta le daba:
—Calléis, Alambra, calléis, — no digáis tales palabras,
que si lo saben mis hijos — habrá grandes barragadas¹.
—Callad vos, que a vos os cumple, — que tenéis por qué
                                          [callar,
que paristeis siete hijos — como puerca en cenegal.   15
Oído lo ha un caballero, — que es ayo de los infantes.
Llorando de los sus ojos — con gran angustia y pesar,
se fue para los palacios — do los infantes estaban;
unos juegan a los dados, — otros las tablas jugaban,
sino fuera Gonzalillo, — que arrimado se estaba;   20
cuando le vido llorar — una pregunta le daba
...   — comenzóle a preguntar:
—¿Qué es aquesto, el ayo mío, — quién vos quisiera enojar?
Quien a vos os hizo enojo — cúmplele de se guardar.
Metiéranse en una sala, — todo se lo fue a contar.   25
Manda ensillar su caballo, — empiézase de armar.
Después que estuvo armado — apriesa fue a cabalgar;

---

* *Rom. tradicional*, II, págs. 98-99. Cfr. nota al romance anterior.
El verso 22a falta en el original.
¹ 'luchas o peleas'; es posiblemente un derivado de «barrajar»: 'derribar a uno; hacerle caer violentamente'.

162

sálese de los palacios — y vase para la plaza.
En llegando a los tablados — pedido había una vara;
arremetió su caballo, — al tablado la tiraba,   30
diciendo: —Amad, lindas damas, — cada cual como es amada,
que más vale un caballero — de los de la flor [de] Lara,
que veinte ni treinta hombres — de los de Córdoba la llana.

51

Quejas de doña Lambra *

—Yo me estaba en Barbadillo, — en esa mi heredad;
mal me quieren en Castilla — los que me habían de guardar;
los hijos de doña Sancha — mal amenazado me han,
que me cortarían las faldas — por vergonzoso lugar,
y cebarían sus halcones — dentro de mi palomar,   5
y me forzarían mis damas, — casadas y por casar;
matáronme un cocinero — so faldas del mi brial.
Si de esto no me vengáis, — yo mora me iré a tornar.
Allí habló don Rodrigo — [bien oiréis lo que dirá]¹:
—Calledes, la mi señora, — vos no digades atal;   10
de los infantes de Salas — yo vos pienso de vengar;
telilla les tengo urdida — bien se la cuido tramar²,
que nacidos y por nacer, — de ello tengan que contar.

---

* *Rom. tradicional,* II, pág. 122. Ver nota al romance 49.
    La amenaza de «cortar las faldas por vergonzoso lugar» era en la Edad
Media un castigo para las rameras *(Rom. trad.,* II, pág. 125).
   ¹ En el *Rom. tradicional,* de donde hemos tomado el texto, este octosílabo repite absurdamente el segundo hemistiquio del verso siguiente:
«vos no digades atal». Lo hemos reemplazado por el octosílabo que
aparece en la edición del *Cancionero de 1550.*
   ² El sentido del verso es: «estoy tramando una venganza».

52
Pártese el moro Alicante... *

Pártese el moro Alicante—víspera de sant Cebrián;
ocho cabezas llevaba, — todas de hombres de alta sangre.
Sábelo el rey Almanzor, — a recibírselo sale;
aunque perdió muchos moros, — piensa en esto bien ganar.
Manda hacer un tablado — para mejor las mirar,   5
mandó traer un cristiano — que estaba en captividad.
Como ante sí lo trujeron — empezóle de hablar,
díjole: —Gonzalo Gustos, — mira quién conocerás;
que lidiaron mis poderes — en el campo de Almenar:
sacaron ocho cabezas, — todas son de gran linaje.   10
Respondió Gonzalo Gustos: — Presto os diré la verdad.
Y limpiándoles la sangre, — asaz se fuera a turbar;
dijo llorando agramente: — ¡Conóscolas por mi mal!
la una es de mi carillo[1], — ¡las otras me duelen más!
de los infantes de Lara — son, mis hijos naturales.   15
Así razona con ellos, — como si vivos hablasen:
—¡Dios os salve, el mi compadre, — el mi amigo leal!
¿Adónde son los mis hijos — que yo os quise encomendar?
Muerto sois como buen hombre, — como hombre de fiar.
Tomara otra cabeza — del hijo mayor de edad: 20
—Sálveos Dios, Diego González, — hombre de muy gran
                                              [bondad,
del conde Fernán González — alférez el principal:
a vos amaba yo mucho, — que me habíades de heredar.
Alimpiándola con lágrimas — volviérala a su lugar,
y toma la del segundo, — Martín Gómez que llamaban: 25
—Dios os perdone, el mi hijo, — hijo que mucho preciaba;

---
* *Rom. tradicional*, II, pág. 136. Procede de una gesta perdida recogida
en la *Crónica de 1344* y en la *Interpolación de la Crónica General*. El
romance se separa muy poco de la gesta y conserva la estructura total
del episodio, aunque se reduce su amplitud debido a la tradicionalización
(cfr. M. Pidal, *ob. cit.*, págs. 138-149). Ver también nota al texto 49.

[1] En el sentido de 'amigo'.

jugador era de tablas — el mejor de toda España,
mesurado caballero, — muy buen hablador en plaza.
Y dejándola llorando, — la del tercero tomaba:
—Hijo Suero Gustos, — todo el mundo os estimaba;　　　　30
el rey os tuviera en mucho, — sólo para la su caza:
gran caballero esforzado, — muy buen bracero a ventaja.
¡Ruy Gómez vuestro tío — estas bodas ordenara!
Y tomando la del cuarto, — lasamente la miraba:
—¡Oh hijo Fernán González, — (nombre del mejor de España,　35
del buen conde de Castilla, — aquel que vos baptizara)
matador de puerco espín, — amigo de gran compaña!
nunca con gente de poco — os vieran en alianza.
Tomó la de Ruy Gómez, — de corazón la abrazaba:
—¡Hijo mío, hijo mío! — ¿quién como vos se hallara?　　　　40
nunca le oyeron mentira, — nunca por oro ni plata;
animoso, buen guerrero, — muy gran feridor de espada,
que a quien dábades de lleno — tullido o muerto quedaba.
Tomando la del menor, — el dolor se le doblara:
—¡Hijo Gonzalo González! — ¡Los ojos de doña Sancha!　　45
¡Qué nuevas irán a ella — que a vos más que a todos ama!
Tan apuesto de persona, — decidor bueno entre damas,
repartidor en su haber, — aventajado en la lanza.
¡Mejor fuera la mi muerte — que ver tan triste jornada!
Al duelo que el viejo hace, — toda Córdoba lloraba.　　　　50
El rey Almanzor cuidoso — consigo se lo llevaba,
y mandó a una morica — lo sirviese muy de gana.
Esta le torna en prisiones, — y con hambre le curaba.
Hermana era del rey, — doncella moza y lozana;
con ésta Gonzalo Gustos — vino a perder su saña,　　　　　55
que de ella le nació un hijo — que a los hermanos vengara.

53

La venganza de Mudarra*

A cazar va don Rodrigo, — y aun don Rodrigo de Lara,
con la grande siesta[1] que hace — arrimádose ha a una haya,
maldiciendo a Mudarrillo, — hijo de la renegada,
que si a las manos le hubiese — que le sacaría el alma.
El señor estando en esto, — Mudarrillo que asomaba.   5
—Dios te salve, caballero, — debajo la verde haya.
—Así haga a ti, escudero, — buena sea tu llegada.
—Dígasme tú, el caballero, — ¿cómo era la tu gracia?[2]
—A mí me dicen don Rodrigo, — y aun don Rodrigo de Lara,
cuñado de Gonzalo Gustos, — hermano de doña Sancha;   10
por sobrinos me los hube — los siete infantes de Salas;
espero aquí a Mudarrillo, — hijo de la renegada;
si delante lo tuviese, — yo le sacaría el alma.
—Si a ti te dicen don Rodrigo, — y aun don Rodrigo de Lara,
a mí Mudarra González, — hijo de la renegada;   15
de Gonzalo Gustos hijo — y anado[3] de doña Sancha;
por hermanos me los hube — los siete infantes de Salas.
Tú los vendiste, traidor, — en el val de Arabiana,
mas si Dios a mí me ayuda, — aquí dejarás el alma.
—Espéresme, don Gonzalo, — iré a tomar las mis armas.   20
—El espera que tú diste — a los infantes de Lara.
Aquí morirás, traidor, — enemigo de doña Sancha.

---

* *Rom. tradicional*, II, pág. 150. Versión del *Cancionero de romances s.a.*
Deriva de una refundición de la gesta, pero con la tradicionalización
se ha novelizado y se ha alejado de ésta. Victor Hugo parafraseó este
romance en una de sus *Orientales*.
  Cfr. P. Bénichou, «El castigo de Rodrigo de Lara», en *Creación poética
en el Romancero tradicional*, págs. 40-60, y M. Díaz Roig, *El Romancero
y la lírica popular moderna*, págs. 57-58.

  [1] 'el gran calor'.
  [2] 'tu nombre'.
  [3] 'alnado', 'hijastro'.

54

Romance del Cid Ruy Díaz*

Cabalga Diego Laínez — al buen rey besar la mano
consigo se los llevaba — los trescientos hijosdalgo
entre ellos iba Rodrigo, — el soberbio castellano.
Todos cabalgan a mula, — sólo Rodrigo a caballo.
todos visten oro y seda, — Rodrigo va bien armado,   5
todos espadas ceñidas, — Rodrigo estoque dorado,
todos con sendas varicas, — Rodrigo lanza en la mano,
todos guantes olorosos, — Rodrigo guante mallado,
todos sombreros muy ricos, — Rodrigo casco afilado
y   encima del casco lleva — un bonete colorado.   10
Andando por su camino, — unos con otros hablando,
allegados son a Burgos, — con el rey se han encontrado.
Los que vienen con el rey — entre sí van razonando;
unos lo dicen de quedo, — otros lo van preguntando:
—aquí viene, entre esta gente, — quien mató al conde Lozano.   15
Como lo oyera Rodrigo — en hito los ha mirado,
con alta y soberbia voz — de esta manera ha hablado:
—Si hay alguno entre vosotros — su pariente o adeudado
que se pese de su muerte — salga luego a demandarlo,
yo se lo defenderé, — quiera pie, quiera caballo.   20
Todos responden a una: — — —Demándelo su pecado.
Todos se apearon juntos — para al rey besar la mano,
Rodrigo se quedó solo, — encima de su caballo;
entonces habló su padre, — bien oiréis lo que ha hablado:
—Apeaos vos, mi hijo, — besaréis al rey la mano   25
porque él es vuestro señor, — vos, hijo, sois su vasallo.
Desque Rodrigo esto oyó — sintiose más agraviado,
las palabras que responde — son de hombre muy enojado:

---

* *Cancionero de 1550*, pág. 223. Tiene su origen en una versión desco-
nocida del cantar *Las mocedades de Rodrigo* y es una continuación del
romance *Día era de los Reyes...* (rom. 55); el gusto fragmentista del
siglo XVI los separó (cfr. M. Pidal, *R. Hispánico*, I, págs. 220-221).
Nótese la semejanza de los versos 4-10 con los del rom. 47.

—Si otro me lo dijera — ya me lo hubiera pagado,
mas por mandarlo vos, padre, — yo lo haré de buen grado.   30
Ya se apeaba Rodrigo — para al rey besar la mano;
al hincar de la rodilla — el estoque se ha arrancado;
espantose de esto el rey — y dijo como turbado:
—Quítate Rodrigo allá, — quítateme allá, diablo,
que tienes el gesto[1] de hombre — y los hechos de león bravo. 35
Como Rodrigo esto oyó — aprisa pide el caballo;
con una voz alterada — contra el rey así ha hablado:
—Por besar mano de rey — no me tengo por honrado,
porque la besó mi padre — me tengo por afrentado.
En diciendo estas palabras — salido se ha del palacio,   40
consigo se los tornaba — los trescientos hijosdalgo.
Si bien vinieron vestidos, — volvieron mejor armados,
y si vinieron en mulas, — todos vuelven en caballos.

---

[1] 'rostro'.

55

Romance de Jimena Gómez*

Día era de los Reyes, — día era señalado,
cuando dueñas y doncellas — al rey piden aguinaldo,
sino es Jimena Gómez, — hija del conde Lozano,
que puesta delante el rey — de esta manera ha hablado:
—Con mancilla vivo, rey, — con ella vive mi madre;   5
cada día que amanece — veo quien mató a mi padre,
caballero en un caballo — y en su mano un gavilán;
otra vez con un halcón — que trae para cazar;
por hacerme más enojo, — cébalo en mi palomar,
con sangre de mis palomas — ensangrentó mi brial.   10
Enviéselo a decir, — envióme a amenazar
que me cortará mis haldas — por vergonzoso lugar,
me forzará mis doncellas, — casadas y por casar,
matarame un pajecico — so haldas de mi brial.
Rey que no hace justicia — no debía de reinar,   15
ni cabalgar en caballo, — ni espuela de oro calzar,
ni comer pan a manteles, — ni con la reina holgar,
ni oír misa en sagrado, — porque no merece más.
El rey, de que esto oyera, — comenzara de hablar:
—¡Oh, válame Dios del cielo! — ¡Quiérame Dios consejar!   20
Si yo prendo o mato al Cid — mis cortes se volverán[1],
y si no hago justicia — mi alma lo pagará.
—Tente las tus cortes, rey, — no te las revuelva nadie;
al Cid que mató a mi padre — dámelo tú por igual[2],

---

* *Cancionero de 1550*, pág. 224. Mismo origen que el anterior. El sentido cabal del verso 37 ha de hallarse en *Las mocedades de Rodrigo*: el conde teme que el rey quiera mandar matar a su hijo por el duelo con el conde Lozano y por ello se ofrece a ir a la corte para tratar de salvarlo (Cfr. M. Pidal, *Reliquias de la poesía épica*). Los versos 9-14 son una contaminación de *Las quejas de doña Lambra* (rom. 51). Los versos 15-18 son de influencia juglaresca, y expresan la materia de los juramentos formulísticos, tan comunes en los romances carolingios, que, según algunos autores, están basados en una realidad medieval (Cfr. Armistead y Silverman, *Romances judeoespañoles de Tánger*, págs. 30-32).

[1] 'se rebelarán'.
[2] 'por marido'.

que quien tanto mal me hizo — sé que algún bien me hará.   25
Entonces dijera el rey, — bien oiréis lo que dirá:
—Siempre lo oí decir, — y agora veo que es verdad,
que el seso de las mujeres — que no era natural:
hasta aquí pidió justicia, — ya quiere con él casar.
Yo lo haré de buen grado, — de muy buena voluntad;   30
mandarle quiero una carta, — mandarle quiero llamare.
Las palabras no son dichas, — la carta camino vae,
mensajero que la lleva — dado la había a su padre.
—Malas mañas habéis, conde, — no vos las puedo quitare,
que cartas que el rey vos manda — no me las queréis
                                    [mostrare.   35
—No era nada, mi hijo, — sino que vades allae.
Quedaos aquí, hijo, — yo iré en vuestro lugare.
—Nunca Dios a tal quisiese — ni Santa María lo mande,
sino que adonde vos fueredes — que vaya yo adelante.

56

Por el val de las Estacas... *

Por el val de las Estacas — pasó el Cid a mediodía,
en su caballo Babieca: — ¡oh, qué bien que parecía!
El rey moro que lo supo — a recibirle salía,
dijo: —Bien vengas, el Cid, — buena sea tu venida,
que si quieres ganar sueldo, — muy bueno te lo daría,   5
o si vienes por mujer, — darte he una hermana mía.
—Que no quiero vuestro sueldo — ni de nadie lo querría,
que ni vengo por mujer, — que viva tengo la mía,
vengo a que pagues las parias — que tú debes a Castilla.
—No te las daré yo, el buen Cid, — Cid, yo no te las daría;   10
si mi padre las pagó, — hizo lo que no debía.
—Si por bien no me las das, — yo por mal las tomaría.
—No lo harás así, buen Cid, — que yo buena lanza había.
—En cuanto a eso, rey moro, — creo que nada te debía,
que si buena lanza tienes, — por buena tengo la mía,   15
mas da sus parias al rey, — a ese buen rey de Castilla.
—Por ser vos su mensajero, — de buen grado las daría.

---

* *Primavera*, pág. 131. Se evoca aquí la figura del Cid como cobrador
del tributo al rey moro de Sevilla. Wolf y Hofmann tomaron el texto
de un códice del siglo XVI publicado por Durán en su *Romancero general*.
El romance parece ser de libre inspiración.

57

Romance del rey don Fernando primero*

Doliente se siente el rey — esse buen rey don Fernando
los pies tiene hazia oriente — y la candela en la mano
a su cabecera tiene — arçobispos y perlados
a su man derecha tiene — a sus fijos todos cuatro
los tres eran de la reyna — y el vno era bastardo   5
esse que bastardo era — quedaua mejor librado
arçobispo es de Toledo — maestre de Santiago
abad era en çaragoça — de las Españas primado.
Hijo si yo no muriera — vos fuerades padre santo
mas con la renta que os queda — vos bien podreys alcançarlo.   10
Ellos estando en aquesto — entrara Vrraca Fernando
y buelta hazia su padre — desta manera ha hablado.

   * *Cancionero de 1550*, pág. 213. Este romance y los dos que le siguen
forman un solo cuerpo en el *Cancionero de 1550* (sobre el significado
de esta unión ver la interesante nota de Di Stefano, *El Romancero*,
páginas 352-357). Menéndez Pidal estudia ampliamente estos romances,
en especial los dos primeros con sus distintas variantes (cfr. M. Pidal,
Estudios, págs. 107-123).
   Para dar una idea de la presentación de los romances en el siglo XVI
hemos reproducido estos textos tal y como aparecen en la fuente; la
única modificación ha sido escribirlos en versos largos.

58

Romance de doña Vrraca *

Morir vos queredes padre — san Miguel vos aya el alma
mandastes las vuestras tierras — a quien se vos antojara
a don Sancho a Castilla — Castilla la bien nombrada
a don Alonso a Leon — y a don Garcia a Bizcaya
a mi porque soy muger — dexays me deseredada   5
yrme yo por essas tierras — como vna muger errada
y este mi cuerpo daria — a quien se me antojara
a los Moros por dineros — y a los Christianos de gracia
de lo que ganar pudiere — hare bien por la vuestra alma.
Alli preguntara el rey, — ¿Quién es essa que assi habla?   10
Respondiera el arçobispo — Vuestra hija doña Vrraca.
Calledes hija calledes — no digades tal palabra
que muger que tal dezia — merescia ser quemada
alla en Castilla la vieja — vn rincon se me oluidaua
çamora auia por nombre — çamora la bien cercada   15
de vna parte la cerca el Duero — de otra peña tajada
del otro la moreria — vna cosa muy preciada
quien vos la tomare hija — la mi maldicion le cayga.
Todos dizen amen amen — sino don Sancho que calla.
El buen rey era muerto — çamora ya esta cercada   20
de vn cabo la cerca el rey — del otro el Cid la cercaua
del cabo que el rey la cerca — çamora no se da nada
del cabo que el Cid la cerca — çamora ya se tomaua.
Assomose doña Vrraca — assomose a vna ventana
de alla de vna torre mocha — estas palabras hablaua,   25

---

* *Cancionero de 1550*, pág. 213. Ver nota al texto anterior. Los seis
últimos versos no están más que en aquellas versiones que se continúan
con *A fuera, a fuera Rodrigo...*, ya que son versos de transición.

59
Romance del Cid Ruy Díaz*

A fuera a fuera Rodrigo — el soberuio Castellano
acordarse te deuia — de aquel tiempo ya passado
quando fuiste cauallero — en el altar de Santiago
quando el rey fue tu padrino — tu Rodrigo el ahijado
mi padre te dio las armas — mi madre te dio el cauallo   5
yo te calce las espuelas — porque fuesses mas honrrado
que pense casar contigo — mas no lo quiso mi pecado
cassaste con Ximena Gomez — hija del conde Loçano
con ella vuiste dineros — comigo vuieras estado
bien casaste tu Rodrigo — muy mejor fueras casado   10
pexaste¹ *(sic)* hija de rey — por tomar de su vassallo.
Si os parece mi señora — bien podemos destigallo²
mi anima penaria — si yo fuesse en discrepallo³.
A fuera a fuera los mios — los de a pie y de a cauallo
pues de aquella torre mocha — vna vira⁴ me han tirado   15
no traya el asta hierro — el coraçon me ha passado.
Ya ningun remedio siento — sino biuir mas penado.

* *Cancionero de 1550*, pág. 214. Ver nota al rom. 57. Parece ser que
el asunto de este romance es una pura ficción novelesca. El final, de
tono poco tradicional, es seguramente un añadido tardío que denota
influencia de la poesía cortesana.
  ¹ error; debe decir: 'dexaste'.
  ² 'desligarlo'.
  ³ 'deshacerlo'.
  ⁴ 'saeta'.

60
Romance del rey don Sancho de Castilla *

Rey don Sancho, rey don Sancho, — cuando en Castilla reinó
le salían las sus barbas, — ¡y cuán poco las logró!
A pesar de los franceses — los puertos de Aspa pasó,
siete días con sus noches — en campo los aguardó
y viendo que no venían — a Castilla se volvió.   5
Matara el conde de Niebla — y el condado le quitó,
y a su hermano don Alonso — en las cárceles lo echó,
y después que lo echara — mandó hacer un pregón:
que el que rogase por él — que le diesen por traidor.
No hay caballero ni dama — que por él rogase, no,   10
sino fuera una su hermana — que al rey se lo pidió:
— Rey don Sancho, rey don Sancho, — mi hermano y mi señor,
cuando yo era pequeña — prometístesme un don,
agora que soy crecida, — otórgamelo, señor.
Pedidlo vos, mi hermana, — mas con una condición: 15
que no me pidáis a Burgos, — a Burgos, ni a León,
ni a Valladolid la rica, — ni a Valencia de Aragón;
de todo lo otro, mi hermana, — no se os negará, no.
— Que no os pido yo a Burgos, — a Burgos, ni a León,
ni a Valladolid la rica, — ni a Valencia de Aragón,   20
mas pídoos a mi hermano, — que lo tenéis en prisión.
— Pláceme, dijo, hermana, — mañana os lo daré yo.
— Vivo lo habéis de dar, vivo, — vivo, que no muerto, no.
— Mal hayas tú, hermana, — y quien tal te aconsejó,
que mañana, de mañana, — muerto te lo diera yo.   25

* *Primavera*, pág. 139. De la *Silva de 1550*. Se trata del hijo de Fernando
I, Sancho II, que sería asesinado poco tiempo después ante los muros de Zamora. Su hermano don Alonso, al que alude el romance, será su sucesor, Alfonso VI.
En la *Primera Crónica General* se halla el relato escueto del suceso basado
en la crónica latina de Lucas de Tuy, pero las crónicas de *Castilla (ca.* 1330)
y la de 1344 ya recogen el episodio. Las crónicas parecen basarse en la fuente épica *(Cantar del cerco de Zamora)*. Cfr. Armistead y Silverman, *Romances judeo-españoles de Tánger,* pág. 33
A propósito de este romance se puede ejemplificar la persistencia
de un motivo a través del tiempo. Los versos 15 a 20 viven en la tradición oral, variados, aplicados a un romance moderno (quizá del XVIII):
Toros y Cañas (J. M. Cossío, *Romances de tradición oral,* págs. 105-106).

61

Reto de los dos caballeros zamoranos*

Riberas de Duero arriba — cabalgan dos zamoranos,
las armas llevan blancas, — caballos rucios rodados[1],
con sus espadas ceñidas — y sus puñales dorados,
sus adargas a los pechos — y sus lanzas en las manos,
ricas capas aguaderas, — por ir más disimulados,   5
y por un repecho arriba — arremeten los caballos,
que según dicen las gentes — padre e hijo son entrambos.
Palabras de gran soberbia — entre los dos van hablando:
que se matarán con tres, — lo mesmo harán con cuatro,
y si cinco les saliesen, — que no les huirían el campo,   10
con tal que no fuesen primos, — ni menos fuesen hermanos,
ni de la casa del Cid, — ni de sus paniaguados,
ni de las tiendas del rey, — ni de sus leales vasallos;
de todos los otros que haya, — salgan los más esforzados.
Tres condes lo han oído, — todos tres eran cuñados.   15
—Atendednos[2], caballeros, — que nos estamos armando.
Mientras los condes se arman, — el padre al hijo ha hablado:
—Tú bien vees, hijo mío, — aquellos tablados altos
donde dueñas y doncellas — nos están de allí mirando;
si lo haces como bueno, — serás de ellas muy honrado,   20
si lo haces como malo, — serás de ellas ultrajado;
más vale morir con honra — que no vivir deshonrado,
que el morir es una cosa — que a cualquier nacido es dado.
Estas palabras diciendo, — los condes han allegado.
A los encuentros primeros — el viejo uno ha derrocado;   25
vuelve la cabeza el viejo, — vido al hijo mal tratado,
arremete para allá — y otro conde ha derribado;
el otro, desque esto vido, — vuelve riendas al caballo;
los dos iban a su alcance; — en Zamora lo han cerrado.

* *Primavera*, pág. 143. De un pliego suelto del siglo XVI. Este romance
y el que le sigue, quieren reproducir dos de los muchos episodios particulares del cerco de Zamora. En ambos resalta el respeto al Cid en el
campo enemigo.
    [1] 'grises con manchas negras'.
    [2] 'esperadnos'.

62

Romance del desafío de Ortuño *

Junto al muro de Zamora — vide un caballero erguido,
armado de todas piezas, — sobre un caballo morcillo,
a grandes voces diciendo: — —Vélese bien el castillo,
que al que hallare velando — ayudarle he con mi grito,
y al que hallare durmiendo — echarle he de arriba vivo;   5
pues por la honra de Zamora — yo soy llamado y venido,
si hubiera algún caballero, — salga a hacer armas conmigo,
con tal que no fuese el Cid, — ni Bermúdez su sobrino.
Las palabras que decía — el buen Cid las ha oído.
—¿Quién es ese caballero — que hace el tal desafío?   10
—Ortuño me llamo, Cid, — Ortuño es mi apellido.
—Acordársete debría, Ortuño, — de la pasada del río,
cuando yo vencí los moros, — y Babieca iba conmigo;
en aquestos tiempos tales — no eras tan atrevido.
Ortuño, de que esto oyera, — de esta suerte ha respondido: 15
—Entonces era novel, — agora soy más crecido,
y usando, buen Cid, las armas, — me he hecho tan atrevido.
Mas no desafío yo a ti, — ni a Bermúdez tu sobrino,
porque os tengo por señores — y me tenéis por amigo;
mas si hay otro caballero, — que salga a hacer armas conmigo,   20
que aquí en el campo lo espero — con mis armas y rocino.

---

* *Primavera*, pág. 146. De la *Silva de 1550*. Ver nota al texto anterior.

63

Romance del rey don Sancho*

—¡Guarte[1], guarte, rey don Sancho! — no digas que no te aviso
que de dentro de Zamora — un alevoso ha salido:
llámase Vellido Dolfos, — hijo de Dolfos Vellido,
cuatro traiciones ha hecho, — y con ésta serán cinco;
si gran traidor fue el padre, — mayor traidor es el hijo.   5
Gritos dan en el real: — —¡A don Sancho han mal herido,
muerto le ha Vellido Dolfos, — gran traición ha cometido!
Desque le tuviera muerto, — metióse por un postigo;
por las calles de Zamora — va dando voces y gritos:
—Tiempo era, doña Urraca, — de cumplir lo prometido.   10

---

* *Cancionero de 1550*, pág. 214. El noble Arias Gonzalo previene al
rey de la inminente traición. Según Menéndez Pidal *(Estudios*, págs. 16-17)
estos primeros versos del romance son heredados de la antigua gesta
(Cantar del cerco de Zamora); los restantes son un añadido para re-
matar el poema, pero reflejan el conocimiento de la leyenda (postigo
escondido, pacto del asesino con doña Urraca). El romance es uno de los
más viejos y es un ejemplo representativo del fragmentarismo de los
romances nacidos de las gestas *(ibíd.*, pág. 210).

[1] 'guárdate'.

64

Romance del reto a los zamoranos*

Ya cabalga Diego Ordóñez, — del real se había salido
de dobles piezas armado — y un caballo morcillo;
va a reptar los zamoranos — por la muerte de su primo,
que mató Vellido Dolfos, — hijo de Dolfos Vellido.
—Yo os riepto, los zamoranos, — por traidores fementidos,   5
riepto a todos los muertos, — y con ellos a los vivos,
riepto hombres y mujeres, — los por nacer y nacidos,
riepto a todos los grandes, — a los grandes y a los chicos,
a las carnes y pescados, — y a las aguas de los ríos.
Allí habló Arias Gonzalo, — bien oiréis lo que hubo dicho: 10
—¿Qué culpa tienen los viejos? — ¿qué culpa tienen los niños?
¿qué merecen las mujeres — y los que no son nacidos?
¿por qué rieptas a los muertos, — los ganados y los ríos?
Bien sabéis vos, Diego Ordóñez, — muy bien lo tenéis sabido,
que aquel que riepta concejo[1] — debe de lidiar con cinco.   15
Ordóñez[2] le respondió: — —Traidores heis todos sido.

---

* *Cancionero de 1550*, pág. 216. Uno de los romances con más fuerza
y aliento épico. Aunque la fórmula del reto parece ser tradicional (seguramente ya en el cantar del cerco de Zamora), la respuesta de Arias
Gonzalo da su verdadera dimensión a la traición de los zamoranos
(cfr. M. Díaz Roig, *El Romancero y la lírica popular moderna*, pág. 58).
[1] a toda la ciudad.
[2] El texto dice *Vellido* por error.

65
Romance de Fernán d'Arias*

Por aquel postigo viejo — que nunca fuera cerrado,
vi venir pendón bermejo — con trescientos de caballo;
en medio de los trescientos — viene un monumento armado,
y dentro del monumento — viene un ataúd de palo,
y dentro del ataúd — venía un cuerpo finado.   5
Fernán d'Arias ha por nombre, — hijo de Arias Gonzalo.
Llorábanle cien doncellas, — todas ciento hijasdalgo;
todas eran sus parientas — en tercero y cuarto grado;
las unas le dicen primo, — otras le llaman hermano,
las otras decían tío, — otras lo llaman cuñado.   10
Sobre todas lo lloraba — aquesa Urraca Hernando,
¡y cuán bien que la consuela — ese viejo Arias Gonzalo!
—¿Por qué lloráis, mis doncellas? — ¿por qué hacéis tan grande
                                        [llanto?
No lloréis así, señoras, — que no es para llorarlo,
que si un hijo me han muerto, — ahí me quedaban cuatro.   15
No murió por las tabernas, — ni a las tablas jugando,
mas murió sobre Zamora — vuestra honra resguardando;
murió como caballero — con sus armas peleando.

---

* *Cancionero de 1550*, pág. 220. Los hijos de Arias Gonzalo combatieron con Diego Ordóñez para salvar la honra de Zamora. Según la leyenda murieron uno tras otro. Fernando fue el primero y este romance retrata la entereza del padre ante su muerte.

66

Romance del juramento que tomó el Cid al rey don Alonso *

En Santa Águeda de Burgos, — do juran los hijosdalgo,
le toman jura a Alfonso — por la muerte de su hermano;
tomábasela el buen Cid, — ese buen Cid castellano,
sobre un cerrojo de hierro — y una ballesta de palo
y con unos evangelios — y un crucifijo en la mano.   5
Las palabras son tan fuertes — que al buen rey ponen espanto.
—Villanos te maten, Alonso, — villanos, que no hidalgos,
de las Asturias de Oviedo, — que no sean castellanos;
mátente con aguijadas¹, — no con lanzas ni con dardos;
con cuchillos cachicuernos², — no con puñales dorados;   10
abarcas traigan calzadas, — que no zapatos con lazo;
capas traigan aguaderas, — no de contray ni frisado³;
con camisones de estopa⁴, — no de holanda ni labrados⁵;
caballeros vengan en burras, — que no en mulas ni en caballos;
frenos traigan de cordel, — que no cueros fogueados.   15

---

* *Cancionero de 1550*, pág. 221. Uno de los romances más apreciados tanto por el encanto de su enumeración (que informa además sobre el atavío de nobles y villanos), como por la fuerza que le imprime la fórmula del juramento y el aliento épico de la respuesta del Cid. Esta versión tiene una nota de ironía, en boca del privado del rey, no muy habitual en el Romancero histórico, que contrasta con la seriedad del juramento, pero que delata la opinión del poeta sobre el rey, ya enunciada en el verso anterior (negativa a prestar juramento) y en los siguientes (cólera contra el Cid).

Ya se habla de la jura en la *Primera crónica general* (siglo XIII), pero el texto deriva de una refundición del *Cantar* transmitida por tradición popular, con las adiciones y accidentes propios. A este respecto, cfr. M. Pidal, *Estudios*, págs. 89-106 donde se rastrea el origen de las tres versiones antiguas.

¹ 'herramienta de labrador'.
² 'con cacha de cuerno'.
³ 'telas finas de lana y seda, respectivamente'.
⁴ 'tela burda'.
⁵ 'bordados'.

Mátente por las aradas, — que no en villas ni en poblado,
sáquente el corazón — por el siniestro costado,
si no dijeres la verdad — de lo que te fuere preguntado,
si fuiste, o consentiste — en la muerte de tu hermano.
Las juras eran tan fuertes — que el rey no las ha otorgado.   20
Allí habló un caballero — que del rey es más privado:
—Haced la jura, buen rey, — no tengáis de eso cuidado,
que nunca fue rey traidor, — ni papa descomulgado.
Jurado había el rey — que en tal nunca se ha hallado;
pero allí hablara el rey — malamente y enojado: 25
—Muy mal me conjuras, Cid, — Cid, muy mal me has
                                                    [conjurado,
mas hoy me tomas la jura, — mañana me besarás la mano.
—Por besar mano de rey — no me tengo por honrado,
porque la besó mi padre — me tengo por afrentado.
—Vete de mis tierras, Cid, — mal caballero probado,   30
y no vengas más a ellas — dende este día en un año.
—Pláceme, dijo el buen Cid, — pláceme, dijo, de grado,
por ser la primera cosa — que mandas en tu reinado.
Tú me destierras por uno, — yo me destierro por cuatro.
Ya se parte el buen Cid, — sin al rey besar la mano,   35
con trescientos caballeros, — todos eran hijosdalgo;
todos son hombres mancebos, — ninguno no había cano;
todos llevan lanza en puño — y el hierro acicalado,
y llevan sendas adargas — con borlas de colorado.
Mas no le faltó al buen Cid — adonde asentar su campo.   40

67

En las almenas de Toro... *

En las almenas de Toro, — allí estaba una doncella,
vestida de paños negros, — reluciente como estrella;
pasara el rey don Alonso, — namorado se había de ella,
dice: —Si es hija de rey — que se casaría con ella,
y si es hija de duque — serviría por manceba.   5
Allí hablara el buen Cid, — estas palabras dijera:
—Vuestra hermana es, señor, — vuestra hermana es aquella.
—Si mi hermana es, dijo el rey, — ¡fuego malo encienda en ella!
llámenme mis ballesteros, — tírenle sendas saetas,
y aquel que la errare — que le corten la cabeza.   10
Allí hablara el buen Cid, — de esta suerte respondiera:
—Mas aquel que la tirare, — pase por la misma pena.
—Idos de mis tiendas, Cid, — no quiero que estéis en ellas.
—Pláceme, respondió el Cid, — que son viejas, y no nuevas;
irme he yo para las mías — que son de brocado y seda,   15
que no las gané holgando, — ni bebiendo en la taberna,
ganélas en las batallas — con mi lanza y mi bandera.

---

* *Primavera*, pág. 166. De Timoneda, *Rosa española*. De inspiración libre. Aunque habla de la infanta Elvira (y así lo interpretó Lope de Vega en su comedia *Las almenas de Toro*) hay aquí un recuerdo vago de los amores incestuosos de Alfonso con Urraca. Este romance se ha considerado compuesto en el siglo XVI, pero el hallazgo de versiones tradicionales sefardíes y portuguesas hace que Menéndez Pidal lo feche en el siglo XV (M. Pidal, *R. Hispánico*, I, págs. 237-238).

68

Romance del rey moro que perdió Valencia *

Helo, helo, por do viene — el moro por la calzada,
caballero a la jineta — encima una yegua baya,
borceguíes marroquíes — y espuela de oro calzada,
una adarga ante los pechos — y en su mano una azagaya[1].
Mirando estaba a Valencia, — cómo está tan bien cercada: 5
¡Oh, Valencia, oh Valencia, — de mal fuego seas quemada!
Primero fuiste de moros — que de cristianos ganada.
Si la lanza no me miente, — a moros serás tornada;
aquel perro de aquel Cid — prenderélo por la barba,
su mujer, doña Jimena, — será de mí cautivada,   10
su hija, Urraca Hernando, — será mi enamorada,
después de yo harto de ella — la entregaré a mi compaña.
El buen Cid no está tan lejos, — que todo bien lo escuchaba.
— Venid vos acá, mi hija, — mi hija doña Urraca;
dejad las ropas continas[2] — y vestid ropas de pascua[3].   15
Aquel moro hi-de-perro — detenédmelo en palabras,
mientras yo ensillo a Babieca — y me ciño la mi espada.
La doncella, muy hermosa, — se paró a una ventana;
el moro, desque la vido, — de esta suerte le hablara:

---

* *Cancionero de 1550*, pág. 243. Basado en un episodio del *Poema del Cid*, reproducido más ampliamente en la *Crónica general* (siglo XIII), el romance toma tema y motivos posiblemente de una gesta refundida (M. Pidal, *R. Hispánico*, I, pág. 229) o es una composición juglaresca a base de recuerdos y tradiciones textuales (P. Bénichou, *Creación poética en el romancero tradicional*, pág. 131, nota 15).

Sobre este romance, del que poseemos varias versiones de tradición oral moderna, han escrito los principales críticos del Romancero; cfr. por ejemplo G. Di Stefano, *Sincronia e diacronia nel Romanzero*, D. Catalán, *Siete siglos de Romancero*, págs. 135-213, así como M. Pidal, *R. Hispánicos*, I, págs. 226-229 y P. Bénichou, *ob. cit.*, págs. 125-159. Varios de estos estudios muestran cómo ha ido cambiando el romance al ir perdiendo su aliento épico y centrarse la atención en la parte novelesca protagonizada por el moro y la muchacha cristiana.

[1] 'lanza, dardo arrojadizo'.
[2] 'de todos los días'.
[3] 'de fiesta'.

—Alá te guarde, señora, — mi señora doña Urraca.   20
—Así haga a vos, señor, — buena sea vuestra llegada.
Siete años ha, rey, siete, — que soy vuestra enamorada.
—Otros tanto ha, señora, — que os tengo dentro en mi alma.
Ellos estando en aquesto — el buen Cid que asomaba.
—Adiós, adiós, mi señora, — la mi linda enamorada,   25
que del caballo Babieca — yo bien oigo la patada.
Do la yegua pone el pie, — Babieca pone la pata.
Allí hablara el caballo, — bien oiréis lo que hablaba:
—¡Reventar debía la madre — que a su hijo no esperaba!
Siete vueltas la rodea — alrededor de una jara;   30
la yegua, que era ligera, — muy adelante pasaba
hasta llegar cabe un río — adonde una barca estaba.
El moro, desque la vido, — con ella bien se holgaba,
grandes gritos da al barquero — que le allegase la barca;
el barquero es diligente, — túvosela aparejada,   35
embarcó muy presto en ella, — que no se detuvo nada.
Estando el moro embarcado, — el buen Cid que llegó al agua,
y por ver al moro en salvo, — de tristeza reventaba;
mas con la furia que tiene, — una lanza le arrojaba,
y dijo: —Recoged, mi yerno, — arrecogedme esa lanza,   40
que quizás tiempo vendrá — que os será bien demandada.

69

Por Guadalquivir arriba... *

Por Guadalquivir arriba — cabalgan caminadores,
que, según dicen las gentes, — ellos eran buenos hombres:
ricas aljubas[1] vestidas, — y encima sus albornoces[2],
capas traen aguaderas, — a guisa de labradores.
Daban cebada de día — y caminaban de noche,   5
no por miedo de los moros, — mas por las grandes calores.
Por sus jornadas contadas — llegados son a las cortes;
sálelos a recibir — el rey con sus altos hombres.
—Viejo que venís, el Cid, — viejo venís y florido.
—No de holgar con las mujeres, — mas de andar en tu   10
　　　　　　　　　　　　　　　　　　[servicio,
de pelear con el rey Búcar, — rey que es de gran señorío,
de ganarle las sus tierras, — sus villas y sus castillos;
también le gané yo, el rey, — el su escaño tornido.

---

* *Primavera*, pág. 171. De un pliego suelto del siglo XVI en el *Romancero general* de Durán. Romance de libre invención, al parecer sin relación con el Cantar o las crónicas.
[1] 'gabán de manga corta'.
[2] 'capa con capucha'.

70

Romance que dice: Tres cortes armara el rey*

Tres cortes armara el rey, — todas tres a una sazón:
las unas armara en Burgos, — las otras armó en León,
las otras armó en Toledo, — donde los hidalgos son,
para cumplir de justicia — al chico con el mayor.
Treinta días da de plazo, — treinta días, que más no,   5
y el que a la postre viniese — que lo diesen por traidor.
Veintinueve son pasados, — los condes llegados son;
treinta días son pasados, — y el buen Cid no viene, no.
Allí hablaran los condes: — —Señor, dadlo por traidor.
Respondiérales el rey: — —Eso non faría, no,   10
que el buen Cid es caballero — de batallas vencedor,
pues que en todas las mis cortes — no lo habría otro mejor.
Ellos en aquesto estando, — el buen Cid que asomó
con trescientos caballeros, — todos hijosdalgo son,
todos vestidos de un paño, — de un paño y de una color,   15
si no fuera el buen Cid, — que traía un albornoz.
—Manténgaos Dios, el rey, — y a vosotros sálveos Dios,
que no hablo yo a los condes, — que mis enemigos son.

---

* *Primavera*, pág. 171. Tomado del *Cancionero de romances s.a.* El romance parece provenir de una refundición del *Poema del Cid*. Los «condes» son los de Carrión.

ROMANCES DE INVENCIÓN

Romances caballerescos

71

Romance de don Tristán *

Herido está don Tristán — de una mala lanzada;
diérasela el rey, su tío, — por celos que de él cataba;
el fierro tiene en el cuerpo, — de fuera le tiembla el asta.
Valo a ver la reina Iseo — por la su desdicha mala.
Júntanse boca con boca, — cuanto una misa rezada,   5
llora el uno, llora el otro, — la cama bañan en agua.
Allí nace un arboledo — que azucena se llamaba,
cualquier mujer que la come — luego se siente preñada;
comiérala reina Iseo, — por la su desdicha mala.

---

* *Cancionero de 1550*, pág. 254. Procede seguramente de una traducción española (siglos XII o XIV) del *Tristan* francés.

El final se ha contaminado con la leyenda popular de «la mala yerba»,
motivo utilizado en varios romances de tradición oral moderna (Ver,
por ejemplo, M. Pelayo, *Suplemento*, rom. 40 y 41).

Este romance y los dos que le siguen pertenecen a los romances caballerescos del ciclo arturiano.

72

Lanzarote y el ciervo*

Tres hijuelos había el rey, — tres hijuelos, que no más.
Por enojo que hubo de ellos — todos maldito los ha:
el uno se tornó ciervo, — el otro se tornó can.
el otro se tornó moro, — pasó las aguas del mar.
Andábase Lanzarote — entre las damas holgando,   5
grandes voces dio la una: — —Caballero, estad parado,
si fuese la mi ventura, — cumplido fuese mi hado
que yo casase con vos — y vos conmigo de grado,
y me diésedes en arras — aquel ciervo del pie blanco.
—Dároslo he yo, mi señora, — de corazón y de grado,   10
y supiese yo las tierras — donde el ciervo era criado.
Ya cabalga Lanzarote, — ya cabalga, y va su vía;
delante de sí llevaba — los sabuesos por la traílla.
Llegado había a una ermita — donde un ermitaño había.
—Dios te salve, el hombre bueno, — —Buena sea tu venida.   15
Cazador me parecéis — en los sabuesos que traía.
—Dígasme tú, el ermitaño, — tú que haces santa vida,
ese ciervo del pie blanco — dónde hace su manida.
—Quedaos aquí, mi hijo, — hasta que sea de día;
contaros he lo que vi — y todo lo que sabía: 20
por aquí pasó esta noche, — dos horas antes del día,
siete leones con él — y una leona parida.
Siete condes deja muertos — y mucha caballería.
Siempre Dios te guarde, hijo, — por do quier que fuer tu ida,
que quien acá te envió — no te quería dar la vida.   25
—¡Ay, dueña de Quintañones — de mal fuego seas ardida!
que tanto buen caballero — por ti ha perdido la vida.

---

* *Cancionero de 1550*, pág. 282. Deriva de la novela *Lanzarote del lago*, traducción del *Lancelot* francés. Se puede fechar en el siglo XIV y hay varias versiones de tradición oral moderna. Cfr. D. Catalán, *Por campos del Romancero*, págs. 82-100, así como W. J. Entwistle, «The adventure of *Le cerf au pied blanc* in Spanish and elsewhere».

73

Lanzarote y el orgulloso*

Nunca fuera caballero — de damas tan bien servido
como fuera Lanzarote — cuando de Bretaña vino,
que dueñas curaban de él, — doncellas del su rocino.
Esa dueña Quintañona, — ésa le escanciaba el vino,
la linda reina Ginebra — se lo acostaba consigo;   5
y estando al mejor sabor, — que sueño no había dormido,
la reina toda turbada — un pleito ha conmovido:
—Lanzarote, Lanzarote, — si antes hubieras venido,
no hablara el orgulloso — las palabras que había dicho,
que a pesar de vos, señor, — se acostaría conmigo.   10
Ya se arma Lanzarote — de gran pesar conmovido,
despídese de su amiga, — pregunta por el camino.
Topó con el orgulloso — debajo de un verde pino,
combátense de las lanzas, — a las hachas han venido.
Ya desmaya el orgulloso, — ya cae en tierra tendido.   15
Cortárale la cabeza, — sin hacer ningún partido;
vuélvese para su amiga — donde fue bien recibido.

---

* *Cancionero de 1550*, pág. 283. Posiblemente también este romance
deriva del *Lanzarote* español; sus dos primeros versos se han hecho
célebres gracias a la cita de Cervantes.

74

El conde Dirlos*

Estauase el conde Dirlos, — sobrino de don Beltrane,
assentado en sus tierras, — deleytandose en caçare,
quando le vinieron cartas — de Carlos el imperante.
De las cartas plazer huuo, — de las palabras pesare,
que lo que las cartas dizen — a el pareçe muy male.   5
—Rogar vos quiero, sobrino, — el buen frances naturale,
que llegueys vuestros caualleros, — los que comen vuestro
                                                    [pane;
darles eys doble sueldo — del que les soledes dare,
dobles armas y cauallos, — que bien menester lo ane;
darles eys el campo franco — de todo lo que ganarane;   10
partir os eys a los reynos — del rey moro Aliarde.
Deseximiento me ha dado — a mi y a los doze pares;
grande mengua me seria — que todos se houiessen de andare.
No veo cauallero en Francia — que mejor puedo embiare,
sino a vos, al conde Dirlos, — esforçado en peleare.   15
El conde que esto oyo, — tomo tristeza y pesare,
no por miedo de los moros — ni miedo de peleare,
mas tiene la muger hermosa, — mochacha de poca edade;
tres años anduuo en armas — para con ella casare,
y el año no era complido, — della lo mandan apartare.   20
De que esto el pensaua, — tomo dello gran pesare;
triste estaua y pensatiuo, — no cessa de sospirare.
Despide los falconeros, — los monteros manda pagare,
despide todos aquellos — con quien solia deleytarse;
no burla con la condessa — como solia burlare;   25

---

   * *Rom. tradicional*, III, pág. 69. De un pliego suelto de 1510. Romance
juglaresco compuesto a finales del siglo XV y que fue reimpreso múltiples
veces en el siglo XVI por su gran popularidad.
   Es, sin embargo, uno de los romances peor logrados por su longitud,
por su ritmo lento y pesado y por su escaso valor poético.
   Para este romance, cfr. M. Pidal, *R. Hispánico*, I, págs. 275-285, así
como W. J. Entwistle, «La chanson française populaire en Espagne»,
e *íd.*, «El conde Dirlos».

mas muy triste y pensatiuo — siempre le veyan andare.
La condessa, que esto vido, — llorando empeço de hablare:
—¡Triste stades vos, el conde!, — ¡triste, lleno de pesare
desta tan triste partida — para mi de tanto male!
Partir vos quereys, el conde, — a reynos del rey moro   30
                                [Aliarde;
dexays me en tierras ajenas — sola y sin quien m'acompañe.
¿Quantos años, el buen conde, — hazeys cuenta de tardare?
Y boluerme a las tierras, — a las tierras del mi padre,
vestirme d'un paño negro, — esse sera mi lleuare;
maldire mi hermosura, — maldire mi moçedade,   35
maldire aquel triste dia — que con vos quise casare.
Mas si vos queredes, conde, — yo con vos queria andare;
mas quiero perder la vida, — que sin vos della gozare.
El conde, de que esto oyera, — empeçola de mirare;
con vna voz amorosa — presto tal respuesta haze: 40
—No lloredes vos, condessa, — de mi partida no hayays
                                [pesare;
no quedays en tierra ajena, — sino en vuestra a vuestro
                                [mandare,
que antes que yo me parta — todo vos lo quiero dare.
Podeys vender qualquier villa — y empeñar qualquier ciudade,
como principal heredera, — que nada vos pueden quitare.   45
Quedareys encomendada — a mi tio don Beltrane
y a mi primo Gayferos, — señor de Paris la grande;
quedareys encomendada — a Oliueros y a Roldane,
al emperador, y a los doze — que a vna mesa comen pane.
Porque los reynos son lexos — del rey moro Aliarde,   50
que son cerca la Casa Santa, — allende del nuestro mare,
siete años, la condessa, — todos siete me esperade,
si a los ocho no viniere, — a los nueue vos casade;
sereys de veynte siete años, que es la mejor edade.
El que con vos casare, señora, — mis tierras tome en axuare; 55
gozara de muger hermosa, — rica y de gran linaje.
Bien es verdad, la condessa, — que comigo vos queria leuare;
mas yo voy para batallas — y no cierto para holgare.
Cauallero que va en armas, — de muger no deue curare,
porque con el bien que os quiero — la honrra hauria de   60
                                [oluidare.

Mas aparejad, condessa, — mandad vos aparejare,
yreys comigo a las cortes, — a Paris essa ciudade.
Toquen, toquen mis trompetas, — manden luego caualgare.
Ya se parte el buen conde, — la condessa otro que tale;
la buelta van de Parise — apriessa y no de vagare.   65
Quando son a vna jornada — de Paris essa ciudade,
el emperador que lo supo — a recebir selo sale.
Con el sale Oliueros, — con el sale don Roldane,
con Arderin de Ardeña — y Vrgel de la fuerça grande,
con el infante Guarinos, — almirante de la mare;   70
con el sale el esforçado — Renaldos de Montalbane;
con el van todos los doze — que a vna mesa comen pane,
sino el infante Gayferos — y el buen conde don Beltrane,
que salieron tres jornadas — mas que todos adelante.
No quiso el emperadore — que houiessen de aposentare,   75
sino en sus reales palacios — posada les mando dare.
Empieçan luego su partida — apriessa y no de vagare.
Dale diez mil caualleros — de Francia mas principales,
y con mucha otra gente — y gran exercito reale;
el sueldo les paga junto — por siete años y mase.   80
Ya tomadas buenas armas, — cauallos otro que tale,
endereçan su partida, — empeçan de caualgare,
quando el buen conde Dirlos — ruega mucho al emperante
que el y todos los doze — se quisiessen ayuntare.
Quando todos fueron juntos — en la gran sala reale,   85
entra el conde y la condessa, — mano por mano se vane.
Quando son en medio dellos, — el conde empeço de hablare:
—A vos lo digo, mi tio, — el buen viejo don Beltrane,
y a vos, infante Gayferos, — y a mi buen primo carnale,
y esto delante de todos — lo quiero mucho rogare,   90
y al muy alto emperatore, — que sepa mi voluntade,
como villas y castillos — y ciudades y lugares
los dexo a la condessa, — que nadie las puede quitare;
mas como principal heredera — en ellas pueda mandare,
en vender qualquier villa — y empeñar qualquier ciudade;   95
de aquello quella hiziere — todos se hayan de agradare.
Si por tiempo yo no viniere, — vosotros la querays casare;
el marido quella tome — mis tierras tome en axuare.
Y a vos la encomiendo, tio, — en lugar de marido y padre;

y a vos, mi primo Gayferos, — por mi la querays honrare;   100
y encomiendola a Oliueros, — y encomiendola a Roldane,
y encomiendola a los doze, — y a don Carlos el imperante.
Y a todos les plaze mucho — de aquello que el conde haze.
Ya se parte el buen conde — de Paris essa ciudade;
la condessa que yr lo vido — jamas lo quiso dexare   105
hasta orillas del mare — do se hauia de enbarcare.
Con ella va don Gayferos, — con ella va don Beltrane,
con ella va el esforçado — Renaldos de Montalbane,
sin otros muchos caualleros — de Francia mas principales.
Atan triste despedida — el vno del otro hazen,   110
que si el conde yua triste, — la condessa mucho mase.
Palabras se estan diziendo — que era dolor d'escuchare;
el conorte que se dauan — era continuo llorare.
Con gran dolor manda el conde — hazer vela y nauigare.
Como sin la condessa se vido — nauegando por la mare,   115
mouido de muy gran saña, — mouido de gran pesare,
diziendo que por ningun tiempo — della lo faran apartare,
sacramento tiene fecho — sobre vn libro missale
de jamas boluer en Francia, — ni en ella comer pane,
ni que nunca embiara carta, — porque del no sepan parte.   120
Siempre triste y pensatiuo, — puesto en pensamiento grande,
nauegando sus jornadas — por la tempestosa mare,
llegado es a los reynos — del rey moro Aliarde.
Esse gran soldan de Persia, — con poderio muy grande
ya les estaua aguardando — a las orillas del mare.   125
Quando vino cerca tierra — las naues mando llegare;
con vn esfuerço esforçado — los empieça de esforçare:
—¡O esforçados caualleros! — ¡o mi compaña leale!
¡acuerde se os dexamos Francia, — nuestra tierra naturale!
Dellos dexamos mugeres, — dellos hijos, dellos padres,   130
solo para ganar honrra, — y no para ser couardes.
Pues, esforçados caualleros, — esforçad en peleare;
yo lleuare la delantera, — y no me querays dexare.
La morisma era tanta, — tierra no les dexan tomare.
El conde era esforçado — y discreto en peleare,   135
manda toda el artelleria — en las varcas posare.
Con el ingenio que trahia — empieçales de tyrare;
los tiros eran tan fuertes, — por fuerça hazen lugare.

Vereys sacar los cauallos — y muy apriessa caualgare;
tan fuerte dan en los moros, — que tierra les han de dexare. 140
En tres años que el buen conde — entendio en peleare,
ganados tiene los reynos — del rey moro Aliarde.
Con todos sus caualleros — parte por yguales partes;
tan grande parte da al chico, — tanto le da como al grande;
solo el se retrahia — [.....................] 145
armado de armas blancas — y cuentas de para rezare,
y tan triste vida hazia, — que no se puede contare.
El soldan le haze tributo, — y los reys de alende el mare;
de los tributos que le dauan — a todos hazia parte.
A todos haze mandamiento, — y a los mejores jurare, 150
ninguno sea osado — hombre a Francia embiare,
y al que cartas embiasse — luego le fara matare.
Quinze años el conde estuuo — siempre allende el mare,
que no escriuio a la condessa, — ni a su tio don Beltrane,
ni escriuio a los doze, — ni menos al emperante; 155
vnos creyan que era muerto, — otros negado por la mare.
Las baruas y los cabellos — nunca los quiso afeytare,
tiene los hasta la cinta, — hasta la cinta y aun mase;
la cara mucho quemada — del mucho sol y del ayre,
con el gesto demudado — muy feroz y espantable. 160
Los quinze años complidos, — deziseys querian entrare,
acosto se en su cama — con deseo de holgare.
Pensando estaua, pensando — la triste vida que haze,
pensando en aquel tiempo — quel solia festejare,
quando justas y torneos — por la condesa solia armare. 165
Durmio se con pensamiento, — y empeçara de holgare,
quando haze vn triste sueño — para el de gran pesare,
que veya estar la condesa — en braços de vn infante.
Salto diera de la cama — con vn pensamiento grande,
cridando con altas vozes, — no cessando de hablare: 170
—¡Toquen, toquen mis trompetas, — mi gente manden
                                        [llegare!
Pensando que hauia moros — todos llegado(s) se hane.
Desque todos son llegados, — llorando empeço a hablare:
—¡O esforçados caualleros! — ¡o mi compaña leale!
yo conosco aquel enxemplo — que dizen, que es verdade, 175
que todo hombre nascido — que es de huesso y de carne,

el mayor desseo que tenia — es en sus tierras holgare.
Ya complidos son quinze años, — y en deziseys quiere entrare,
que somos en estos reynos — y estamos en soledade.
Quien tiene muger hermosa, — vieja la ha de hallare;   180
el que dexo hijos pequeños, — hallar los ha hombres grandes;
ni el padre conoscera el hijo, — ni el hijo menos al padre.
Hora, es mis caualleros, — de yr a Francia a holgare,
pues lleuamos harta honrra — y dineros mucho mase.
Lleguen, lleguen luego naues, — manden las aparejare,   185
ordenemos capitanes — para las tierras guardare.
Ya todo es aparejado, — ya empieçan a nauegare.
Quando todos son llegados — a las orillas del mare,
llorando el conde de sus ojos — les empieça de hablare:
—¡O esforçados caualleros! — ¡o mi compaña leale!   190
vna cosa rogar vos quiero, — no me la querays negare;
quien secreto me tuuiere, — yo l'e de galardonar[e]:
que todos hagays juramento — sobre vn libro missale,
que en parte ninguna que sea — no me haya[y]s de nombrare,
porque con el gesto que traygo — ninguno[s] me conoscerane;   195
mas viendome con tanta gente — y exercitio reale,
si vos demandan yo quien soy — no les digays la verdade;
mas dezid que soy mensajero, — que vengo de allendel mare,
que voy con vna embaxada — a don Carlos el emperante,
porque es hecho vn mal suyo, — y quiero ver si es verdade.   200
Con el alegria que lleuan — de a Francia tornare,
todos fazen sacramento — de tenerle puridade.
Enuarcanse muy alegres, — empieçan de nauegare;
el viento tienen muy fresco — que plazer es de mirare.
Allegados son en Francia, — en sus tierras naturales.   205
Quando el conde ya partiera, — empieça de caminare;
no va la buelta de las cortes — de don Carlos el emperante,
mas va la buelta de sus tierras, — las que el solia mandare.
Ya llegado ques a ellas, — por ellas empieça de andare.
Andando por su camino — vna villa fue a fallare;   210
llegado se hauia cerca — por con alguno fablare.
Alço los ojos en alto — a la puerta del lugare,
llorando de los sus ojos — començara de fablare:
—¡O esforçados caualleros, — de mi dolor haued pesare,
armas que mi padre puso — mudadas las veo stare!   215

O es casada la condessa, — o mis tierras van a male.
Allegose a las puertas — con gran enojo y pesare;
miro por entre las puertas, — gente d'armas vido estare.
Llamando esta vno dellos, — el mas viejo en antiguedade;
de la mano el le toma — y empieça le de hablare: 220
—Por Dios te ruego, el portero, — me digas vna verdade:
¿de quien son aquestas tierras?, — ¿quien las solia
                                                    [mandare?
—Plaze me, dixo el portero, — de dezir vos la verdade;
ellas eran del conde Dirlos, — señor de aqueste lugare,
agora son de Cellinos, — de Cellinos el infante.   225
El conde desque esto oyera — buelta se le ha la sangre;
con vna boz demudada — otra vez le fue a fablare:
—Por Dios te ruego, hermano, — no te quieras enojare,
questo que agora me dizes — algun tiempo te lo pagare.
Dime si las heredo Cellinos, — o si las fue a mercare,   230
o si en juego de dados — si las fuera ganare,
o si las tenia por fuerça, — que no las quiere tornare.
El portero que esto oyera, — presto le fue a fablare:
—No las heredo, señor, — que no le vienen de linaje,
que hermanos tiene el conde, — ahunque se querian male,   235
y sobrinos tiene muchos — que las podian heredare;
ni menos las ha mercado, — que no las basta pagare,
que Yrlos es muy gran ciudade, — y[ha] muchas villas y
                                                    [lugares.
Cartas hizo contrahechas, — que al conde muerto lo hane,
por casar con la condessa, — que era rica y de linaje,   240
y ahun ella no casara — cierto a su voluntade,
sino por fuerça de Oliueros, — y a porfia de Roldane,
y a ruegos de Carlos Maños, — de Francia rey emperante,
por casar bien a Celinos — y ponerle en buen lugare.
Mas el casamiento han hecho — con vna condición tale,   245
que no allegasse a la condessa, — ni a ella haya de llegare,
mas por el se desposare — esse paladin Roldane.
Ricas fiestas se hizieron — en Yrlos essa ciudade;
gastos, galas y torneos — muchos de los doze pares.
El conde desque esto oyera, — buelto se le ha la sangre;   250
por mucho que dissimulaua — no cessa de sospirare,
diziendole esto: —Hermano, — no te enojes de contare:

¿quien fue en aquestas bodas, — y quien no quiso estare?
—Señor, en ellos fue Oliueros — y el emperador y Roldane;
fue Belardos y Montesinos — y el gran conde don Grimalde 255
y otros muchos caualleros — daquellos de los doze pares.
Peso mucho a Gayferos, — peso mucho a don Beltrane,
mas peso a don Galuane — y al fuerte Meriane.
Ya que eran desposados, — missa les querian dare,
allego vn falconero — a don Carlos el emperante, 260
que venia de aquellas tierras — de alla de allendel mare;
dixo que el conde era viuo, — y que traya señale.
Plugo mucho a la condessa, — peso mucho al infante,
porque en las grandes fiestas — huuo grande desbarate.
Alla traen grandes pleytos — en las cortes del emperante, 265
por lo qual es buelta Francia — y todos los doze pares.
Ella dize que vn año de tiempo — pidio antes de esposare,
por embiar mensajeros — muchos allende la mare;
si el conde era ya muerto, — el casamiento fuesse adelante;
si era viuo, bien sabia — quella no podia casare. 270
Por ella responde Gayferos, — Gayferos y don Beltrane;
por Cellinos era Oliueros, — Oliueros y Roldane.
Creemos ques dada sentencia, — o que se queria dare,
por que ayer houimos cartas — de Carlos el emperante,
que quitemos aquellas armas, — y pongamos las naturales, 275
y que guardemos las tierras — por el conde don Beltrane,
que a ninguno de Cellinos — en ella no pueda entrare.
El conde desque esto oyera, — mouido de gran pesare,
buelue riendas al cauallo, — en el lugar no quiso entrare.
Mas alla en vn verde prado — su gente mando llegare; 280
con vna voz muy humilde — les empieça de hablare:
—¡O esforçados caualleros!, — ¡o mi compaña leale!
del consejo que os pidiere — bueno me lo querays dare:
¿Si me consejays que vaya — a las cortes del emperante,
o que mate a Cellinos, — a Cellinos el infante? 285
¿Bolueremos en allende — do seguros podemos stare?
Caualleros questo oyeron — presto tal respuesta hazen:
—¡Calledes, conde, calledes!, — ¡conde, no digays atale!
No mireys a vuestra gana, — mas mirad a don Beltrane
y essos buenos caualleros — que tanta honrra voz hazen. 290
Si vos matays a Cellinos, — diran que fuestes couarde;

sino que vays a las cortes — de Carlos el emperante.
Conoscereys quien bien os quiere — y quien os queria male.
Por bueno que es Cellinos, — vos soys de tam buen linaje,
y teneys tantas tierras — y dineros que gastare.   295
Nosotros vos prometemos — con sacramento leale,
que somos diez mill caualleros — y franceses naturales,
que por vos perder la vida — y quanto tenemos gastare,
quitando al emperador, — contra qualquier otro grande.
El conde desque esto oyera, — respuesta ninguna haze;   300
da de espuelas al cauallo, — va por el camino adelante;
la buelta va de Parise — como aquel que bien la sabe.
Quando fue a vna jornada — de las cortes del emperante,
otra vez llega a los suyos — y les empieça de hablare:
—¡Esforçados caualleros!, — vna cosa os quiero rogare;   305
siempre tome vuestro consejo, — el mio querays tomare;
porque si entro en Paris — con exercito reale,
saldra por mi el emperador — con todos los principales.
Si no me conosce de vista, — conoscer me ha en el hablare,
y assi no sabre de cierto — todo mi bien y mi male.   310
El que no tiene dineros, — yo le dare que gastare;
los vnos bueluan a [ç]a[g]a, — los otros pass[e]n adelante,
los otros enderredor — posad en villas y lugares;
yo solo con cient caualleros — entrare en la ciudad
de noche y escurescido, — que nadie de mi sepa parte.   315
Vosotros en ocho dias — podreys poco a poco entrare;
hallar m'eys en los palaçios — de mi tio don Beltrane;
aparejar vos he posada — y dineros que gastare.
Todos fueron muy contentos, — pues al conde le plaze.
Noche era escureçida — cerca diez horas o mase,   320
quando entro el conde Dirlos — en Paris essa ciudade.
Derecho va a los palaçios — de su tio don Beltrane;
a lo qual atrauessauan — por medio de la ciudade.
Vido assomar tantas hachas, — gente d'armas mucho mase;
por do el pasar hauia, — por alli van a passare.   325
El conde, de que los vido, — los suyos mando apartare;
desque todos son passados, — el postrero fue a llamare:
—Por Dios te ruego, escudero, — me digays vna verdade:
¿quien son esta gente d'armas — que agora van por
                                        [ciudade?

El escudero que esto oyera — tal respuesta le fue a dare: 330
—Señor, la condesa Dirlos — viene del palaçio reale
sobre vn pleito que traya — con Oliueros y Roldane.
Los que la lieuan en medio   son Renaldos y don Beltrane;
aquellos que van zagueros, — donde tantas lumbres vane,
son el infante Gayferos — y el fuerte Meriane.   335
El conde, de que esto oyera, — de la ciudade el se sale.
De baxo de vna espessura — para cabe los adarues,
diziendo esta a los suyos: — —No es ora de entrare,
que desque sean apeados — tornaran de caualgare.
Yo quiero entrar en ora — que de mi no sepan parte.   340
Alli estan razonando — d'armas y de hechos grandes
hasta la media noche, — los gallos querian cantare,
bueluen riendas a los cauallos, — entran en la ciudade.
La buelta van de los palacios — del buen conde don Beltrane;
antes de llegar a ellos — de dos calles y aun mase,   345
tantas cadenas hay puestas — quellos no pueden passare.
Lanças les ponen a los pechos, — no cessando de hablare:
—¡Buelta, buelta, caualleros, — que por aqui no hay pasaje!,
que aqui estan los palacios — del buen conde don Beltrane,
enemigo de Oliueros, — enemigo de Roldane,   350
enemigo de Velardos — y de Cellinos el infante.
El conde, desquesto oyera, — presto tal respuesta haze:
—Ruego te, el cauallero, — que me quieras escuchare.
Anda, ve, y dile luego — a tu señor don Beltrane,
que aquí esta vn mensajero — que viene allendel mare.   355
Cartas traygo del conde Dirlos, — su buen sobrino carnale.
El cauallero con plazer — empieça de aguijare;
presto las nueuas le daua — al buen conde don Beltrane,
el qual ya se acostaua — en su camara reale.
Desque tal nueua oyera, — torno se a vestir y calçare.   360
Caualleros al derredor — trezientos trae por guardarle;
hachas muchas encendidas — al patin hizo baxare;
mando que al mensajero — solo le dexen entrare.
Quando fue en el patin, — con la mucha claredade
mirando l'esta, mirando, — viendole como saluaje.   365
Como el que esta espantado — a el no se osa llegare;
baxito el conde le habla, — dandole muchas señales.
Conosciole don Beltrane — entonces en el hablare,

y con los braços abiertos — corre para abraçarle;
diziendo l'esta: —¡Sobrino!— no cessando de sospirare;   370
el Conde l'esta rogando — que nadie del sepa parte.
Embian presto a las plaças, — carneçerias otro que tale,
para mercarles de cena, — y mandala aparejare.
Mandan que a sus caualleros — todos les dexen entrare;
que les tomen los cauallos — y los hagan bien pensare.   375
Abren muy grandes estudios, — mandan los aposentare.
Alli entra el conde y los suyos, — ningun otro dexan entrare,
porque no conoscan al conde — ni del supiessen parte.
Vereys todos del palacio — vnos con otros hablare,
si es este el conde Dirlos, — o quien otro puede estare.   380
segun el recibimiento — le ha hecho don Beltrane.
Oydo lo ha la condessa — a las bozes que dan grandes;
mando llamar sus donzellas — y encomiença de hablare:
—¿Ques aquesto, mis donzellas, — no me lo querays negare,
que esta noche tanta gente — por el palacio siento andare?   385
Dezidme, ¿do es el señor, — el mi tio don Beltrane?,
¿si quiça dentro en mis tierras — Roldan ha hecho algun
                                                          [male?
Las donzellas que lo oyeran — atal respuesta le hazen:
—Lo que vos sentis, señora, — no son nueuas de pesare,
es venido vn cauallero — assi proprio como saluaje;   390
muchos caualleros con el, — ¡gran acatamiento le hazen!
¡muy rica cena le guisa — el buen conde don Beltrane!
Vnos dizen ques mensajero — que viene de allendel mare,
otros ques el conde Dirlos, — nuestro señor naturale.
Alla se han encerrado, — que nadie no puede entrare;   395
segun veen el aparejo — creen todos ques verdade.
La condesa, questo oyera, — de la cama fue a saltare;
apriessa demanda el vestido, — apriessa demanda el calçare,
muchas lumbres y donzellas, — y empieça de aguijare.
A las puertas de los estudios — grandes golpes manda dare,   400
llamando a don Beltran, — que dentro la dexe entrare;
no queria el conde Dirlos — que la dexassen entrare.
Don Beltran salio a la puerta — no cessando de hablare:
—¿Ques esto, señora prima? — no tengays priessa tan grande,
que aun no se bien las nueuas — quel mensajero me trae,   405
porqu'es de tierras ajenas — y no entiendo bien el lenguaje.

Mas la condesa por esto — no quiere sino entrare;
que mensajero de su marido — ella le quiere honrrare.
De la mano la entraua — esse conde don Beltrane;
desque ella es de dentro, — al mensajero empieça de mirare; 410
el mirar no la osaua, — y no cessa de sospirare;
meneando la cabeça — los cabellos ponia a la faz[e].
Desque la condesa oyera — a todos callar y no hablare,
con vna voz muy humilde — empieça de razonare:
—¡Por Dios vos ruego, mi tio, — por Dios vos quiero rogare, 415
pues que este mensajero — viene de tan luengas partes,
que si no terna dineros, — ni tuuiere que gastare,
dezid, si nada le falta, — no cesse [de] demandare!
Pagar le hemos su gente, — dar le hemos que gastare;
pues viene por mi señor, — yo no le puedo faltare 420
a el y a todos los suyos, — aunque fuessen mucho[s] mase.
Estas palabras hablando — no cessaua de llorare.
Manzilla huuo su marido — con el amor que le tiene grande;
pensando aconsolarla — acordo de la abraçare,
y con los braços abiertos — yua para la abraçare. 425
La condesa espantada — puso se tras don Beltrane;
el conde con grandes sospiros — començole de hablare:
—¡No fuyades, la condesa, — ni os querays espantare,
que yo soy el conde Dirlos, — vuestro marido carnale!
Estos son aquellos braços — en que soliades holgare. 430
Con las manos se aparta — los cabellos della haze;
conosciolo la condesa — entonçes en el hablare;
en sus braços ella se echa, — no cessando de llorare:
—¿Ques aquesto, mi señor? — ¿quien vos hizo ser saluaje?
¡No es este aquel gesto — que vos teniades ante! 435
Quiten vos aquestas armas, — otras luego os quieran dare;
traygan de aquellos vestidos — que soliades lleuare.
Ya les parauan las mesas, — ya les dauan a cenare,
quando empeço la condesa — a dezir y a hablare:
—¡Cierto paresce, señore, — que lo fazemos muy male, 440
quel conde esta ya en sus tierras — y en la su heredade,
que no auisemos aquellos — que su honrra quieren mirare!
No lo digo aun por Gayferos, — ni por su hermano Meriane,
sino por el esforçado — Renaldos de Montalbane.
¡Bien sabedes, señor tio, — quanto se quiso mostrare. 445

siendo siempre con nosotros — contra el paladin Roldane!
Llaman luego dos caualleros — de aquestos mas principales,
el vno embian a Gayferos, — otro a Renaldos de Montalbane.
Apriessa viene Gayferos, — apriessa y no de vagare;
desque vido la condesa — en braços de aquel saluaje,   450
a ellos el se allega, — y empeçolos de hablare.
Desque el conde lo vido, — leuantose abraçarle:
desque se han conoscido, — grande acatamiento se hazen.
Ya puestas eran las mesas, — ya le dauan a cenare;
la condesa lo seruia — y estaua siempre delante,   455
quando llego don Renaldos, — Renaldos de Montalbane,
y desque el conde lo vido, — huuo vn plazer muy grande.
Con vna boz amorosa — l'empeçara de hablare:
—¡O esforçado conde Dirlos, — de vuestra venida me plaze!
Avnque agora vuestros pleytos — mejor se podran librare;   460
mas yo si fuera creydo, — fueran fechos antes de vos llegare;
o me hallaredes a biuo, — o al paladin Roldane.
El conde, desque esto oyera, — grandes mercedes le haze,
diziendo: —Juramento ha hecho — sobre vn libro missale,
de jamas se quitar las armas, — ni con la condessa holgare,   465
hasta que haya complido — toda la su voluntade.
El concierto que ellos tienen — por mejor y naturale,
es que en el otro dia, — quando yante el emperante,
vaya el conde a palacio — por la mano le besare.
Toda la noche passaron — descansando, en hablare;   470
quando vino el otro dia, — a la hora del yantare,
caualgara el conde Dirlos, — muy leales armas trahe,
y encima vn collar de oro — y vna ropa roçagante,
solo con cient caualleros, que no quiere lleuar mase,
a la parte yzquierda Gayferos, — a la derecha don Beltrane. 475
Vienense a los palacios — de Carlos el emperante;
quantos grandes alli hallan, — catamiento le hazen
por honrra de don Gayferos, — qu'era suya la ciudade.
Quando son en la gran sala, — hallan alli al emperante
assentado a la mesa, — que le dauan a yantare.   480
Con el esta Oliueros, — con el esta don Roldane,
con el esta Valdouinos — y Cellinos el infante,
con el estan muchos grandes — de Francia la naturale.
El entrando por la sala — grande reuerencia hazen,

saludan al emperador — los tres juntos a la pare.   485
Desque don Roldane los vido, — presto se fue a leuantare;
apriessa demanda a Cellinos — no cessando de hablare:
—Caualgad presto, Cellinos, — no esteys mas en la ciudade,
que quiero perder la vida, — si bien mirays las señales,
si aquel no es el conde Dirlos, — que viene como saluaje;   490
yo quedare por vos, primo, — a lo que querran demandare.
Ya caualga Cellinos, — y sale de la ciudade;
con el va gran gente d'armas — por hauerlo de guardare.
El conde y don Gayferos — lleganse al emperante,
la mano besarle quiere — y el no se la quiere dare;   495
mas esta muy marauillado, — diziendo: —¿Quien puede
                                              [estare?
El conde, que assi lo vido, — empeçole de hablare:
—No se marauille vuestra alteza, — que no es de marauillare,
que quien dixo que era muerto, — mentira dixo y no verdade.
Señor, yo soy el conde Dirlos, — vuestro seruidor leale;   500
mas los malos caualleros — siempre presumen el male.
Conoscido lo han todos — entonces en el hablare.
Leuantose el emperadore — y empeço de abraçarle,
y mando sallir a todos — y las puertas bien cerrare.
Solo queda Oliueros — y el paladin Roldane,   505
el conde Dyrlos y Gayferos, — y el buen viejo don Beltrane.
Assentose el emperador — y a todos manda posare;
entonçes con boz humilde — les empeço de fablare:
—Esforçado conde Dirlos, — de vuestra venida me plaze,
ahunque de vuestro enojo — no es de tener pesare,   510
porque no hay cargo ninguno, — ni verguença otro que tale,
que si caso la condessa, — no cierto a su voluntade,
sino a porfia mia — y a ruegos de don Roldane,
y con tantas condiciones — que seria largo contare;
por do siempre ha mostrado — teneros amor muy grande. 515
Si ha errado Cellinos, — hizolo con moçedade,
en screuir qu'erades muerto, — pues que no era verdade.
Mas por esso nunca quise — a ella dexar tocare,
ni menos a los desposorios — a el no dexe estare;
mas por el fue presentado — esse paladin Roldane.   520
Mas la culpa, conde, es vuestra, — y a vos os la deueys dare:
para ser vos tan discreto, — esforçado y de linaje,

dexastes muger hermosa, — moça de poca edade;
y de vista no la visitays, — de cartas la deuiades visitare.
Si supiera que a la partida — lleuauades tal pesare,   525
n'os embiara yo, el conde, — que otros pudiera embiare;
mas por ser vos buen cauallero — solo a vos quise embiare.
El conde de que esto oyera, — atal respuesta le haze:
—¡Calle, calle vuestra alteza!, — ¡buen señor, no diga tale!,
que no cale quexar de Celinos — por ser de tan poca edade; 530
que con tales caualleros — yo [no] me costumbro honrrare.
Mas por el esta aqui Oliueros — y por el esta don Roldane,
que son buenos caualleros — y los tengo yo por tales.
¡Consentir ellos tal carta — y consentir tan gran maldade!
¡o me tenian en poco, — o me tienen por couarde,   535
que sabiendo que era viuo — no se lo osaria demandare!
Por esso supplico a vuestra alteza — campo me quiera
                                                [otorgare;
pues por el pleyto tomauan, — el campo pueden aceptare,
si quieren vno por vno, — o los dos juntos a la pare;
no perjudicando a los mios, — avnque hay hartos en mi linaje, 540
questo y mucho mas questo — recaudo bastan a dare.
Por que conoscan que sin parientes, — amigos no me han de
                                                [faltare,
tomare al esforçado — Renaldos de Montalbane.
Don Roldan que esto oyera — con gran enojo y pesare,
no por lo que el conde dixo, — que con razon lo veya stare, 545
mas en nonbrarle Renaldos, — buelta se le ha la sangre,
porque los que mal [l]e quieren, — quando le quieren hazer
                                                [pesare,
luego le dan por los ojos — Renaldos de Montalbane.
Mouido de muy gran saña, — luego hablo don Roldane:
—Soy contento, el conde Dirlos, — y tomad este mi guante, 550
y agradeçed que soys venido — tan presto sin mas tardare,
que a pesar de quien pesare — yo los hiziera casare,
sacando a don Gayferos, — sobrino del emperante.
—Calledes, dixo Gayferos, — Roldan, no digays tale;
por ser soberuio y descortes — mal vos quieren los doze pares, 555
que otros tan buenos como vos — defienden la otra parte,
que yo faltar no[s] les puedo, — ni dexar passar lo tale.
Ahunque mi primo es Celinos, — hijo de hermana de madre,

bien sabeys que el conde Dirlos — es hijo de herman[o] de
[padre;
por ser de hermano de padre, — no le tengo de faltare,   560
ni porque no passe la vuestra, — que a todos vantaja quereys
[leuare.
El conde Dirlos el guante toma — y de la sala se sale,
tras el aguia Gayferos — y tras el va don Beltrane.
Triste esta el emperador, — haziendo llantos muy grandes,
viendo a Francia rebuelta — y a todos los doze pares.   565
Desque Renaldos lo supo, — huuo dello plazer grande;
al conde palabras dezia, — mostrando tener voluntade:
—Esforçad[o] conde Dirlos, — del que haueys hecho me
[plaze,
y muy mucho mas del campo — contra Oliueros y Roldane.
Vna cosa rogar vos quiero, — no me la querays negare;   570
pues no es principal Oliueros, — ni menos don Roldane,
sin perjudicar vuestra honrra — con qualquier podeys
[peleare;
tomad vos a Oliueros — y dexad me a don Roldane.
—Plaze me, dixo el conde, — Renaldos, pues a vos plaze.
Desque supieron las nueuas — los grandes y principales   575
ques venido el conde Dirlos — y que esta ya en la ciudade,
vereys parientes y amigos — que grandes fiestas le hazen.
Los que a Roldan mal quieren, — al conde Dirlos hazen
[parte,
por lo qual toda la Francia — en armas vereys estare.
Mas si los doze quisieran, — bien los podían paziguare;   580
mas ninguno por paz se pone, — todos hazen parçelidade,
sino el arçobispo Turpin, — de Francia cardenale,
sobrino del emperador, — en esfuerço principale,
solo aquel se ponia — si los podria apaziguare;
mas ellos escuchar no quieren, — tanto s'an mala voluntade. 585
Vereys yr dueñas y donzellas — a vnos y a otros rogare;
ni por ruegos ni por cosas — no los pueden apaziguare.
Sobre todos mostraua saña — el esforçado Meriane,
hermano del conde Dirlos — y hermano de Durandarte,
ahunque por differencias — no se solian hablare,   590
de que sabe lo que ha dicho — en el palacio reale
que si el conde mas tardara — el casamiento hiziera passare

a pesar de todos ellos — y a pesar de don Beltrane.
Por esto cartas embia — con palabras de pesare,
que aquello que el ha dicho — no lo basta hazer verdade,   595
que ahunque el conde no viuiera — hauia quien lo demandare.
El emperador que lo supo, — muy grandes llantos que haze;
por perdida dan a Francia — y a toda la cristiandade;
dizen que alguna de las partes — con moros se yra ayuntare.
Triste yua y pensatiuo, — no cessando de sospirare,   600
mas los buenos consejeros — aprouechan a la necessidade.
Consejan al emperador — el remedio que ha de tomare,
que mande tocar las trompetas — y a todos mande juntare,
y al que luego no viniere, — por traydor lo mande dare;
que le quitara las tierras — y le mandara desterrare.   605
Mas todos son muy leales, — que todos juntado(s) se hane.
El emperador en medio dellos, — llorando, empeço de
                                    [hablare:
—¡Esforçados caualleros — y los mis primos carnales!
Entre vosotros no ay diferencia, — vosotros las quereys
                                    [buscare
todos soys muy esforçados, — todos primos y de linaje;   610
acuerde se os de morire — y que a Dios hazeys pesare,
no solo en perder a vosotros, — mas a toda la cristiandade.
Vna cosa rogar os quiero, — no os querays enojare;
que sin mis leys de Francia, — campo no se puede dare.
De tal campo no soy contento, — ni a mi cierto me pla[z]e,   615
porque yo no veo causa — porque lo haya de dare,
ni hay verguença ni injuria — que a ninguno se pueda dare,
ni al conde han enojado — Oliueros ni Roldane,
ni el conde a ellos menos — porque se hayan de matare,
de ayudar a sus amigos — ya vsança es atale.   620
Si Celinos ha errado — con amor y moçedade,
pues no ha tocado la condessa, — no ha hecho tanto male
que dello merezca muerte, — ni se lo deue dare.
Ya sabemos quel conde Dirlos — es sforçado y de linaje,
y de los grandes señores — que en Francia comen pane,   625
que quien a el enojara — el le basta enojare,
ahunque fuesse el mejor cauallero — que en el mundo se
                                    [hallasse.
Mas porque sea escarmiento — a otros hombres de linaje,

210

que ninguno sea osado, — ni pueda hazer lo tale,
si estimara su honrra — en esto no osara entrare,   630
que menguemos a Celinos — por villano y no de linaje,
que en el numero de los doze — no se haya de contare,
ni quando el conde fuere en cortes — Celinos no pueda estare,
ni do fuere la condessa — el no pueda habitare.
Y esta honrra, el conde Dirlos, — para siempre os la dare.   635
Don Roldan desquesto oyera, — presto tal resp[u]esta haze:
—Mas quiero perder la vida, — que tal haya de passare.
El conde Dirlos que lo oyera, — presto se fue a leuantare,
y con vna boz muy alta — empeçara de fablare:
—Pues requero os, don Roldan, — por mi y el de Montalbane, 640
que de hoy en los tres dias — en campo hayays de stare;
si no, a vos y a Oliueros, — dar os hemos por couardes.
—Plaze me, dixo Roldan, — y ahun si queredes antes.
Vereys llantos en el palacio — que al cielo quieren llegare,
dueñas y grandes señoras, — casadas y por casare,   645
a pies de maridos y hijos — las vereys a[r]rodillare.
Gayferos fué el primero — que a manzilla de su madre,
assi mesmo don Beltran — de su hermana carnale,
don Roldan de su esposa, — que tan tristes llantos haze.
Tiranse entonces todos, — yuan se assentare,   650
los valedores hablando — a boz alta y sin parare:
—Mejor es, buenos caualleros, — vos hayamos apaziguare;
pues no hay cargo ninguno, — que todo se haya de dexare.
Entonces dixo Roldane — ques contento y que le plaze,
con aquesta condicion, — y esto se quiere aturare: 655
porque Celinos es mochacho — de quinze años y no mase,
y no es para las armas — ni ahun para peleare,
que hasta veynte cinco años, — y hasta en aquella edade,
que en el numero de los doze — no se haya de contare,
ni en la mesa redonda — menos pueda comer pane,   660
ni donde fuere el conde y la condesa — Celinos no pueda
                                                    [estare.
Desque fuere de veynte años — o puesto en mejor edade,
si estimare su honrra, — que lo pueda demandare,
y que entonces por las armas — cadaqual defienda su parte,
porque no diga Cellinos — que era de menor edade.   665
Todos fueron muy contentos, — y a ambas partes les plaze.

Entonces el emperador — a todos los haze abraçare;
todos quedan muy contentos, — todos quedan muy yguales.
Otro dia el emperador — muy real sala les haze;
a damas y caualleros — conbidalos a yantare.   670
El conde s'afeyta las baruas, — los cabellos otro que tale,
la condessa en las fiestas — sale muy rica y triunfante.
Los mestres salas que seruian — de parte del emperante,
el vno es don Roldan, — y Renaldos de Montalbane,
por dar mas auinenteza — que huuiessen de hablare.   675
Quando huuieron yantado, — antes de baylar ni dançare,
se leuanto el conde Dirlos — delante todos los grandes,
y al emperador entrego — de las villas y lugares
las llaues de lo ganado — del rey moro Aliarde;
por lo qual el emperador — dello le da muy gran parte,   680
y el a sus caualleros — grandes mercedes les haze.
Los doze tenian en mucho — la gran vitoria que trahe.
De alli quedo con gran honrra — y mayor prosperidade.

75

Romance del conde Grimaltos y su hijo*

Muchas veces oí decir — y a los antiguos contar,
que ninguno por riqueza — no se debe de ensalzar,
ni por pobreza que tenga — se debe menospreciar.
Miren bien, tomando ejemplo, — do buenos suelen mirar,
cómo el conde, a quien Grimaltos — en Francia suelen llamar,   5
llegó en las cortes del rey — pequeño y de poca edad.
Fue luego paje del rey — del más secreto lugar;
porque él era muy discreto, — y de él se podía fiar:
y después de algunos tiempos, — cuando más entró en edad,
le mandó ser camarero — y secretario real: 10
y después le dio un condado, — por mayor honra le dar;
y por darle mayor honra — y estado en Francia sin par
lo hizo gobernador, — que el reino pueda mandar.
Por su virtud y nobleza, — y grande esfuerzo sin par
le quiso tomar por hijo, — y con su hija le casar.   15
Celebráronse las fiestas — con placer y sin pesar.
Ya después de algunos días — de sus honras y holgar,
el rey le mandó al conde — que le fuese a gobernar
y poner cobro en las tierras — que le fuera a encomendar.
Pláceme, dijera el conde, — pues no se puede excusar.   20
Ya se ordena la partida, — y el rey manda aparejar
sus caballeros y damas — para haber de acompañar.
Ya se partía el buen conde — con la condesa a la par,
y caballeros y damas — que no le quieren dejar.
Por la gran virtud del conde — no se pueden apartar: 25
de París hasta León — le fueron acompañar.
Vuélvense para París — después de placer tomar:
las nuevas que dan al rey — es descanso de escuchar,

---

* *Primavera*, pág. 386. De un pliego suelto del siglo XVI en el *Romancero general* de Durán. Romance juglaresco que procede de una redacción tardía de la *Chanson d'Aiol* de la cual toma los motivos principales. Un corte arbitrario al final lo separa del romance siguiente. Cfr. M. Pelayo, IX, págs. 371-372 y M. Pidal, *R. Hispánico*, I, pág. 263.

de cómo rige a León — y le tiene a su mandar,
y el estado de su Alteza — cómo lo hacía acatar.   30
De tales nuevas el rey — gran placer fuera a tomar,
No prosigo más del rey, — sino que lo dejo estar.
Tornemos a don Grimaltos — cómo empieza a gobernar,
bien querido de los grandes, — sin la justicia negar,
trata a todos de tal suerte, — que a ninguno da pesar.   35
Cinco años él estuvo — sin al buen rey ir a hablar,
ni del conde a él ir quejas, — ni de sentencia apelar;
mas fortuna que es mudable, — y no puede sosegar,
quiso serle tan contraria — por su estado le quitar.
Fue el caso que don Tomillas — quiso en traición tocar: 40
revolvióle con el rey — por más le escandalizar,
diciéndole que su yerno — se le quiere rebelar,
y que en villas y ciudades — sus armas hace pintar,
y por señor absoluto — él se manda intitular,
y en las villas y lugares — guarnición quiere dejar.   45
Cuando el rey aquesto oyera — tuvo de ello gran pesar,
pensando en las mercedes — que al conde le fuera a dar.
¡Sólo por buenos servicios — le pusiera en tal lugar,
y después por galardón — tal traición le ordenar!
Él ha determinado — de hacerle justiciar.   50
 Dejemos lo de la corte, — y al conde quiero tornar,
que estando con la condesa — una noche a bel folgar,
adurmióse el buen conde, — recordara con pesar;
las palabras que decía — son de dolor y pesar:
—¿Qué te hice, vil fortuna? — ¿Por qué te quieres mudar   55
y quitarme de mi silla, — en que el rey me fue a sentar?
¡Por falsedad de traidores — causarme tanto de mal!
Que según yo creo y pienso — no lo puede otro causar.
A las voces que da el conde — su mujer fue a despertar;
recordó muy espantada — de verle así hablar,   60
y hacer lo que no solía, — y de condición mudar.
—¿Qué habéis, mi señor el conde? — ¿En qué podéis vos
                                                    [pensar?
—No pienso en otro, señora, — sino en cosa de pesar,
porque un triste y mal sueño — alterado me hace estar.
Aunque en sueños no fiemos, — no sé a qué parte lo echar,   65
que parecía muy cierto — que vi una águila volar,

214

siete halcones tras ella — mal aquejándola van,
y ella por guardarse de ellos — retrújose a mi ciudad;
encima de una alta torre — allí se fuera a asentar;
por el pico echaba fuego, — por las alas alquitrán;   70
el fuego que de ella sale — la ciudad hace quemar;
a mí quemaba las barbas, — y a vos quemaba el brial.
¡Cierto tal sueño como este — no puede ser sino mal!
Esta es la causa, condesa, — que me sentiste quejar.
—Bien lo merecéis, buen conde, — si de ello os viene algún   75
                                                      [mal,
que bien ha los cinco años, — que en corte no os ven estar,
y sabéis vos bien, el conde, — quién allí os quiere mal,
que es el traidor de Tomillas — que no suele reposar:
yo no lo tengo a mucho — que ordene alguna maldad.
Mas, señor, si me creéis, — mañana antes de yantar   80
mandad hacer un pregón — por toda esa ciudad,
que vengan los caballeros — que están a vuestro mandar,
y por todas vuestras tierras — también los mandéis llamar,
que para cierta jornada — todos se hayan de juntar.
Desque todos estén juntos — decirles heis la verdad,   85
que queréis ir a París — para con el rey hablar,
y que se aperciban todos — para en tal caso os honrar.
Según de ellos sois querido, — creo no os podrán faltar:
iros heis con todos ellos — a París, esa ciudad,
besaréis la mano al rey — como la soléis besar,   90
y entonces sabréis, señor, — lo que él os quiere mandar;
que si enojo de vos tiene — luego os lo demostrará,
y viendo vuestra venida — bien se le podrá quitar.
—Pláceme, dijo, señora, — vuestro consejo tomar.
Pártese el conde Grimaltos — a París, esa ciudad,   95
con todos sus caballeros — y otros que él pudo juntar.
Desque fue cerca París — bien quince millas o más,
mandó parar a su gente, — sus tiendas mandó armar,
hizo aposentar los suyos — cada cual en su lugar.
Luego el rey de él hubo cartas, — respuesta no quiso dar.   100
Cuando el conde aquesto vido — en París se fue a entrar;
fuérase para el palacio — donde el rey solía estar;
saludó a todos los grandes, — la mano al rey fue a besar:
el rey de muy enojado — nunca se la quiso dar,

antes más le amenazaba — por su muy sobrado osar,   105
que habiendo hecho tal traición — en París osase entrar;
jurando que por su vida — se debía maravillar
cómo, visto lo presente, — no lo hacía degollar;
y si no hubiera mirado — su hija no deshonrar,
que antes que el día pasara — lo hiciera justiciar: 110
mas por dar a él castigo, — y a otros escarmentar
le mandó salir del reino — y que en él no pueda estar.
Plazo le dan de tres días — para el reino vaciar
y el destierro es de esta suerte: — que gente no ha de llevar,
caballeros, ni criados — no le hayan de acompañar,   115
ni lleve caballo o mula — en que pueda cabalgar:
moneda de plata y oro — deje, y aun la de metal.
Cuando el conde esto oyera — ¡ved cuál podía estar!
Con voz alta y rigurosa, — cercado de gran pesar,
como hombre desesperado — tal respuesta le fue a dar: 120
—Por desterrarme tu Alteza — consiento en mi desterrar;
mas quien de mí tal ha dicho, — miente y no dice verdad,
que nunca hice traición, — ni pensé en maldad usar;
mas si Dios me da la vida — yo haré ver la verdad.
Ya se sale de palacio — con doloroso pesar;   125
fuese a casa de Oliveros, — y allí halló a don Roldán.
Contábales las palabras — que con el rey fue a pasar;
despidiéndose está de ellos, — pues les dijo la verdad,
jurando que nunca en Francia — lo verían asomar,
si no fuese castigado — quien tal cosa fue a ordenar.   130
Ya se despedía de ellos; — por París comienza a andar
despidiéndose de todos — con quien solía conversar:
despidióse de Valdovinos — y del romano Fincán,
y del gastón Angeleros, — y del viejo don Beltrán,
y del duque don Estolfo, — de Malgesí otro que tal,   135
y de aquel solo invencible — Reinaldos de Montalván.
Ya se despide de todos — para su viaje tomar.
La condesa fue avisada, — no tardó en París entrar:
derecha fue para el rey, — sin con el conde hablar,
diciendo que de su Alteza — se quería maravillar,   140
cómo al buen conde Grimaltos — lo quisiese así tratar;
que sus obras nunca han sido — de tan mal galardonar,
y que suplica a su Alteza — que en ello mande mirar,

y si el conde no es culpado — que al traidor haga pagar
lo que el conde merecía — si aquello fuese verdad,   145
y asi será castigado — quien lo tal fue a ordenar.
Cuando el rey aquesto oyera — luego la mandó callar,
diciendo que si más habla — como a él la ha de tratar,
y que le es muy excusado — por el conde le rogar,
pues quien por traidores ruega — traidor se pueda llamar.   150
La condesa que esto oyera, — llorando con gran pesar,
descendióse del palacio — para al conde ir a buscar.
Viéndose ya con el conde — se llegó a lo abrazar;
lo que el uno y otro dicen — lástima era de escuchar:
—¿Este es el descanso, conde, — que me habíades de dar?   155
¡No pensé que mis placeres — tan poco habían de durar!
Mas en ver que sin razón — por placer nos dan pesar,
quiero que cuando vais, conde, — cuenta de ello sepáis dar.
Yo os demando una merced, — no me la queráis negar,
porque cuando nos casamos — hartas me habíades de dar.   160
Yo nunca las he habido, — aún las tengo de cobrar,
ahora es tiempo, buen conde, — de haberlas de demandar.
—Excusado es, la condesa, — eso ahora demandar,
porque jamás tuve cosa — fuera de vuestro mandar,
que cuando vos demandéis — por mi fe de lo otorgar.   165
—Es, señor, que donde fuéredes — con vos me hayáis de
                                                     [llevar.
—Por la fe que yo os he dado — no se os puede negar;
mas de las penas que siento — esta es la más principal,
porque perderme yo solo — este perder es ganar,
y en perderos vos, señora, — es perder sin más cobrar;   170
mas pues así lo queréis, — no queramos dilatar.
¡Mucho me pesa, condesa, — porque no podáis andar,
que siendo niña y preñada — podríades peligrar!
Mas pues fortuna lo quiere — recibidlo sin pesar,
que los corazones fuertes — se muestran en tal lugar.   175
Tómanse mano por mano, — sálense de la ciudad;
con ellos sale Oliveros, — y ese paladín Roldán,
también el Dardín Dardeña, — y ese romano Fincán,
y ese gastón Angeleros, — y el fuerte Meridán:
con ellos va don Reinaldos, — y Valdovinos el galán,   180
y ese duque don Estolfo, — y Malgesí otro que tal;

las dueñas y las doncellas — también con ellos se van:
cinco millas de París — los hubieron de dejar.
El conde y condesa solos — tristes se habían de quedar:
cuando partirse tenían — no se podían hablar.   185
Llora el conde y la condesa, — sin nadie les consolar,
porque no hay grande ni chico — que estuviese sin llorar.
¡Pues las damas y doncellas, — que allí hubieron de llegar,
hacen llantos tan extraños, — que no los oso contar,
porque mientras pienso en ellos — nunca me puedo alegrar! 190
Mas el conde y la condesa — vanse sin nada hablar:
los otros caen en tierra — con la sobra del pesar:
otros crecen más sus lloros — viendo cuán tristes se van.
Dejo de los caballeros — que a París quieren tornar;
vuelvo al conde y la condesa, — que van con gran soledad   195
por los yermos y asperezas — do gente no suele andar.
Llegado el tercero día, — en un áspero boscaje
la condesa de cansada — triste no podía andar.
Rasgáronse sus servillas, — no tiene ya que calzar:
de la aspereza del monte — los pies no podía alzar;   200
do quiera que el pie ponía — bien quedaba la señal.
Cuando el conde aquesto vido, — queriéndola consolar,
con gesto muy amoroso — la comenzó de hablar:
—No desmayedes, condesa, — mi bien, queráis esforzar,
que aquí está una fresca fuente — do el agua muy fría está   205
reposaremos, condesa, — y podremos refrescar.
La condesa que esto oyera — algo el paso fue a alargar,
y en llegando a la fuente — las rodillas fue a hincar.
Dio gracias a Dios del cielo, — que la trujo en tal lugar,
diciendo: —¡Buen agua es ésta — para quien tuviese pan! 210
Estando en estas razones — el parto le fue a tomar,
y allí pariera un hijo, — que es lástima de mirar
la pobreza en que se hallan — sin poderse remediar.
El conde cuando vio el hijo — comenzóse de esforzar;
con el sayo que traía — al niño fue a cobijar;   215
también se quitó la capa — por a la madre abrigar;
la condesa tomó el niño — para darle de mamar.
El conde estaba pensando — qué remedio le buscar,
que pan ni vino no tienen, — ni cosa con que pasar.
La condesa con el parto — no se puede levantar;   220

218

tomóla el conde en los brazos — sin ella el niño dejar
súbelos a una alta sierra — para más lejos mirar.
En unas breñas muy hondas — grande humo vio estar,
tomó su mujer y hijo, — para allá les fue a llevar.
Entrando en la espesura — luego al encuentro le sale   225
un virtuoso ermitaño — de reverencia muy grande;
el ermitaño que los vido — comenzóles de hablar:
—¡Oh válgame Dios del cielo! — ¿Quién aquí os fue a aportar?
Porque en tierra tan extraña — gente no suele habitar,
sino yo que por penitencia — hago vida en este valle.   230
El conde le respondió — con angustia y con pesar.
—Por Dios te ruego, ermitaño, — que uses de caridad,
que después habremos tiempo — de cómo vengo, a contar:
mas para esta triste dueña — dame que le pueda dar,
que tres días con sus noches — ha que no ha comido pan,   235
que allá en esa fuente fría — el parto le fue a tomar.
El ermitaño que esto oyera, — movido de gran piedad,
llevóles para la ermita — do él solía habitar.
Dioles del pan que tenía, — y agua, que vino no hay:
recobró algo la condesa — de su flaqueza muy grande.   240
Allí le rogó el conde — quiera el niño bautizar.
—Pláceme, dijo, de grado; — ¿mas cómo le llamarán?
—Como quisiéredes, Padre, — el nombre le podréis dar.
—Pues nació en ásperos montes — Montesinos le dirán.
Pasando y viniendo días, — todos vida santa hacen;   245
bien pasaron quince años, — que el conde de allí no parte.
Mucho trabajó el buen conde — en haberle de enseñar
a su hijo Montesinos — todo el arte militar,
la vida de caballero — cómo la había de usar,
cómo ha de jugar las armas, — y qué honra ha de ganar,   250
cómo vengará el enojo — que al padre fueron a dar.
Muéstrale en leer y escribir — lo que le puede enseñar,
muéstrale jugar a tablas, — y cebar un gavilán.
A veinte y cuatro de junio, — día era de San Juan,
padre y hijo paseando — de la ermita se van;   255
encima de una alta sierra — se suben a razonar.
Cuando el conde alto se vido — vido a París la ciudad.
Tomó al hijo por la mano, — comenzóle de hablar,
con lágrimas y sollozos — no deja de suspirar[1].

---

[1] Sigue el romance 76.

76

Cata Francia, Montesinos...*

Cata Francia, Montesinos, — cata París, la ciudad,
cata las aguas de Duero — do van a dar a la mar;
cata palacios del rey, — cata los de don Beltrán,
y aquella que ves más alta — y que está en mejor lugar,
es la casa de Tomillas, — mi enemigo mortal;   5
por su lengua difamada[1] — me mandó el rey desterrar
y he pasado a causa de esto — mucha sed, calor y hambre,
trayendo los pies descalzos, — las uñas corriendo sangre.
A la triste madre tuya — por testigo puedo dar,
que te parió en una fuente, — sin tener en qué te echar;   10
yo, triste, quité mi sayo — para haber de cobijarte;
ella me dijo llorando — por te ver tan mal pasar:
—Tomes este niño, conde, — y lléveslo a cristianar,
llamédesle Montesinos, — Montesinos le llamad.
Montesinos, que lo oyera, — los ojos volvió a su padre;   15
las rodillas por el suelo — empezóle de rogar
le quisiese dar licencia — que en París quiere pasar[2]
y tomar sueldo del rey, — si se lo quisiere dar,
por vengarse de Tomillas, — su enemigo mortal,
que si sueldo del rey toma, — todo se puede vengar.   20
Ya que despedirse quieren — a su padre fue a rogar
que a la triste de su madre — él la quiera consolar
y de su parte le diga — que a Tomillas va buscar.

---

* *Cancionero de 1550*, pág. 256. Juglaresco; deriva como el anterior de una forma tardía de la *Chanson d'Aïol* (s. XIV). Muy popular en el siglo XVI (cfr. M. Pidal, *Estudios*, pág. 62). Sus dos primeros versos son una muestra de la geografía fantástica del Romancero. Cfr. M. Pidal, *R. Hispánico*, I, pág. 263.

[1] 'difamadora'.
[2] 'que a París quiere ir'.

77

Romance del moro Calaínos*

Ya cabalga Calaínos — a la sombra de una oliva,
el pie tiene en el estribo, — cabalga de gallardía.
Mirando estaba a Sansueña, — al arrabal con la villa,
por ver si vería algún moro — a quien preguntar podría.
Por los palacios venía — la linda infanta Sevilla;   5
vido estar un moro viejo — que a ella guardar solía.
Calaínos que lo vido — llegado allá se había;
las palabras que le dijo — con amor y cortesía:
—Por Alá te ruego, moro, — así te alargue la vida,
que me muestres los palacios — donde mi vida vivía,   10
de quien triste soy cautivo, — y por quien pena tenía,
que cierto por sus amores — creo yo perder la vida;
mas si por ella la pierdo — no se llamará perdida,
que quien muere por tal dama — desque muerto tiene vida.
Mas porque me entiendas, moro, — por quien preguntado   15
[había,
es la mas hermosa dama — de toda la Morería,
sepas que a ella la llaman — la grande infanta Sevilla.
Las razones que pasaban — Sevilla bien las oía:
púsose a una ventana, — hermosa a maravilla,
con muy ricos atavíos, — los mejores que tenía.   20
Ella era tan hermosa, — otra su par no la había.
Calaínos que la vido — de esta suerte le decía:
—Cartas te traigo, señora, — de un señor a quien servía:
creo que es el rey tu padre — porque Almanzor se decía:
descende de la ventana — sabrás la mensajería.   25
Sevilla cuando lo oyera — presto de allí descendía:
apeóse Calaínos, — gran reverencia le hacía.

_____

* *Primavera*, pág. 448. Tomado del *Cancionero de romances s.a.* Muy
popular en los siglos de oro, este romance juglaresco parece de los más
modernos entre los carolingios, y se relaciona con el poema francés
Fierabras en su versión provenzal. Valderrábano *(Silva de sirenas*, 1547)
le pone música.

La dama cuando esto vido — tal pregunta le hacía:
—¿Quién sois vos el caballero, — que mi padre acá os envía?
—Calaínos soy, señora, — Calaínos el de Arabía,   30
señor de los Montes Claros. — De Constantina la llana,
y de las tierras del Turco — yo gran tributo llevaba,
y el Preste Juan de las Indias — siempre parias me enviaba,
y el Soldán de Babilonia — a mi mandar siempre estaba:
reyes y príncipes moros — siempre señor me llamaban,   35
sino es el rey vuestro padre, — que yo a su mandado estaba,
no porque le he menester, — mas por nuevas que me daban
que tenía una hija — a quien Sevilla llamaban,
que era más linda mujer — que cuantas moras se hallan.
Por vos le serví cinco años — sin sueldo ni sin soldada;   40
él a mí no me la dio, — ni yo se la demandaba.
Por tus amores, Sevilla, — pasé yo la mar salada,
porque he de perder la vida — o has de ser mi enamorada.
Cuando Sevilla esto oyera — esta respuesta le daba:
—Calaínos, Calaínos, — de aqueso yo no sé nada,   45
que siete amas me criaron, — seis moras y una cristiana.
Las moras me daban leche, — la otra me aconsejaba;
según que me aconsejaba — bien mostraba ser cristiana.
Diérame muy buen consejo, — y a mí bien se me acordaba
que jamás yo prometiese — de nadie ser enamorada,   50
hasta que primero hubiese — algún buen dote o arras.
Calaínos que esto oyera — esta respuesta le daba:
—Bien podéis pedir, señora, — que no se os negará nada:
si queréis castillos fuertes, — ciudades en tierra llana,
o si queréis plata u oro — o moneda amonedada.   55
Y Sevilla, aquestos dones, — como no los estimaba,
respondióle: —Si quería — tenella por namorada,
que vaya dentro a París, — que en medio de Francia estaba,
y le traiga tres cabezas — cuales ella demandaba,
y que si aquesto hiciese — sería su enamorada.   60
Calaínos cuando oyó — lo que ella le demandaba
respondióle muy alegre, — aunque él se maravillaba
dejar villas y castillos — y los dones que le daba
por pedirle tres cabezas — que no le costarán nada:
dijo que las señalase, — o diga cómo se llaman.   65
Luego la infanta Sevilla — se las empezó a nombrar:

la una es de Oliveros, — la otra de don Roldán,
la otra del esforzado — Reinaldos de Montalván.
Ya señalados los hombres — a quien había de buscar,
despídese Calaínos — con muy cortés hablar: 70
—Déme la mano tu Alteza, — que se la quiero besar,
y la fe y prometimiento — de comigo te casar,
cuando traiga las cabezas — que quesiste demandar.
—Pláceme, dijo, de grado — y de buena voluntad.
Allí se toman las manos, — la fe se hubieron de dar   75
que el uno ni el otro — no se pudiesen casar
hasta que el buen Calaínos — de allá hubiese de tornar,
y que si otra cosa fuese — la enviaría avisar.
Ya se parte Calaínos, — ya se parte, ya se va:
hace broslar sus pendones — y en todos una señal;   80
cubiertos de ricas lunas, — teñidas en sangre van.
En camino es Calaínos — a los franceses buscar:
andando jornadas ciertas — a París llegado ha.
En la guardia de París — cabe San Juan de Letrán,
allí levantó su seña — y empezara de hablar: 85
—Tañan luego esas trompetas — como quien va a cabalgar,
porque me sientan los doce — que dentro en París están.
El emperador aquel día — había salido a cazar:
con él iba Oliveros, — con él iba don Roldán,
con él iba el esforzado — Reinaldos de Montalván;   90
también el Dardín Dardeña; — y el buen viejo don Beltrán,
y ese Gastón y Claros — con el romano Final:
también iba Valdovinos, — y Urgel en fuerzas sin par,
y también iba Guarinos — almirante de la mar.
El emperador entre ellos — empezara de hablar: 95
—Escuchad, mis caballeros, — que tañen a cabalgar.
Ellos estando escuchando — vieron un moro pasar;
armado va a la morisca, — empiézanle de llamar,
y ya que es llegado el moro — do el emperador está,
el emperador que lo vido — empezóle a preguntar: 100
—Di, ¿adónde vas tú, el moro? — ¿cómo en Francia osaste
                                                          [entrar?
¡Grande osadía tuviste — de hasta París llegar!
El moro cuando esto oyó — tal respuesta le fue a dar:
—Vo a buscar al emperante — de Francia la natural,

                                                              223

que le traigo una embajada — de un moro principal,   105
a quien sirvo de trompeta, — y tengo por capitán.
El emperador que esto oyó — luego lo fue a demandar
que dijese qué quería, — por qué a él iba a buscar;
que él es el emperador Carlos — de Francia la natural.
El moro cuando lo supo — empezóle de hablar: 110
—Señor, sepa tu Alteza — y tu corona imperial,
que ese moro Calaínos, — señor, me ha enviado acá,
desafiando a tu Alteza — y a todos los doce pares,
que salgan lanza por lanza — para con él pelear.
Señor, veis allí su seña, — donde los ha de aguardar;   115
perdóneme vuestra Alteza, — que respuesta le vo a dar.
Cuando fue partido el moro — el emperador fue a hablar:
—¡Cuando yo era mancebo, — que armas solía llevar,
nunca moro fue osado — de en toda Francia asomar;
mas agora que soy viejo — a París los veo llegar!   120
No es mengua de mí solo — pues no puedo pelear,
mas es mengua de Oliveros. — y asimesmo de Roldán;
mengua de todos los doce, — y de cuantos aquí están.
Por Dios a Roldán me llamen — porque se vaya a pelear
con el moro de la enguardia — y lo haga de allí quitar: 125
que lo traiga muerto o preso, — porque se haya de acordar
de cómo viene a París — para me desafiar.
Don Roldán cuando esto oyera — empiézale de hablar:
—Excusado es, señor, — de enviarme a pelear,
porque tenéis caballeros — a quien podéis enviar,   130
que cuando son entre damas — bien se saben alabar,
que aunque vengan dos mil moros — uno los esperará,
cuando son en la batalla — véolos tornar atrás.
Todos los doce callaron — si no el menor de edad,
al cual llaman Valdovinos, — en el esfuerzo muy grande;   135
las palabras que dijera — eran con riguridad:
—Mucho estoy maravillado — de vos, señor don Roldán,
que amengüéis todos los doce — vos que los habíades de
                                                            [honrar:
si no fuérades mi tío — con vos me fuera a matar,
porque entre todos los doce — ninguno podéis nombrar,   140
que lo que dice de boca — no lo sepa hacer verdad.
Levantóse con enojo — ese paladín Roldán;

Valdovinos que esto vido — también se fue a levantar,
el emperador entre ellos — por el enojo quitar.
Ellos en aquesto estando, — Valdovinos fue a llamar   145
a los mozos que traía; — por las armas fue a enviar.
El emperador que esto vido — empezóle de rogar
que le hiciese un placer, — que no fuese a pelear,
porque el moro era esforzado, — podríale maltratar,
—que aunque ánimo tengáis — la fuerza os podría faltar,   150
y el moro es diestro en armas, — vezado a pelear.
Valdovinos que esto oyó — empezóse a desviar
diciendo al emperador — licencia le fuese a dar,
y que si él no se la diese — que él se la quería tomar.
Cuando el emperador vido — que no lo podía excusar,   155
cuando llegaron sus armas — él mesmo le ayudó a armar:
diole licencia que fuese — con el moro a pelear.
Ya se parte Valdovinos, — ya se parte, ya se va,
ya es llegado a la guardia — do Calaínos está.
Calaínos que lo vido — empezóle así de hablar: 160
—Bien vengáis el francesico, — de Francia la natural,
si queréis vivir comigo — por paje os quiero llevar;
llevaros he a mis tierras — do placer podáis tomar.
Valdovinos que esto oyera — tal respuesta le fue a dar:
—Calaínos, Calaínos, — no debíades así de hablar,   165
que antes que de aquí me vaya — yo os lo tengo de mostrar
que aquí moriréis primero — que por paje me tomar.
Cuando el moro aquesto oyera — empezó así de hablar:
—Tórnate, el francesico, — a París, esa ciudad.
que si esa porfía tienes — caro te habrá de costar,   170
porque quien entra en mis manos — nunca puede bien
                                                    [librar.
Cuando el mancebo esto oyera — tornóle a porfiar
que se aparejase presto — que con él se ha de matar.
Cuando el moro vio al mancebo — de tal suerte porfiar,
díjole: —Vente, cristiano, — presto para me encontrar,   175
que antes que de aquí te vayas — conocerás la verdad,
que te fuera muy mejor — comigo no pelear.
Vanse el uno para el otro, — tan recio que es de espantar.
A los primeros encuentros — el mancebo en tierra está.
El moro cuando esto vido — luego se fue apear;   180

sacó un alfanje muy rico — para habelle de matar;
mas antes que le hiriese — le empezó de preguntar
quién o cómo se llamaba, — y si es de los doce pares.
El mancebo estando en esto — luego dijo la verdad,
que le llaman Valdovinos, — sobrino de don Roldán.   185
Cuando el moro tal oyó — empezóle de hablar:
—Por ser de tan pocos días, — y de esfuerzo singular
yo te quiero dar la vida, — y no te quiero matar;
mas quiérote llevar preso — porque te venga a buscar
tu buen pariente Oliveros, — y ese tu tío don Roldán,   190
y ese otro muy esforzado — Reinaldos de Montalván,
que por esos tres ha sido — mi venida a pelear.
Don Roldán allá do estaba — no hace sino sospirar,
viendo que el moro ha vencido — a Valdovinos el infante.
Sin más hablar con ninguno — don Roldán luego se parte   195
íbase para la guardia — para aquel moro matar.
El moro cuando lo vido — empezóle a preguntar
quién es o cómo se llama, — o si era de los doce pares.
Don Roldán cuando esto oyó — respondiérale muy mal:
—Esa razón, perro moro, — tú no me las has de tomar,   200
porque a ese a quien tú tienes — yo te lo haré soltar:
presto aparéjate, moro, — y empieza de pelear.
Vanse el uno para el otro — con un esfuerzo muy grande:
danse tan recios encuentros — que el moro caído ha;
Roldán que al moro vio en tierra — luego se fue apear: 205
—Dime tú, traidor de moro, — no me lo quieras negar:
¿cómo tú fuiste osado — de en toda Francia parar,
ni al buen viejo emperador, — ni a los doce desafiar?
¿Cuál diablo te engañó — cerca de París llegar?
El moro cuando esto oyera — tal respuesta le fue a dar: 210
—Tengo una cativa mora, — mujer de muy gran linaje:
requeríla yo de amores, — y ella me fue a demandar
que le diese tres cabezas — de París, esa ciudad:
que si éstas yo le llevo — comigo había de casar;
la una es de Oliveros, — la otra de don Roldán,   215
la otra del esforzado — Reinaldos de Montalván.
Don Roldán cuando esto oyera — así le empezó de hablar:
—¡Mujer que tal te pedía — cierto te quería mal,
porque esas no son cabezas — que tú las puedes cortar!

226

mas porque a ti sea castigo, — y otro se haya de guardar   220
de desafiar a los doce, — ni venirlos a buscar,
echó mano a un estoque — para el moro matar.
La cabeza de los hombros — luego se la fue a cortar:
llevóla al emperador — y fuésela a presentar.
Los doce cuando esto vieron — toman placer singular   225
en ver así muerto al moro, — y por tal mengua le dar.
También trajo a Valdovinos — que él mismo lo fue a soltar.
Así murió Calaínos — en Francia la natural,
por manos del esforzado — el buen paladín Roldán.

78

Romance del conde Claros de Montalván *

Media noche era por filo, — los gallos querían cantar,
conde Claros con amores — no podía reposar:
dando muy grandes sospiros — que el amor le hacía dar,
por amor de Claraniña — no le deja sosegar.
Cuando vino la mañana — que quería alborear,   5
salto diera de la cama — que parece un gavilán.
Voces da por el palacio, — y empezara de llamar:
—Levantá, mi camarero, — dame vestir y calzar.
Presto estaba el camarero — para habérselo de dar:
diérale calzas de grana, — borceguís de cordobán;   10
diérale jubon de seda — aforrado en zarzahán;
diérale un manto rico — que no se puede apreciar;
trescientas piedras preciosas — al derredor del collar;
tráele un rico caballo — que en la corte no hay su par,
que la silla con el freno — bien valía una ciudad,   15
con trescientos cascabeles — al rededor del petral;
los ciento eran de oro, — y los ciento de metal,
y los ciento son de plata — por los sones concordar;
y vase para el palacio — para el palacio real.
A la infanta Claraniña — allí la fuera hallar,   20
trescientas damas con ella — que la van acompañar.
Tan linda va Claraniña, — que a todos hace penar.
Conde Claros que la vido — luego va descabalgar;
las rodillas por el suelo — le comenzó de hablar:
—Mantenga Dios a tu Alteza. — Conde Claros, bien   25
                                            [vengáis.
Las palabras que prosigue — eran para enamorar:
—Conde Claros, conde Claros, — el señor de Montalván,

---

* *Primavera*, pág. 435. Del *Cancionero de romances s.a.* Romance juglaresco de tema amoroso y clara influencia francesa. Era muy utilizado
para las danzas cortesanas en el siglo XVI.

¡cómo habéis hermoso cuerpo — para con moros lidiar!
Respondiera el conde Claros, — tal respuesta le fue a dar:
—Mi cuerpo tengo, señora, — para con damas holgar: 30
si yo os tuviese esta noche, — señora a mi mandar,
otro día en la mañana — con cient moros pelear,
si a todos no los venciese — que me mandase matar.
—Calledes, conde, calledes, — y no os queráis alabar:
el que quiere servir damas — así lo suele hablar,   35
y al entrar en las batallas — bien se saben excusar.
—Si no lo creéis, señora, — por las obras se verá:
siete años son pasados — que os empecé de amar,
que de noche yo no duermo, — ni de día puedo holgar.
—Siempre os preciastes, conde, — de las damas os burlar;   40
mas déjame ir a los baños, — a los baños a bañar;
cuando yo sea bañada — estoy a vuestro mandar.
Respondiérale el buen conde, — tal respuesta le fue a dar:
—Bien sabedes vos, señora, — que soy cazador real;
caza que tengo en la mano — nunca la puedo dejar.   45
Tomárala por la mano, — para un vergel se van;
a la sombra de un aciprés, — debajo de un rosal,
de la cintura arriba — tan dulces besos se dan,
de la cintura abajo — como hombre y mujer se han.
Mas la fortuna adversa — que a placeres da pesar,   50
por ahí pasó un cazador, — que no debía de pasar,
detrás de una podenca, — que rabia debía matar.
Vido estar al conde Claros — con la infanta a bel holgar.
El conde cuando le vido — empezóle de llamar:
—Ven acá tú, el cazador, — así Dios te guarde de mal: 55
de todo lo que has visto — tú nos tengas poridad.
Darte he yo mil marcos de oro, — y si más quisieres, más;
casarte he con una doncella — que era mi prima carnal;
darte he en arras y en dote — la villa de Montalván:
de otra parte la infanta — mucho más te puede dar.   60
El cazador sin ventura — no les quiso escuchar:
vase por los palacios — ado el buen rey está.
—Manténgate Dios, el rey, — y a tu corona real:
una nueva yo te traigo — dolorosa y de pesar,
que no os cumple traer corona — ni en caballo cabalgar.   65
La corona de la cabeza — bien la podéis vos quitar,

si tal deshonra como ésta — la hubieseis de comportar,
que he hallado la infanta — con Claros de Montalván,
besándola y abrazando — en vuestro huerto real:
de la cintura abajo — como hombre y mujer se han.   70
El rey con muy grande enojo — al cazador mandó matar,
porque había sido osado — de tales nuevas llevar.
Mandó llamar sus alguaciles — apriesa, no de vagar,
mandó armar quinientos hombres — que le hayan de
[acompañar,
para que prendan al conde — y le hayan de tomar   75
y mandó cerrar las puertas, — las puertas de la ciudad.
A las puertas del palacio — allá le fueron a hallar,
preso llevan al buen conde — con mucha seguridad,
unos grillos a los pies, — que bien pesan un quintal;
las esposas a las manos, — que era dolor de mirar;   80
una cadena a su cuello, — que de hierro era el collar.
Cabálganle en una mula — por más deshonra le dar;
metiéronle en una torre — de muy gran escuridad:
las llaves de la prisión — el rey las quiso llevar,
porque sin licencia suya — nadie le pueda hablar.   85
Por él rogaban los grandes — cuantos en la corte están,
por él rogaba Oliveros, — por él rogaba Roldán,
y ruegan los doce pares — de Francia la natural;
y las monjas de Sant Ana — con las de la Trinidad
llevaban un crucifijo — para al buen rey rogar.   90
Con ellas va un arzobispo — y un perlado y cardenal;
mas el rey con grande enojo — a nadie quiso escuchar,
antes de muy enojado — sus grandes mandó llamar.
Cuando ya los tuvo juntos — empezóles de hablar:
—Amigos y hijos míos, — a lo que vos hice llamar,   95
ya sabéis que el Conde Claros, — el señor de Montalván,
de cómo le he criado — fasta ponello en edad,
y le he guardado su tierra, — que su padre le fue a dar,
el que morir no debiera, — Reinaldos de Montalván,
y por facelle yo más grande, — de lo mío le quise dar;   100
hícele gobernador — de mi reino natural.
Él por darme galardón, — mirad, en qué fue a tocar,
que quiso forzar la infanta, — hija mía natural.
Hombre que lo tal comete — ¿qué sentencia le han de dar?

Todos dicen a una voz — que lo hayan de degollar,   105
y así la sentencia dada — el buen rey la fue a firmar.
El arzobispo que esto viera — al buen rey fue a hablar,
pidiéndole por merced — licencia le quiera dar
para ir a ver al conde — y su muerte le denunciar.
—Pláceme, dijo el buen rey, — pláceme de voluntad;   110
mas con esta condición: — que solo habéis de andar
con aqueste pajecico — de quien puedo bien fiar.
Ya se parte el arzobispo — y a las cárceles se va.
Las guardas desque lo vieron — luego le dejan entrar;
con él iba el pajecico — que le va a acompañar.   115
Cuando vido estar al conde — en su prisión y pesar,
las palabras que le dice — dolor eran de escuchar.
—Pésame de vos, el conde, — cuanto me puede pesar,
que los yerros por amores — dignos son de perdonar.
Por vos he rogado al rey, — nunca me quiso escuchar,   120
antes ha dado sentencia — que os hayan de degollar.
Yo vos lo dije, sobrino, — que vos dejásedes de amar,
que el que las mujeres ama — atal galardón le dan,
que haya de morir por ellas — y en las cárceles penar.
Respondiera el buen conde — con esfuerzo singular: 125
—Calledes por Dios, mi tío, — no me queráis enojar;
quien no ama las mujeres — no se puede hombre llamar;
mas la vida que yo tengo — por ellas quiero gastar.
Respondió el pajecico, — tal respuesta le fue a dar:
—Conde, bienaventurado — siempre os deben de llamar,   130
porque muerte tan honrada — por vos había de pasar;
más envidia he de vos, conde — que mancilla ni pesar:
más querría ser vos, conde, — que el rey que os manda
                                        [matar,
porque muerte tan honrada — por mí hubiese de pasar.
Llaman yerro la fortuna — quien no la sabe gozar,   135
la priesa del cadahalso — vos, conde, la debéis dar;
si no es dada la sentencia — vos la debéis de firmar.
El conde que esto oyera — tal respuesta le fue a dar;
—Por Dios te ruego, el paje, — en amor de caridad,
que vayas a la princesa — de mi parte a le rogar,   140
que suplico a su Alteza — que ella me salga a mirar,
que en la hora de mi muerte — yo la pueda contemplar,

que si mis ojos la veen — mi alma no penará.
Ya se parte el pajecico, — ya se parte, ya se va,
llorando de los sus ojos — que quería reventar.   145
Topara con la princesa, — bien oiréis lo que dirá:
—Agora es tiempo, señora, — que hayáis de remediar,
que a vuestro querido el conde — lo lleven a degollar.
La infanta que esto oyera — en tierra muerta se cae;
damas, dueñas y doncellas — no la pueden retornar,   150
hasta que llegó su aya — la que la fue a criar.
—¿Qué es aquesto, la infanta? — aquesto, ¿qué puede estar?
—¡Ay triste de mí, mezquina, — que no sé qué puede estar!
¡que si al conde me matan — yo me habré desesperar!
—Saliésedes vos, mi hija, — saliésedes a lo quitar.   155
Ya se parte la infanta, — ya se parte, ya se va:
fuese para el mercado — donde lo han de sacar.
Vido estar el cadahalso — en que lo han de degollar,
damas, dueñas y doncellas — que lo salen a mirar.
Vio venir la gente de armas — que lo traen a matar,   160
los pregoneros delante — por su yerro publicar.
Con el poder de la gente — ella no podía pasar.
—Apartádvos, gente de armas, — todos me haced lugar,
si no... ¡por vida del rey, — a todos mande matar!
La gente que la conoce — luego le hace lugar,   165
hasta que llegó el conde — y le empezara de hablar:
—Esforzá, esforzá, el buen conde, — y no queráis desmayar,
que aunque yo pierda la vida, — la vuestra se ha de salvar.
El aguacil que esto oyera — comenzó de caminar;
vase para los palacios — adonde el buen rey está.   170
—Cabalgue la vuestra Alteza, — apriesa, no de vagar,
que salida es la infanta — para el conde nos quitar.
Los unos manda que maten, — y los otros enforcar:
si vuestra Alteza no socorre, — yo no puedo remediar.
El buen rey de que esto oyera — comenzó de caminar,   175
y fuese para el mercado — ado el conde fue a hallar.
—¿Qué es esto, la infanta? — aquesto, ¿qué puede estar?
¿La sentencia que yo he dado —vos la queréis revocar?
Yo juro por mi corona, — por mi corona real,
que si heredero tuviese — que me hubiese de heredar,   180
que a vos y al conde Claros — vivos vos haría quemar.

—Que vos me matéis, mi padre, — muy bien me podéis matar,
mas suplico a vuestra Alteza, — que se quiera él acordar
de los servicios pasados — de Reinaldos de Montalván,
que murió en las batallas, — por tu corona ensalzar: 185
por los servicios del padre — al hijo debes galardonar;
por malquerer de traidores — vos no le debéis matar,
que su muerte será causa — que me hayáis de disfamar.
Mas suplico a vuestra Alteza — que se quiera consejar,
que los reyes con furor — no deben de sentenciar,   190
porque el conde es de linaje — del reino más principal,
porque él era de los doce — que a tu mesa comen pan.
Sus amigos y parientes — todos te querrían mal,
revolver te hían guerra, — tus reinos se perderán.
El buen rey que esto oyera — comenzara a demandar: 195
—Consejo os pido, los míos, — que me queráis consejar.
Luego todos se apartaron — por su consejo tomar.
El consejo que le dieron, — que le haya de perdonar
por quitar males y bregas, — y por la princesa afamar.
Todos firman el perdón, — el buen rey fue a firmar: 200
también le aconsejaron, — consejo le fueron dar,
pues la infanta quería al conde, — con él haya de casar,
Ya desfierran al buen conde, — ya lo mandan desferrar:
descabalga de una mula, — el arzobispo a desposar.
Él tomóles de las manos, — así los hubo de juntar.   205
Los enojos y pesares — en placer hubieron de tornar.

79

Primer romance de Gaiferos*

Estábase la condesa — en su estrado asentada,
tijericas de oro en mano — su hijo afeitando¹ estaba.
Palabras le está diciendo, — palabras de antigüedad²,
las palabras eran tales — que al niño hacen llorar:
—Dios te dé barbas en rostro — y en el cuerpo fuerza grande;   5
dete Dios ventura en armas — como al paladín Roldán,
porque vengases, mi hijo, — la muerte de vuestro padre:
matáronlo a traición — por casar con vuestra madre;
ricas bodas me hicieron — las cuales Dios no ha parte,
ricos paños me cortaron, — la reina no los ha tales.   10
Maguera³ pequeño el niño — bien entendido lo ha;
allí respondió Gaiferos, — bien oiréis lo que dirá:
—Así lo ruego a Dios del cielo — y a Santa María madre.
Oído lo había el conde — en los palacios do está.
—Calléis, calléis, la condesa, — boca mala sin verdad,   15
que yo no matara al conde, — ni lo hiciere matar,
mas tus palabras, condesa, — el niño las pagará.
Mandó llamar escuderos, — criados son de su padre,
para que lleven al niño, — que lo lleven a matar;
la muerte que les dijera — mancilla⁴ es de la escuchar: 20
—Córtenle el pie del estribo⁵, — la mano del gavilán⁶,

---

* *Pliego S.*, pág. 9. Hemos tomado este romance y el siguiente de un pliego suelto impreso en Barcelona por Pedro Malo a fines del XVI, perteneciente a la Biblioteca de Campo Alange. Son romances juglarescos, de ambiente carolingio, aunque sus temas pertenecen al folklore universal y su estilo es muy cercano al popular. Se conservan varias versiones en la tradición oral actual que han fundido los dos romances en uno, acortándolos notablemente (Ver, por ejemplo, M. Pelayo, *Suplemento*, págs. 198-200).

¹ 'cortándole el cabello'.
² error por *gravedad*.
³ 'a pesar de ser'.
⁴ 'dolor'.
⁵ 'el izquierdo'.
⁶ 'la derecha'.

234

sáquenle ambos los ojos, — por más seguro andar,
y el dedo y el corazón — traédmelo por señal.
Ya lo llevan a Gaiferos, — ya lo llevan a matar,
fablaban los escuderos — con mancilla que de él han: 25
—¡Oh, válasme Dios del cielo — y Santa María su madre!
si este niño matamos, — ¿qué galardón nos darán?
Ellos en aquesto estando, — no sabiendo qué farán,
vieron venir una perrica, — la cual era de la madre;
allí fabló uno de ellos, — bien oiréis lo que dirá: 30
—Matemos esta perrica — por nuestra seguridad,
saquémosle el corazón — y llevémoslo al Galván,
cortémosle el dedo chico, — por llevar mejor señal.
Ya toman a Gaiferos — para el dedo le cortar.
—Venid acá, vos, Gaiferos, — y querednos escuchar: 35
vos idos de aquesta tierra, — que no parezcáis aquí más.
Ya le daban entre señas — el camino que fará:
Iros heis de tierra en tierra — a do vuestro tío está.
Gaiferos, desconsolado, — para un monte se va;
los escuderos se volvieron — para do estaba Galván,   40
danle dedo y corazón — y dicen que muerto lo han.
La condesa que esto oyera — empezara a gritos dar,
lloraba de sus ojos — que querría reventar.
Dejemos a la condesa — que muy grande llanto hace,
y digamos de Gaiferos — y del camino que hace,   45
que de día ni de noche — no hace sino caminar
hasta que llegó a la tierra — adonde su tío estaba.
Dícele de esta manera — y empezóle de fablar:
—Manténgaos Dios, el mi tío, — —Mi sobrino, bien vengáis,
¿qué buena venida es ésta? — vos me la queráis contar.   50
—La venida que yo vengo — triste es y con pesar
que Galván, con grande enojo, — mandado me había matar;
mas lo que os ruego, mi tío, — y lo que os vengo a rogar,
que vamos a vengar la muerte — de aquel buen conde, mi
                                            [padre;
matáronle a traición — por casar con la mi madre.   55
—Soseguéis, el mi sobrino, — vos queráis asosegar,
que la muerte de mi hermano — bien la iremos a vengar.
Y ellos así estuvieron — dos años, y aún más,
hasta que dijo Gaiferos — y empezara de fablar

80

Síguese el segundo romance de Gaiferos *

—Vámonos, dijo, mi tío, — en París, esa ciudad,
en figura de romeros, — no nos conozca Galván,
que si Galván nos conoce — mandarnos hía matar.
Encima de ropas de seda — vistamos la de sayal,
llevemos nuestras espadas, — por más seguros andar,   5
llevemos sendos bordones, — por la gente asegurar.
Ya se parten los romeros, — ya se parten, ya se van,
de noche por los caminos, — de día por los jarales.
Andando por sus jornadas — a París llegado han;
las puertas hallan cerradas, — no hallan por dónde entrar.   10
Siete vueltas la rodean — por ver si podrán entrar,
y al cabo de las ocho, — un postigo van a fallar.
Ellos que se vieron dentro — empiezan a demandar:
no preguntan por mesón, — ni menos por hospital,
preguntan por los palacios — donde la condesa está;   15
a las puertas del palacio — allí lo van a demandar
y allí estaban los escuderos, — empezáronles a hablar,
vieron estar la condesa — y empezaron de hablar:
—Dios te salve, la condesa. — —Los romeros, bien vengáis.
—Mandédesnos dar limosna — por honor de caridad.   20
—Con Dios vades, los romeros, — que no os puedo nada dar,
que el conde me había mandado — a romeros no albergar.
—Desnos limosna, señora, — que el conde no lo sabrá,
así la den a Gaiferos — en la tierra donde está.
Así como oyó Gaiferos, — la condesa suspiró;   25
[mandábales dar del vino][1] — mandábales dar del pan.
Ellos en aquesto estando, — el conde llegado ha:
—¿Qué es aquesto, la condesa? — aquesto, ¿qué puede estar?

---

* *Pliego S.*, pág. 11. Ver nota al texto anterior. Este romance era tan
popular que algunos de sus versos se usaban como dichos en los siglos
de oro.

[1] Este octosílabo falta en el original. Lo hemos suplido de acuerdo
con la versión del *Cancionero de 1550*.

¿no os tenía yo mandado — a romeros no albergar?
Y alzara su mano — puñada le fuera a dar   30
que sus dientes menudicos — en tierra los fuera a echar.
Allí hablaron los romeros — y empiezan de hablar:
—¡Por hacer bien la condesa — cierto no merece mal!
—Calledes vos, los romeros, — no hayades vuestra parte.
Alzó Gaiferos su espada — un golpe le fue a dar   35
que la cabeza de sus hombros — en tierra la fue a echar.
Allí habló la condesa — llorando con gran pesar:
—¿Quién érades, los romeros, — que tal cosa vais hacer?
Allí respondió el romero, — tal respuesta le fuera dar:
—Yo soy Gaiferos, señora, — vuestro hijo natural.   40
—Aquesto no puede ser, — ni era cosa verdad,
que el dedo y el corazón — yo lo tengo por señale.
—El corazón que vos tenéis — en persona no fue a estare,
el dedo bien es aqueste — que en esta mano me faltare.
La condesa que esto oyera — empezóle de abrazare,   45
la tristeza que ella tiene — en placer se fue a tornare.

81
Romance de la fuga de Gaiferos *

Media noche era por filo, — los gallos querían cantar,
cuando el infante Gaiferos — salió de captividad;
muerto deja al carcelero — y a cuantos con él están;
vase por una calle ayuso[1] — como hombre mundanal,
hablando en algarabía, — como aquel que bien la sabe.   5
Íbase para la puerta, — la puerta de la ciudad;
halla las puertas cerradas, — no halla por do botar[2].
Desque se vido perdido — empezara de llamar:
—Ábrasme la puerta, el moro, — sí[3] Alá te guarde de mal.
Mensajero soy del rey, — cartas llevo de mensaje.   10
Allá hablara el moro, — bien oiréis lo que dirá:
—Si eres mensajero, amigo, — y cartas llevas de mensaje,
esperases tú al día — y con los otros saldrás.
Desque esto oyera Gaiferos — bien oiréis lo que dirá:
—Ábrasme la puerta, el moro, — sí Alá te guarde de mal.   15
Darte he tres pesantes de oro, — que aquí no traía más.
Oído lo había una morica, — que en altas torres está,
dícele de esta manera, — empezóle de hablar:
—Toma los pesantes, moro, — que menester te serán,
la mujer tienes moza, — hijos chicos de criar.   20
Desque esto oyó el moro — recio se fue a levantar,
las puertas que están cerradas — abríolas de par en par.
Acordósele a Gaiferos — de una espada que trae,
la cabeza de los hombros — derribado se la ha.
Muerto cae el morisco, — en el suelo muerto cae.   25
Desque esto vio la morisca — empieza de gritos dar,
ellos los daba tan grandes — que al cielo quieren llegar:
—¡Abrasmonte, Abrasmonte, — el señor de este lugar!
Cuando acuerdan por Gaiferos, — ya estaba en la cristiandad.

* *Primavera*, pág. 385. De un pliego suelto del siglo XVI. Se suele clasificar entre los romances de ambiente carolingio, aunque en lo único
que recuerda a éstos es en el nombre del protagonista.
[1] 'abajo'.
[2] 'por donde salir'.
[3] en este verso formulístico el *sí* equivale a *así*.

82

De Mérida sale el palmero...*

De Mérida sale el palmero, — de Mérida, esa ciudade;
los pies llevaba descalzos, — las uñas corriendo sangre;
una esclavina trae rota, — que no valía un reale,
y debajo traía otra, — bien valía una ciudade,
que ni rey ni emperador — no alcanzaba otra tale.   5
Camino lleva derecho — de París, esa ciudade;
ni pregunta por mesón, — ni menos por hospital,
pregunta por los palacios — del rey Carlos do estáe.
Un portero está a la puerta, — empezóle de hablare:
—Dijésesme tú, el portero, — el rey Carlos ¿dónde estáe?   10
El portero, que lo vido, — mucho maravillado se hae
cómo un romero tan pobre — por el rey va a preguntare.
—Digádemeslo, señor, — de eso no tengáis pesare.
—En misa estaba, palmero, — allá en San Juan de Letrane,
que dice misa un arzobispo, — y la oficia un cardenale.   15
El palmero, que lo oyera, — íbase para San Juane;
en entrando por la puerta, — bien veréis lo que haráe:
humillóse a Dios del cielo — y a Santa María, su madre,
humillóse al arzobispo, — humillóse al cardenale,
porque decía la misa, — no porque merecía mase,   20
humillóse al emperador — y a su corona reale,
humillóse a los doce — que a una mesa comen pane.
No se humilla a Oliveros, — ni menos a don Roldane,
porque un sobrino que tienen — en poder de moros estáe,
y pudiéndolo hacer, — no le van a rescatare.   25

---

* *Cancionero de 1550*, pág. 237. Otro romance seudo-carolingio. El
tema no tiene ningún antecedente en las composiciones francesas. Esta
versión es un buen ejemplo de los romances con e paragógica (ver *supra*,
página 14). La versión publicada en *Primavera* (pág. 458) tiene la rima
en *á*, resultado de la supresión de la e paragógica y ha quedado un verso
(el segundo) con rima en *áe* porque la palabra final es *sangre*. Lo común
en casos de romances que han utilizado la e paragógica es que, debido
a la desaparición de dicha *e*, se mezclen las rimas en *á* y en *áe*.

Desque aquesto vio Oliveros, — desque aquesto vio Roldane,
sacan ambos las espadas, — para el palmero se vane.
El palmero con su bordón — su cuerpo va mamparare.
Allí hablara el buen rey, — bien oiréis lo que diráe:
—Tate, tate, Oliveros, — tate, tate, don Roldane,   30
o este palmero es loco, — o viene de sangre reale.
Tomárale por la mano, — y empiézale de hablare:
—Dígasme tú, el palmero, — no me niegues la verdade,
¿en qué año y en qué mes — pasaste aguas de la mare?
—En el mes de mayo, señor, — yo las fuera a pasare;   35
porque yo me estaba un día — a orillas de la mare,
en el huerto de mi padre — por haberme de holgare,
cautiváronme los moros, — pasáronme allende el mare,
a la infanta de Sansueña — me fueron a presentare;
la infanta, desque me vido, — de mí se fue a enamorare.   40
La vida que yo tenía, — rey, quiero vos la contare:
en la su mesa comía, — y en su cama me iba a echare.
Allí hablara el buen rey, — bien oiréis lo que diráe:
—Tal cautividad como ésa — quien quiera la tomaráe.
Dígasme tú, el palmerico, — si la iría yo a ganare.   45
—No vades allá, el buen rey, — buen rey, no vades alláe,
porque Mérida es muy fuerte, — bien se vos defenderáe.
Trescientos castillos tiene, — que es cosa de los mirare,
que el menor de todos ellos — bien se os defenderáe.
Allí hablara Oliveros, — allí habló don Roldane: 50
—Miente, señor, el palmero, — miente y no dice verdade,
que en Mérida no hay cien castillos, — ni noventa, a mi
                                                    [pensare,
y estos que Mérida tiene — no tiene quien los defensare,
que ni tenían señor, — ni menos quien los guardare.
Desque esto oyó el palmero, — movido con gran pesare,   55
alzó su mano derecha, — dio un bofetón a Roldane.
Allí hablara el rey, — con furia y con gran pesare:
—Tomadle, la mi justicia, — y llevédeslo ahorcare.
Tomado lo ha la justicia — para haberlo de justiciare
y aun allá al pie de la horca — el palmero fuera hablare: 60
—¡Oh mal hubieses, rey Carlos! — Dios te quiera hacer male,
que un hijo solo que tienes — tú le mandas ahorcare.
Oídolo había la reina, — que se le paró a mirare;

—Dejeslo, la justicia, — no le queráis hacer male,
que si él era mi hijo — encubrir no se podráe,   65
que en un lado ha de tener — un extremado lunare.
Ya le llevan a la reina, — ya se lo van a llevarc;
desnúdanle una esclavina — que no valía un reale,
ya le desnudaban otra — que valía una ciudad;
halládole han al infante, — hallado le han la señale.   70
Alegrías se hicieron — no hay quien las pueda contare.

83

Romance del infante vengador*

Helo, helo, por do viene — el infante vengador,
caballero a la jineta — en un caballo corredor,
su manto revuelto al brazo, — demudada la color,
y en la su mano derecha — un venablo cortador;
con la punta del venablo — sacarían un arador[1],   5
siete veces fue templado — en la sangre de un dragón
y otras tantas afilado — porque cortase mejor,
el hierro fue hecho en Francia — y el asta en Aragón.
Perfilándoselo iba — en las alas de su halcón.
Iba buscar a don Cuadros, — a don Cuadros, el traidor.   10
Allá le fuera a hallar — junto al emperador,
la vara tiene en la mano, — que era justicia mayor.
Siete veces lo pensaba — si lo tiraría o no
y al cabo de las ocho — el venablo le arrojó;
por dar al dicho don Cuadros, — dado ha al emperador,   15
pasado le ha manto y sayo, — que era de un tornasol,
por el suelo enladrillado — más de un palmo lo metió.
Allí le habló el rey, — bien oiréis lo que habló:
—¿Por qué me tiraste, infante? — ¿Por qué me tiras, traidor?
—Perdóneme tu alteza, — que no tiraba a ti, no,   20
tiraba al traidor de Cuadros, — ese falso engañador,
que siete hermanos tenía — no ha dejado si a mí, no[2].
Por eso delante de ti, — buen rey, lo desafío yo.
Todos fían a don Cuadros — y al infante no fían, no,

---

* *Cancionero de 1550*, pág. 150. Wolf y Hofmann *(Primavera)* lo clasi-
ficaron entre los romances novelescos, pero Menéndez Pelayo opina,
atinadamente, que es un romance seudo-carolingio (M. Pelayo, IX,
página 363), y que refleja tradiciones germánicas.
Ver también M. Pidal, *R. Hispánico*, I, págs. 67, 68 y 72, y II, págs. 15
y 193, nota 49.
[1] tan delgada y afilada que se podría usar para sacar un arador (pa-
rásito) de debajo de la piel.
[2] 'sino a mí'.

sino fuera una doncella, — hija es del emperador,   25
que los tomó por la mano — y en el campo los metió.
A los primeros encuentros — Cuadros en tierra cayó.
Apeárase el infante, — la cabeza le cortó
y tomárala en su lanza — y al buen rey la presentó.
De que aquesto vido el rey — con su hija le casó.   30

84

Romance del conde Lombardo*

En aquellas peñas pardas, — en las sierras de Moncayo
fue do el rey mandó prender — al conde Grifos Lombardo,
porque forzó una doncella — camino de Santiago,
la cual era hija de un duque, — sobrina del Padre Santo.
Quejábase ella del fuerzo, — quéjase el conde del grado;   5
allá van a tener pleito — delante de Carlo Magno,
y mientras el pleito dura — al conde han encarcelado
con grillones a los pies, — sus esposas en las manos,
una gran cadena al cuello — con eslabones doblados;
la cadena era muy larga, — rodea todo el palacio,   10
allá se abre y se cierra — en la sala del rey Carlos.
Siete condes la guardaban, — todos se han juramentado
que si el conde se revuelve, — todos serán a matarlo.
Ellos estando en aquesto, — cartas habían llegado
para que casen la infanta — con el conde encarcelado.   15

---

    * *Primavera*, pág. 295. Del cancionero *Flor de enamorados*. Parece que,
a pesar de la mención de Carlomagno, el romance pertenece al ciclo de
Bernardo del Carpio. En las versiones actuales se halla muchas veces
asociado al nombre del héroe español. Claro que siempre es posible
un cruce, en un romance de Bernardo, del romance carolingio.

85

Nuño Vero*

—¡Nuño Vero, Nuño Vero, — buen caballero probado!
hinquedes la lanza en tierra — y arrendedes[1] el caballo,
preguntaros he por nuevas — de Baldovinos el franco.
—Aquesas nuevas, señora, — yo vos las diré de grado:
Esta noche, a media noche, — entramos en cabalgada   5
y los muchos a los pocos — lleváronnos de arrancada[2].
Hirieron a Baldovinos — de una muy mala lanzada,
la lanza tenía dentro, — de fuera le tiembla el asta;
su tío, el emperador, — a penitencia le daba;
o esta noche morirá, — o de buena madrugada.   10
Si te plugiese, Sebilla, — fueses tú mi enamorada;
adamédesme[3], señora, — que en ello no perderéis nada.
—¡Nuño Vero, Nuño Vero, — mal caballero probado!
yo te pregunto por nuevas, — tú respóndesme al contrario,
que aquesta noche pasada — conmigo durmiera el franco;   15
él me diera una sortija, — y yo le di un pendón labrado.

* *Cancionero de 1550*, pág. 250. Este romance y el siguiente tienen su origen en la *Chanson des Saisnes* de Juan Bodel a través de una traducción española arreglada. Este de Nuño Vero conserva el nombre de la mujer del paladín francés: Sevilla: en el siguiente romance, *Sevilla* es ya la ciudad, y la amada de Valdovinos no tiene nombre.
Cfr. M. Pelayo, IX, págs. 349-350 y M. Pidal, *R. Hispánico*, I, páginas 251-256.
Nótese la semejanza de los versos 2, 3 y 11 de este romance con los versos 2, 3 y 17 del 126.
[1] 'atad por las riendas'.
[2] 'nos vencieron'.
[3] 'amadme'.

86

Romance de Valdovinos*

Por los caños de Carmona, — por do va el agua a Sevilla,
por ahí iba Valdovinos — y con él su linda amiga.
Los pies lleva por el agua — y la mano en la loriga[1],
con el temor de los moros — no le tuviesen espía.
Júntanse boca con boca, — nadie no los impedía.   5
Valdovinos, con angustia, — un suspiro dado había.
—¿Por qué suspiráis, señor, — corazón y vida mía?
O tenéis miedo a los moros, — o en Francia tenéis amiga.
—No tengo miedo a los moros, — ni en Francia tengo amiga,
mas vos mora y yo cristiano — hacemos muy mala vida,   10
comemos la carne en viernes, — lo que mi ley defendía,
siete años había, siete, — que yo misa no la oía;
si el emperador lo sabe — la vida me costaría.
—Por tus amores, Valdovinos, — cristiana me tornaría.
—Yo, señora, por los vuestros, — moro de la morería.   15

---

* *Apéndice*, pág. 68. Ver la nota al romance anterior. La versión que
publicamos aquí es la que Menéndez Pelayo tomó de Juan de Ribera.
    [1] 'armadura'.

87

Arriba, canes, arriba...*

¡Arriba, canes, arriba! — ¡que rabia mala os mate!
En jueves matáis el puerco — y en viernes coméis la carne.
Ay, que hoy hace los siete años — que ando por este valle,
pues traigo los pies descalzos, — las uñas corriendo sangre;
pues como las carnes crudas — y bebo la roja sangre,   5
buscando, triste, a Julianesa, — la hija del emperante,
pues me la han tomado moros, — mañanica de San Juan
cogiendo rosas y flores — en un vergel de su padre.
Oído lo ha Julianesa, — que en brazos del moro está,
las lágrimas de sus ojos — al moro dan en la faz.   10

---

* *Cancionero de 1550*, pág. 282. Quizá esté relacionado con la *Chanson d'Aye d'Avignon* (cfr. M. Pidal, *R. Hispánico*, I, pág. 262). El último verso es de una gran belleza.

88

Romance del conde Benalmenique*

Del soldán de Babilonia, — de ese os quiero decir,
que le dé Dios mala vida — y a la postre peor fin.
Armó naves y galeras, — pasan de sesenta mil,
para ir a combatir — a Narbona la gentil.
Allá va a echar áncoras, — allá al puerto de San Gil,   5
cautivado han al conde, — al conde Benalmenique;
desciéndenlo de una torre, — cabálganlo en un rocín,
la cola le dan por riendas, — por más deshonrado ir.
Cien azotes dan al conde, — y otros tantos al rocín:
al rocín, porque anduviese, — al conde, por lo rendir.   10
La condesa, desque lo supo, — sáleselo a recibir:
—Pésame de vos, señor, — conde, de veros así,
daré yo por vos, el conde, — las doblas sesenta mil,
y si no bastaren, conde, — a Narbona la gentil,
si esto no bastare, el conde, — a tres hijas que yo parí: 15
yo las pariera, buen conde, — y vos las hubistes en mí,
y si no bastare, conde, — señor, védesme aquí a mí.
—Muchas mercedes, condesa, — por vuestro tan buen decir;
no dedes por mí, señora, — tan sólo un maravedí,
heridas tengo de muerte, — de ellas no puedo guarir.   20
Adiós, adiós, la condesa, — que ya me mandan ir de aquí.
—Vayades con Dios, el conde, — y con la gracia de San Gil,
Dios os lo eche en suerte — a ese Roldán paladín.

---

* *Cancionero de 1550*, pág. 138. Procede del poema provenzal *Aimeri*, donde se relata un episodio semejante. Cfr. M. Pidal, *R. Hispánico*, I, páginas 258-259.

89

Romance de Bovalías el infante*

Durmiendo está el rey Almanzor — a un sabor atán grande,
los siete reyes de moros — no lo osaban recordare[1],
recordólo Bovalías, — Bovalías el infante:
—Si dormides, el mi tío, — si dormides, recordad,
mandadme dar las escalas — que fueron del rey, mi padre,   5
y dadme los siete mulos — que las habían de llevar,
y me deis los siete moros — que las habían de armar,
que amores de la condesa — yo no los puedo olvidar.
—Malas mañas habéis, sobrino, — no las podéis olvidar,
al mejor sueño que duermo — luego me vais a recordar.   10
Ya le dan las escalas — que fueron del rey, su padre,
ya le dan los siete mulos — que las habían de llevar,
ya le dan los siete moros — que las habían de armar.
A paredes de la condesa, — allá las fueron a echar,
allá, al pie de una torre, — y arriba subido han;   15
en brazos del conde Almenique — la condesa van a hallar,
el infante la tomó, — y con ella ido se han.

---

* *Cancionero de 1550*, pág. 319. Relacionado también con el *Aimeri;*
Menéndez Pidal cree que debe de proceder de una gesta perdida del
Conde Almerique que contuviera un episodio que no está en la *Chanson*
francesa que poseemos (M. Pidal, *R. Hispánico*, I, pág. 257).
   [1] 'despertar'.

90

Romance de Bovalías el pagano*

Por las sierras de Moncayo — vi venir un renegado.
Bovalías ha por nombre, — Bovalías el pagano;
siete veces fuera moro — y otras tantas mal cristiano
y al cabo de las ocho — engañólo su pecado,
que dejó la fe de Cristo, — la de Mahoma ha tomado.   5
Este fuera el mejor moro — que allende había pasado.
Cartas le fueron venidas — que Sevilla está en un llano;
arma naos y galeras, — gente de a pie y de caballo,
por Guadalquivir arriba — su pendón llevan alzado.
En el campo de Tablada — su real había asentado   10
con trescientas de las tiendas — de seda, oro y brocado;
nel medio de todas ellas — está la del renegado:
encima, en el chapitel, — estaba un rubí preciado,
tanto relumbra de noche — como el sol en día claro.

---

* *Cancionero de 1550*, pág. 249. Menéndez Pidal opina que este Bovalías
no tiene nada que ver con el Bovalías de los romances del conde Almerique (rom. 88 y 89); sin embargo se puede ver en este romance influencias de los romances carolingios en la piedra que relumbra «como el
sol en día claro», motivo utilizado tanto en poemas franceses (justamente
el de *Aimeri*), como en romances españoles (por ejemplo, el de *Rosaflorida*, núm. 179 de *Primavera*). Quizá el nombre del protagonista
haya atraído el motivo carolingio a un romance de inspiración libre.

91
Domingo era de Ramos...*

Domingo era de Ramos, — la Pasión quieren decir,
cuando moros y cristianos — todos entran en la lid.
Ya desmayan los franceses, — ya comienzan de huir;
¡oh, cuán bien los esforzaba — ese Roldán paladín!
—Vuelta, vuelta, los franceses, — con corazón a la lid,   5
más vale morir por buenos — que deshonrados vivir.
Ya volvían los franceses — con corazón a la lid,
a los encuentros primeros — mataron sesenta mil.
Por las sierras de Altamira — huyendo va el rey Marsín,
caballero en una cebra, — no por mengua de rocín.   10
La sangre que de él corría — las yerbas hace teñir,
las voces que iba dando — al cielo querían subir:
—¡Reniego de ti, Mahoma, — y de cuanto hice en ti!
Hícete cuerpo de plata, — pies y manos de un marfil,
hícete casa de Meca — donde adorasen en ti,   15
y por más te honrar, Mahoma, — cabeza de oro te fiz;
sesenta mil caballeros — a ti te los ofrecí,
mi mujer, la reina mora, — te ofreció treinta mil.

---

* *Cancionero de 1550*, pág. 284. Proviene del *Roncesvalles* y es una versión breve y muy tradicionalizada de *La huida del rey Marsín (Apéndice, página 50)*.
  Cfr. al respecto M. Pidal, *R. Hispánico*, I, págs. 246-248; J. Horrent, *La chanson de Roland dans les littératures française et espagnole; id., Roncesvalles; íd.,* «Les romances carolingiens de Roncevaux», y W. J. Entwistle, *European Balladry.*

92

Romance del conde Guarinos *

¡Mala la vistes, franceses, — la caza de Roncesvalles!
Don Carlos perdió la honra, — murieron los doce pares,
cativaron a Guarinos — almirante de las mares:
los siete reyes de moros — fueron en su cativar.
Siete veces echan suertes — cuál de ellos lo ha de llevar;   5
todas siete le cupieron — a Marlotes el infante.
Más lo preciara Marlotes — que Arabia con su ciudad.
Dícele de esta manera, — y empezóle de hablar:
—Por Alá te ruego, Guarinos, — moro te quieras tornar;
de los bienes de este mundo — yo te quiero dar asaz.   10
Las dos hijas que yo tengo — ambas te las quiero dar,
la una para el vestir, — para vestir y calzar,
la otra para tu mujer, — tu mujer la natural.
Darte he en arras y dote — Arabia con su ciudad;
si más quisieses, Guarinos, — mucho más te quiero dar.   15
Allí hablara Guarinos, — bien oiréis lo que dirá:
—¡No lo mande Dios del cielo — ni Santa María su Madre,
que deje la fe de Cristo — por la de Mahoma tomar,
que esposica tengo en Francia, — con ella entiendo casar!
Marlotes con gran enojo — en cárceles lo manda echar   20
con esposas a las manos — porque pierda el pelear;
el agua fasta la cinta — porque pierda el cabalgar;
siete quintales de fierro — desde el hombro al calcañar.
En tres fiestas que hay en el año — le mandaba justiciar;
la una Pascua de Mayo, — la otra por Navidad,   25

---

    * *Primavera*, pág. 418. Del *Cancionero de romances s.a.* Romance
juglaresco de invención libre aunque inspirado en canciones de gesta
francesas *(Enfances Vivien, Ogier le danois)*, y muy popular en el siglo XVI.
    Curiosamente, se canta algo semejante en Rusia. Esto despistó mucho
a Gaston Paris y a Menéndez Pelayo. Menéndez Pidal dice que en los
comienzos del Romanticismo, Karamsin tradujo el romance y parece
ser que se tradicionalizó *(R. Hispánico*, I, págs. 268-269).

la otra Pascua de Flores, — esa fiesta general.
Vanse días, vienen días, — venido era el de Sant Juan,
donde cristianos y moros — hacen gran solemnidad.
Los cristianos echan juncia, — y los moros arrayán;
los judíos echan eneas — por la fiesta más honrar.   30
Marlotes con alegría — un tablado mandó armar,
ni más chico ni más grande, — que al cielo quiere llegar.
Los moros con alegría — empiézanle de tirar:
tira el uno, tira el otro, — no llegan a la mitad.
Marlotes con enconía — un plegón mandara dar,   35
que los chicos no mamasen, — ni los grandes coman pan,
fasta que aquel tablado — en tierra haya de estar.
Oyó el estruendo Guarinos — en las cárceles do está:
—¡Oh válasme Dios del cielo — y Santa María su Madre!
o casan hija de rey, — o la quieren desposar,   40
o era venido el día — que me suelen justiciar.
Oídolo ha el carcelero — que cerca se fue a hallar:
—No casan hija de rey, — ni la quieren desposar,
ni es venida la Pascua — que te suelen azotar;
mas era venido un día, — el cual llaman de Sant Juan,   45
cuando los que están contentos — con placer comen su pan.
Marlotes de gran placer — un tablado mandó armar;
el altura que tenía — al cielo quiere allegar.
Hanle tirado los moros, — no le pueden derribar;
Marlotes de enojado — un plegón mandara dar,   50
que ninguno no comiese — fasta habello de derribar.
Allí respondió Guarinos, — bien oiréis qué fue a hablar:
—Si vos me dais mi caballo, — en que solía cabalgar,
y me diésedes mis armas, — las que yo solía armar,
y me diésedes mi lanza, — la que solía llevar,   55
aquellos tablados altos — yo los entiendo derribar,
y si no los derribase — que me mandasen matar.
El carcelero que esto oyera — comenzóle de hablar:
—¡Siete años había, siete — que estás en este lugar,
que no siento hombre del mundo — que un año pudiese estar,   60
y aún dices que tienes fuerza — para el tablado derribar!
Mas espera tú, Guarinos, — que yo lo iré a contar
a Marlotes el infante — por ver lo que me dirá.
Ya se parte el carcelero, — ya se parte, ya se va;

como fue cerca del tablado — a Marlotes fue a hablar: 65
—Unas nuevas vos traía — queráismelas escuchar:
sabé que aquel prisionero — aquesto dicho me ha:
que si le diesen su caballo, — el que solía cabalgar,
y le diesen las sus armas, — que él se solía armar,
que aquestos tablados altos — él los entiende derribar. 70
Marlotes de que esto oyera — de allí lo mandó sacar;
por mirar si en caballo — él podría cabalgar,
mandó buscar su caballo, — y mandáraselo dar,
que siete años son pasados — que andaba llevando cal.
Armáronlo de sus armas, — que bien mohosas están. 75
Marlotes desque lo vido — con reír y con burlar
dice que vaya al tablado — y lo quiera derribar.
Guarinos con grande furia — un encuentro le fue a dar,
que más de la mitad dél — en el suelo fue a echar.
Los moros de que esto vieron — todos le quieren matar; 80
Guarinos como esforzado — comenzó de pelear
con los moros, que eran tantos, — que el sol querían quitar.
Peleara de tal suerte — que él se hubo de soltar,
y se fuera a su tierra — a Francia la natural:
grandes honras le hicieron — cuando le vieron llegar, 85

93
En los campos de Alventosa... *

En los campos de Alventosa — mataron a don Beltrán,
nunca lo echaron de menos — hasta los puertos pasar.
Siete veces echan suertes — quién lo volverá a buscar,
todas siete le cupieron — al buen viejo de su padre;
las tres fueron por malicia — y las cuatro con maldad. 5
Vuelve riendas al caballo — y vuélveselo a buscar,
de noche por el camino, — de día por el jaral.
Por la matanza va el viejo, — por la matanza adelante;
los brazos lleva cansados — de los muertos rodear,
no hallaba al que busca, — ni menos la su señal; 10
vido todos los franceses — y no vido a don Beltrán.
Maldiciendo iba el vino, — maldiciendo iba el pan,
el que comían los moros, — que no el de la cristiandad;
maldiciendo iba el árbol — que solo en el campo nace,
que todas las aves del cielo — allí se vienen a asentar, 15
que de rama ni de hoja — no le dejaban gozar;
maldiciendo iba el caballero — que cabalgaba sin paje:
si se le cae la lanza — no tiene quien se la alce,
y si se le cae la espuela — no tiene quién se la calce;
maldiciendo iba la mujer — que tan sólo un hijo pare: 20
si enemigos se lo matan — no tiene quién lo vengar.
A la entrada de un puerto, — saliendo de un arenal,
vido en esto estar un moro — que velaba en un adarve;
hablóle en algarabía, — como aquel que bien la sabe:
—Por Dios te ruego, el moro, — me digas una verdad: 25
caballero de armas blancas — si lo viste acá pasar,
y si tú lo tienes preso, — a oro te lo pesarán,
y si tú lo tienes muerto — désmelo para enterrar,
pues que el cuerpo sin el alma — sólo un dinero no vale.

---

* *Cancionero de 1550*, pág. 251. Según J. Horrent (*La chanson de Roland
dans les littératures francaise et espagnole*, págs. 508 y 517) este romance
procede de una refundición del *Roncesvalles* del siglo XIV o XV, y fue
muy popular en el siglo XVI. Cfr. también M. Pelayo, IX, págs. 331-333.

—Ese caballero, amigo, — dime tú qué señas trae.   30
—Blancas armas son las suyas, — y el caballo es alazán,
en el carrillo derecho — él tenía una señal,
que siendo niño pequeño — se la hizo un gavilán.
—Aquel caballero, amigo, — muerto está en aquel pradal;
las piernas tiene en el agua, — y el cuerpo en el arenal;   35
siete lanzadas tenía — desde el hombro al carcañal,
y otras tantas su caballo — desde la cincha al pretal.
No le des culpa al caballo, — que no se la puedes dar,
que siete veces lo sacó — sin herida y sin señal,
y otras tantas lo volvió — con gana de pelear.   40

94

Romance de doña Alda *

En París está doña Alda, — la esposa de don Roldán,
trescientas damas con ella — para la acompañar:
todas visten un vestido, — todas calzan un calzar,
todas comen a una mesa, — todas comían de un pan,
sino era doña Alda — que era la mayoral[1];   5
las ciento hilaban oro, — las ciento tejen cendal,
las ciento tañen instrumentos — para doña Alda holgar.
Al son de los instrumentos — doña Alda adormido se ha,
ensoñado había un sueño, — un sueño de gran pesar.
Recordó despavorida — y con un pavor muy grande,   10
los gritos daba tan grandes — que se oían en la ciudad.
Allí hablaron sus doncellas, — bien oiréis lo que dirán:
—¿Qué es aquesto, mi señora? — ¿quién es el que os hizo mal?
—Un sueño soñé, doncellas, — que me ha dado gran pesar:
que me veía en un monte — en un desierto lugar;   15
de so[2] los montes muy altos — un azor vide volar,
tras dél viene una aguililla — que lo ahinca[3] muy mal.
El azor, con grande cuita, — metióse so mi brial,
el aguililla, con grande ira, — de allí lo iba a sacar:
con las uñas lo despluma, — con el pico lo deshace.   20
Allí habló su camarera, — bien oiréis lo que dirá:
—Aquese sueño, señora, — bien os lo entiendo soltar[4]:
el azor es vuestro esposo — que viene de allén la mar,
el águila sodes vos, — con la cual ha de casar,

---

* *Cancionero de 1550*, pág. 182. Este bello poema es otro de los romances que seguramente deriva del de *Roncesvalles*. Para la bibliografía en torno a él ver la del rom. 91, así como M. Pidal, *R. Hispánico*, I, págs. 249-251; M. Pelayo, IX, págs. 319-321, y M. Langer - T. Fernández, «Notas para el romance de doña Alda». El sueño premonitorio es un motivo tópico que se halla en varios romances.
[1] 'de mayor importancia, principal'.
[2] 'debajo de'.
[3] 'acosa'.
[4] 'resolver, interpretar'.

y aquel monte es la iglesia — donde os han de velar.
—Si así es, mi camarera, — bien te lo entiendo pagar.
Otro día de mañana — cartas de fuera le traen;
tintas venían por dentro, — de fuera escritas con sangre,
que su Roldán era muerto — en la caza de Roncesvalles.

Romances novelescos

95

Romance de Tarquino y Lucrecia*

Aquel rey de los romanos — que Tarquino se llamaba
enamoróse de Lucrecia, — la noble y casta romana,
y para dormir con ella — una gran traición pensaba.
Vase muy secretamente — a donde Lucrecia estaba;
cuando en su casa le vido — como a rey le aposentaba.   5
A hora de medianoche — Tarquino se levantaba.
Vase por el aposento — a donde Lucrecia estaba,
a la cuál halló durmiendo — de tal traición descuidada.
En llegando cerca de ella — desenvainó su espada
y a los pechos se la puso; — de esta manera le habla: 10
—Yo soy aquel rey Tarquino, — rey de Roma la nombrada,
el amor que yo te tengo — las entrañas me traspasa;
si cumples mi voluntad — serás rica y estimada,
si no, yo te mataré — con el cruel espada.
—Eso no haré yo, el rey, — sí la vida me costara,   15
que más la quiero perder — que no vivir deshonrada.
Como vido el rey Tarquino — que la muerte no bastaba,
acordó otra traición, — con ella la amenazaba:
—Si no cumples mi deseo, — como yo te lo rogaba,
yo te mataré, Lucrecia, — con un negro de tu casa,   20
y desque muerto lo tenga — echarlo he en la tu cama;
yo diré por toda Roma — que ambos juntos os tomara.
Después que aquesto oyó Lucrecia — que tan gran traición
[pensaba,
cumplióle su voluntad — por no ser tan deshonrada.
Desque Tarquino hubo hecho — lo que tanto deseaba   25
muy alegre y muy contento — para Roma se tornaba.
Lucrecia quedó muy triste — en verse tan deshonrada;

---

* *Cancionero de 1550*, pág. 270. De factura erudita. Lo hemos tomado
como ejemplo de la presencia de temas romanos en el Romancero.
Éste y otros romances de tipo erudito, han dejado rastros en la tradición
oral sefardí; según Menéndez Pidal son una muestra de la propagación
por la tradición escrita (M. Pidal, *Estudios*, pág. 76).

enviara muy apriesa — con un siervo de su casa
a llamar a su marido — porque allá[1] en Roma estaba.
Cuando ante sí lo vido — de esta manera le habla: 30
—¡Oh!, mi amado Colatino, — ya es perdida la mi fama,
que pisadas de hombre ajeno — han hollado la tu cama:
el soberbio rey Tarquino — vino anoche a tu posada,
recibíle como a rey — y dejóme violada.
Yo me daré tal castigo — como adúltera malvada   35
porque ninguna matrona — por mi ejemplo sea mala.
Estas palabras diciendo — echa mano de una espada
que muy secreta traía — debajo de la su falda,
y a los pechos se la pone — que lástima era mirarla.
Luego allí, en aquel momento, — muerta cae la romana.   40
Su marido, que la viera, — amargamente lloraba;
sacóle de la herida — aquella sangrienta espada,
y en su mano la tenía — y a los sus dioses juraba
de matar al rey Tarquino — y quemarle la su casa.
En un monumento negro — el cuerpo a Roma llevaba   45
y púsolo descubierto — en medio de una gran plaza,
de los sus ojos llorando — de la su boca hablaba:
—¡Oh, romanos!, ¡Oh, romanos! — doleos de mi triste fama,
que el soberbio rey Tarquino — ha forzado esta romana
y por esta gran deshonra — ella misma se matara.   50
Ayudádmela a vengar — su muerte tan desastrada.
Desque esto vido el pueblo — todos en uno se armaron
y se van para el palacio — donde el rey Tarquino estaba
dándole mortales heridas — y quemáronle su casa.

---

[1] El texto dice *ella;* hemos corregido de acuerdo con el texto de los
Pliegos de Praga (24).

96

Romance de Virgilios*

Mandó el rey prender Virgilios — y a buen recaudo poner
por una traición que hizo — en los palacios del rey:
porque forzó una doncella — llamada doña Isabel.
Siete años lo tuvo preso, — sin que se acordase de él,
y un domingo estando en misa — mientes se le vino de él.   5
— Mis caballeros, Virgilios, — ¿qué se había hecho de él?
Allí habló un caballero — que a Virgilios quiere bien:
— Preso lo tiene tu alteza — y en tus cárceles lo tien.
— Via comer, mis caballeros, — caballeros, via comer,
después que hayamos comido — a Virgilios vamos ver.   10
Allí hablara la reina: — — Yo no comeré sin él.
A las cárceles se van — adonde Virgilios es.
— ¿Qué hacéis aquí, Virgilios? — Virgilios ¿aquí qué hacéis?
— Señor, peino mis cabellos — y las mis barbas también:
aquí me fueron nacidas, — aquí me han encanecer,   15
que hoy se cumplen siete años — que me mandaste prender.
— Calles, calles tú, Virgilios, — que tres faltan para diez.
— Señor, si manda tu alteza, — toda mi vida estaré.
— Virgilios, por tu paciencia — conmigo irás a comer.
— Rotos tengo mis vestidos, — no estoy para parecer.   20
— Yo te los daré, Virgilios, — yo dártelos mandaré.
Plugo a los caballeros — y a las doncellas también;
mucho más plugo a una dueña — llamada doña Isabel.
Ya llaman un arzobispo, — ya la desposan con él.
Tomárala por la mano — y llévasela a un vergel.   25

---

* *Cancionero de 1550*, pág. 252. Reminiscencia de la leyenda de Virgilios, que vivió en la memoria del pueblo durante la Edad Media. El romance no nos habla de su faceta como mago, sino como enamorado; el personaje sólo tiene del Virgilios de la leyenda el nombre. El tema del caballero que
ha seducido a una dama tiene otras manifestaciones en el Romancero.
Véanse, por ejemplo, los romances 78 y 84. El romance perdura en la tradición sefardí y en la canaria (Cfr. M: Alvar, «Los romances de la *Bella en
misa* y de *Virgilios* en Marruecos»; M. Trapero, *Romancero de la isla del
Hierro*, págs. 59-62).

97

Romance del prisionero*

Por el mes era de mayo, — cuando hace la calor,
cuando canta la calandria — y responde el ruiseñor,
cuando los enamorados — van a servir al amor,
sino yo, triste cuitado, — que vivo en esta prisión,
que ni sé cuándo es de día, — ni cuándo las noches son,   5
sino por una avecilla — que me cantaba al albor.
Matómela un ballestero — ¡Déle Dios mal galardón![1]
Cabellos de mi cabeza — lléganme al corvejón,
los cabellos de mi barba — por manteles tengo yo,
las uñas de las mis manos — por cuchillo tajador.   10
Si lo hacía el buen rey, — hácelo como señor,
si lo hace el carcelero, — hácelo como traidor.
Mas quien agora me diese — un pájaro hablador,
siquiera fuese calandria, — o tordico, o ruiseñor,
criado fuese entre damas — y avezado a la razón,   15
que me lleve una embajada — a mi esposa Leonor:
que me envíe una empanada, — no de trucha, ni salmón,
sino de una lima sorda — y de un pico tajador:
la lima para los hierros — y el pico para la torre.
Oídolo había el rey, — mandóle quitar la prisión.   20

---

* *Cancionero de 1550*, pág. 300 y *Cancionero de romances s.a. (apud Primavera*, pág. 273). La glosa y el canto propiciaban en el siglo XVI el acortamiento de los romances, y muchas veces se acrecentaba el poder poético del texto así tratado. *El prisionero* es un buen ejemplo de ello, y para que el lector pueda apreciarlo por sí mismo, presentamos aquí dos versiones de este bello romance.

Se conserva en la tradición oral actual unido a otros textos; sus primeros versos se han interpolado en multitud de romances.

Azorín lo glosa en *Al margen de los clásicos*.

[1] 'premio'.

97a

Romance del prisionero

Por el mes era de mayo, — cuando hace la calor,
cuando canta la calandria — y responde el ruiseñor,
cuando los enamorados — van a servir al amor,
sino yo triste, cuitado, — que vivo en esta prisión,
que ni sé cuándo es de día, — ni cuándo las noches son,   5
sino por una avecilla — que me cantaba al albor:
matómela un ballestero; — ¡déle Dios mal galardón!

98

La ermita de San Simón *

En Sevilla está una ermita — cual dicen de San Simón,
adonde todas las damas — iban a hacer oración.
Allá va la mi señora, — sobre todas la mejor,
saya lleva sobre saya, — mantillo de un tornasol,
en la su boca muy linda — lleva un poco de dulzor,   5
en la su cara muy blanca — lleva un poco de color,
y en los sus ojuelos garzos — lleva un poco de alcohol[1],
a la entrada de la ermita, — relumbrando como el sol.
El abad que dice misa — no la puede decir, no,
monacillos que le ayudan — no aciertan responder, no,   10
por decir: amén, amén, — decían: amor, amor.

---

* *Primavera*, pág. 298. De un pliego suelto del siglo XVI que figura en el *Romancero general* de Durán. Parece proceder del romance catalán *La dama de Aragón*, que a su vez procedería de un canto griego o italiano. Cfr. W. J. Entwistle, «La dama de Aragón»; *id., European Balladry*, página 52; M. R. Lida, «El romance de la misa de amor»; M. Alvar, artículo citado en la nota al rom. 96, y M. Pidal, *R. Hispánico*, I, págs. 332-333.

[1] 'polvo usado para oscurecer los párpados'.

99

Romance de Fontefrida*

Fontefrida, Fontefrida, — Fontefrida y con amor,
do todas las avecicas — van tomar consolación,
si no es la tortolica — que está viuda y con dolor.
Por ahí fuera pasar — el traidor del ruiseñor,
las palabras que él decía — llenas son de traición;   5
—Si tú quisieses, señora, — yo sería tu servidor.
—Vete de ahí, enemigo, — malo, falso, engañador,
que ni poso en ramo verde — ni en prado que tenga flor,
que si hallo el agua clara, — turbia la bebía yo;
que no quiero haber marido, — por que hijos no haya, no,   10
no quiero placer con ellos, — ni menos consolación.
Déjame, triste enemigo, — malo, falso, mal traidor,
que no quiero ser tu amiga — ni casar contigo, no.

---

* *Cancionero de 1550*, pág. 285. Romance de tipo más lírico que
novelesco y de tono más cortesano que popular. Para él cfr. E. Asensio,
«*Fontefrida* o encuentro del romance con la canción de mayo», y M. Bataillon, «La tortolica de *Fontefrida* y del *Cántico espiritual*».

100

Yo me levantara, madre... *

Yo me levantara, madre, — mañanica de San Juan,
vide estar una doncella — ribericas de la mar.
Sola lava y sola tuerce, — sola tiende en un rosal;
mientras los paños se enjugan — dice la niña un cantar:
—Do los mis amores, do los, — ¿dónde los iré a buscar?   5
Mar abajo, mar arriba, — diciendo iba un cantar,
peine de oro en las sus manos — y sus cabellos peinar:
—Dígasme tú, el marinero, — que Dios te guarde de mal,
si los viste a mis amores, — si los viste allá pasar.

---

* *Cancionero de 1550*, pág. 282. Primoroso romance de tipo lírico con
una cancioncilla popular incluida (versos 5, 8 y 9) Cfr. M. Frenk Alatorre,
Lírica española de tipo popular, Madrid, Cátedra, 1976.

101

Romance de Rosafresca *

Rosafresca, Rosafresca, — tan garrida y con amor,
cuando yo os tuve en mis brazos — no vos supe servir, no,
y ahora que os serviría — no vos puedo haber, no.
—Vuestra fue la culpa, amigo, — vuestra fue, que mía no:
enviásteisme una carta — con un vuestro servidor   5
y en lugar de recaudar — él dijera otra razón:
que érades casado, amigo, — allá en tierras de León,
que tenéis mujer hermosa — y hijos como una flor.
—Quien os lo dijo, señora, — no vos dijo verdad, no,
que yo nunca entré en Castilla — ni allá en tierras de León,   10
sino cuando era pequeño — que no sabía de amor.

---

* *Cancionero de 1550*, pág. 285. Romance muy representativo de los
textos fragmentarios. Fue muy popular en el siglo xvi en libros de
música y en glosas.

102
Romance de la buena hija *

Paseábase el buen conde — todo lleno de pesar,
cuentas negras en sus manos — do suele siempre rezar,
palabras tristes diciendo, — palabras para llorar:
—Véoos, hija, crecida, — y en edad para casar;
el mayor dolor que siento — es no tener que os dar.   5
—Calledes, padre, calledes, — no debéis tener pesar,
que quien buena hija tiene — rico se debe llamar,
y el que mala la tenía — viva la puede enterrar,
pues amengua su linaje — que no debiera amenguar,
y yo, si no me casare, — en religión puedo entrar.   10

---

* *Primavera*, pág. 276. Versión de Juan de Ribera. Hay también una versión glosada por Alonso de Armenta que apareció en un pliego suelto. Se conserva en la tradición sefardí en una versión más larga.

103

Romance de Rico Franco*

A caza iban, a caza, — los cazadores del rey,
ni fallaban ellos caza, — ni fallaban qué traer;
perdido habían los halcones, — ¡mal los amenaza el rey!
Arrimáranse a un castillo — que se llamaba Mainés.
Dentro estaba una doncella — muy fermosa y muy cortés;   5
siete condes la demandan, — y así facen tres reyes.
Robárala Rico Franco, — Rico Franco aragonés;
llorando iba la doncella — de sus ojos tan cortés.
Falábala[1] Rico Franco, — Rico Franco aragonés:
—Si lloras tu padre o madre, — nunca más vos los veréis,   10
si lloras los tus hermanos, — yo los maté todos tres.
—Ni lloro padre ni madre, — ni hermanos todos tres,
mas lloro la mi ventura — que no sé cuál ha de ser.
Prestédesme, Rico Franco, — vuestro cuchillo lugés[2],
cortaré fitas[3] al manto, — que no son para traer.   15
Rico Franco, de cortese, — por las cachas lo fue tender,
la doncella, que era artera, — por los pechos se lo fue a meter;
así vengó padre y madre, — y aun hermanos todos tres.

---

* *Cancionero de 1550*, pág. 253. Procede de una canción difundida por toda Europa, pero su tema tiene variantes notables respecto a las canciones que le dieron origen (cfr. M. Pidal, *R. Hispánico*, I, pág. 230). Este romance ha quedado en la tradición oral infantil *(En Madrid hay un palacio...)* y es sumamente popular.

[1] 'hablábala'.
[2] de Lucca (Italia).
[3] 'adornos metálicos'.

104

Romance de Marquillos*

¡Cuán traidor eres, Marquillos! — ¡Cuán traidor de corazón!
Por dormir con tu señora — habías muerto a tu señor.
Desque lo tuviste muerto — quitástele el chapirón[1];
fuéraste al castillo fuerte — donde está la Blanca Flor.
—Ábreme, linda señora, — que aquí viene mi señor;   5
si no lo quieres creer, — veis aquí su chapirón.
Blanca Flor, desque lo viera, — las puertas luego le abrió;
echóle brazos al cuello, — allí luego la besó;
abrazándola y besando — a un palacio la metió.
—Marquillos, por Dios te ruego — que me otorgases un don: 10
que no durmieses conmigo — hasta que rayase el sol.
Marquillos, como es hidalgo, — el don luego le otorgó;
como viene tan cansado — en llegado se adurmió.
Levantóse muy ligera — la hermosa Blanca Flor,
tomara cuchillo en mano — y a Marquillos degolló.   15

---

* *Primavera*, pág. 277. De un pliego suelto del siglo XVI. «El tipo más
puro y perfecto de estos romances [de venganzas femeninas]», M. Pelayo, IX, pág. 452.
[1] 'capucha'.

105

Romance del conde Alemán*

Atán alta va la luna — como el sol a mediodía,
cuando el buen conde Alemán — y con la reina dormía.
No lo sabe hombre nacido — de cuantos en la corte había,
si no era la infanta, — aquesa infanta su hija.
Su madre le hablaba, — de esta manera decía: 5
—Cuanto viéredes tú, infanta, — cuanto vierdes[1], encobridlo;
daros ha el conde Alemán — un manto de oro fino.
—¡Mal fuego queme, madre, — el manto de oro fino,
cuando en vida de mi padre — tuviese padrastro vivo!
De allí se fuera llorando; — el rey su padre la ha visto: 10
—¿Por qué lloráis, la infanta? — decid ¿quién llorar os hizo?
—Yo me estaba aquí comiendo, — comiendo sopas en vino,
entró el conde Alemán, — echómelas por el vestido.
—Calléis, mi hija, calléis, — no toméis de eso pesar,
que el conde es niño y muchacho, — hacerlo hía por burlar.   15
—¡Mal fuego quemase, padre, — tal reír y tal burlar!,
cuando me tomó en sus brazos, — conmigo quiso holgar.
—Si él os tomó en sus brazos — y con vos quiso holgar,
en antes que el sol salga — yo lo mandaré matar.

---

* *Cancionero de 1550*, pág. 256. Wolf y Hofmann lo incluyen en el
ciclo de Valdovinos, pero a mí me parece más cercano a los novelescos
que a los caballerescos.
   Es muy popular en la tradición oral moderna portuguesa donde se
desarrolla el tema de la estratagema de la hija para salvar la honra de
su padre sin delatar a la madre. Cfr. Leite de Vasconcellos, *Romanceiro
portugués*, I, XI.
   [1] *sic*.

106

Romance del conde Alarcos
y de la infanta Solisa *

Retraída está la infanta, — bien así como solía,
viviendo muy descontenta — de la vida que tenía,
viendo que ya se pasaba — toda la flor de su vida,
y que el rey no la casaba, — ni tal cuidado tenía.
Entre sí estaba pensando — a quien se descubriría,   5
acordó llamar al rey — como otras veces solía,
por decirle su secreto — y la intención que tenía.
Vino el rey siendo llamado, — que no tardó su venida:
vídola estar apartada, — sola está sin compañía;
su lindo gesto mostraba — ser más triste que solía.   10
Conociera luego el rey — el enojo que tenía.
—¿Qué es aquesto, la infanta? — ¿qué es aquesto, hija mía?
Contadme vuestros enojos, — no toméis malenconía,
que sabiendo la verdad — todo se remediaría.
—Menester será, buen rey, — remediar la vida mía,   15
que a vos quedó encomendada — de la madre que tenía.
Dédesme, buen rey, marido, — que mi edad ya lo pedía:
con vergüenza os lo demando, — no con gana que tenía,
que aquestos cuidados tales — a vos, rey, pertenecían.
Escuchada su demanda, — el buen rey le respondía: 20
—Esa culpa, la infanta, — vuestra era, que no mía,
que ya fuórades casada — con el príncipe de Hungría.
No quesistes escuchar — la embajada que os venía,
pues acá en las nuestras cortes, — hija, mal recaudo había,

---

* *Primavera*, pág. 324. Del *Cancionero de romances s.a.* Obra juglaresca,
de hermosura poética e inspiración personal (M. Pelayo, IX, pág. 479).
Su argumento sirvió a Lope de Vega, Guillén de Castro, Mira de Amescua,
J. Grau y Schlegel *(ibíd.*, págs. 479-483). Se sigue imprimiendo en pliegos
sueltos entre romances vulgares dieciochescos. Su origen parece ser neta-
mente español por su concepto del honor y de la realeza («calderoniano»
lo llama Menéndez Pidal). Cfr. M. Pidal, *R. Hispánico*, I, pags. 356-361.

porque en todos los mis reinos — vuestro par igual no había,   25
sino era el conde Alarcos, — hijos y mujer tenía.
—Convidaldo vos, el rey, — al conde Alarcos un día,
y después que hayáis comido — decilde de parte mía,
decilde que se acuerde — de la fe que dél tenía,
la cual él me prometió, — que yo no se la pedía,   30
de ser siempre mi marido, — yo que su mujer sería.
Yo fui de ello muy contenta — y que no me arrepentía.
Si casó con la condesa, — que mirase lo que hacía,
que por él no me casé — con el príncipe de Hungría:
si casó con la condesa, — dél es culpa, que no mía,   35
Perdiera el rey en oírlo — el sentido que tenía,
mas después en sí tornado — con enojo respondía:
—¡No son estos los consejos, — que vuestra madre os decía!
¡Muy mal mirastes, infanta, — do estaba la honra mía!
Si verdad es todo eso — vuestra honra ya es perdida: 40
no podéis vos ser casada — siendo la condesa viva.
Si se hace el casamiento — por razón o por justicia,
en el decir de las gentes — por mala seréis tenida.
Dadme vos, hija, consejo, — que el mío no bastaría,
que ya es muerta vuestra madre — a quien consejo pedía.   45
—Yo os lo daré, buen rey, — de este poco que tenía:
mate el conde a la condesa, — que nadie no lo sabría,
y eche fama que ella es muerta — de un cierto mal que tenía,
y tratarse ha el casamiento — como cosa no sabida.
De esta manera, buen rey, — mi honra se guardaría.   50
De allí se salía el rey, — no con placer que tenía;
lleno va de pensamientos — con la nueva que sabía;
vido estar al conde Alarcos — entre muchos, que decía:
—¿Qué aprovecha, caballeros, — amar y servir amiga,
que son servicios perdidos — donde firmeza no había?   55
No pueden por mí decir — aquesto que yo decía,
que en el tiempo que yo serví — una que tanto quería,
si muy bien la quise entonces, — agora más la quería;
mas por mí pueden decir — quien bien ama tarde olvida.
Estas palabras diciendo — vido al buen rey que venía,   60
y hablando con el rey — de entre todos se salía.
Dijo el buen rey al conde — hablando con cortesía:
—Convidaros quiero, conde, — por mañana en aquel día,

que queráis comer conmigo — por tenerme compañía.
—Que se haga de buen grado — lo que su Alteza decía;   65
beso sus reales manos — por la buena cortesía:
detenerme he aquí mañana, — aunque estaba de partida,
que la condesa me espera — según la carta me envía.
Otro día de mañana — el rey de misa salía;
asentóse luego a comer, — no por gana que tenía,   70
sino por hablar al conde — lo que hablarle quería.
Allí fueron bien servidos — como a rey pertenecía.
Después que hubieron comido, — toda la gente salida,
quedóse el rey con el conde — en la tabla do comía.
Empezó de hablar el rey — la embajada que traía: 75
—Unas nuevas traigo, conde, — que de ellas no me placía,
por las cuales yo me quejo — de vuestra descortesía.
Prometistes a la infanta — lo que ella no vos pedía,
de siempre ser su marido, — y a ella que le placía.
Si otras cosas pasastes — no entro en esa porfía   80
Otra cosa os digo, conde, — de que más os pesaría:
que matéis a la condesa — que cumple a la honra mía:
echéis fama que ella es muerta — de cierto mal que tenía,
y tratarse ha el casamiento — como cosa no sabida,
porque no sea deshonrada — hija que tanto quería.   85
Oídas estas razones — el buen conde respondía:
—No puedo negar, el rey, — lo que la infanta decía,
sino que otorgo ser verdad — todo cuanto me pedía.
Por miedo de vos, el rey, — no casé con quien debía,
no pensé que vuestra Alteza — en ello consentiría: 90
de casar con la infanta — yo, señor, bien casaría;
mas matar a la condesa, — señor rey, no lo haría,
porque no debe morir — la que mal no merecía.
—De morir tiene, el buen conde, — por salvar la honra mía,
pues no mirastes primero — lo que mirar se debía.   95
Si no muere la condesa — a vos costará la vida.
Por la honra de los reyes — muchos sin culpa morían,
por que muera la condesa — no es mucha maravilla.
—Yo la mataré, buen rey, — mas no será la culpa mía:
vos os avendréis con Dios — en fin de vuestra vida,   100
y prometo a vuestra Alteza, — a fe de caballería,
que me tengan por traidor — si lo dicho no cumplía

de matar a la condesa, — aunque mal no merecía.
Buen rey, si me dais licencia — yo luego me partiría.
—Vayáis con Dios, el buen conde, —ordenad vuestra partida. 105
Llorando se parte el conde, — llorando sin alegría;
llorando por la condesa, — que más que a sí la quería.
Llorando también el conde — por tres hijos que tenía,
el uno era de teta, — que la condesa lo cría,
que no quería mamar — de tres amas que tenía   110
sino era de su madre — porque bien la conocía;
los otros eran pequeños, — poco sentido tenían.
Antes que llegase el conde — estas razones decía:
—¡Quién podrá mirar, condesa, — vuestra cara de alegría,
que saldréis a recebirme — a la fin de vuestra vida!   115
Yo soy el triste culpado, — esta culpa toda es mía.
En diciendo estas palabras — la condesa ya salía,
que un paje le había dicho — como el conde ya venía.
Vido la condesa al conde — la tristeza que tenía,
vióle los ojos llorosos — que hinchados los tenía   120
de llorar por el camino — mirando el bien que perdía.
Dijo la condesa al conde: — ¡Bien vengáis, bien de mi vida!
¿Qué habéis, el conde Alarcos? — ¿por qué lloráis, vida mía,
que venís tan demudado — que cierto no os conocía?
No parece vuestra cara — ni el gesto que ser solía;   125
dadme parte del enojo — como dais de la alegría.
¡Decídmelo luego, conde, — no matéis la vida mía!
—Yo vos lo diré, condesa, — cuando la hora sería.
—Si no me lo decís, conde, — cierto yo reventaría.
—No me fatiguéis, señora, — que no es la hora venida.   130
Cenemos luego, condesa, — de aqueso que en casa había.
—Aparejado está, conde, — como otras veces solía.
Sentóse el conde a la mesa, — no cenaba ni podía,
con sus hijos al costado, — que muy mucho los quería.
Echóse sobre los hombros; — hizo como que dormía;   135
de lágrimas de sus ojos — toda la mesa cubría.
Mirándolo la condesa; — que la causa no sabía;
no le preguntaba nada, — que no osaba ni podía.
Levantóse luego el conde, — dijo que dormir quería;
dijo también la condesa — que ella también dormiría;   140
mas entre ellos no había sueño, — si la verdad se decía.

Vanse el conde y la condesa — a dormir donde solían:
dejan los niños de fuera — que el conde no los quería:
lleváronse el más chiquito, — el que la condesa cría:
cierra el conde la puerta, — lo que hacer no solía.   145
Empezó de hablar el conde — con dolor y con mancilla:
—¡Oh desdichada condesa, — grande fue la tu desdicha!
—No só desdichada, el conde, — por dichosa me tenía
sólo en ser vuestra mujer: — esta fue gran dicha mía.
—¡Si bien lo sabéis, condesa, — esa fue vuestra desdicha!   150
Sabed que en tiempo pasado — yo amé a quien servía,
la cual era la infanta. — Por desdicha vuestra y mía
prometí casar con ella; — y a ella que le placía,
demándame por marido — por la fe que me tenía.
Puédelo muy bien hacer — de razón y de justicia: 155
díjomelo el rey su padre — porque de ella lo sabía.
Otra cosa manda el rey — que toca en el alma mía:
manda que muráis, condesa, — a la fin de vuestra vida,
que no puede tener honra — siendo vos, condesa, viva.
Desque esto oyó la condesa — cayó en tierra amortecida: 160
mas después en sí tornada — estas palabras decía:
—¡Pagos son de mis servicios, — conde, con que yo os servía!
si no me matáis, el conde, — yo bien os consejaría:
enviédesme a mis tierras — que a mi padre me ternía;
yo criaré vuestros hijos — mejor que la que vernía,   165
yo os mantendré castidad — como siempre os mantenía.
—De morir habéis, condesa, — en antes que venga el día.
—¡Bien parece, el conde Alarcos, — yo ser sola en esta vida;
porque tengo el padre viejo, — mi madre ya es fallecida,
y mataron a mi hermano — el buen conde don García,   170
que el rey lo mandó matar — por miedo que dél tenía!
No me pesa de mi muerte, — porque yo morir tenía,
mas pésame de mis hijos, — que pierden mi compañía:
hacémelos venir, conde, — y verán mi despedida.
—No los veréis más, condesa, — en días de vuestra vida: 175
abrazad este chiquito, — que aqueste es el que os perdía.
Pésame de vos, condesa, — cuanto pesar me podía.
No os puedo valer, señora, — que más me va que la vida;
encomendáos a Dios — que esto hacerse tenía.
—Dejéisme decir, buen conde, —una oración que sabía.   180

—Decidla presto, condesa, — enantes que venga el día.
—Presto la habré dicho, conde, — no estaré un Ave María.—
Hincó las rodillas en tierra — esta oración decía:
«En las tus manos, Señor, — encomiendo el alma mía:
»no me juzgues mis pecados — según que yo merecía,   185
»mas según tu gran piedad — y la tu gracia infinita.»
—Acabada es ya, buen conde, — la oración que sabía;
encomiéndoos esos hijos — que entre vos y mí había,
y rogad a Dios por mí — mientra tuvierdes vida,
que a ello sois obligado — pues que sin culpa moría,   190
Dédesme acá ese hijo, — mamará por despedida.
—No lo despertéis, condesa, — dejaldo estar, que dormía,
sino que os demando perdón — porque ya viene el día.
—A vos yo perdono, conde, — por el amor que os tenía;
mas yo no perdono al rey, — ni a la infanta su hija,   195
sino que queden citados — delante la alta justicia,
que allá vayan a juicio — dentro de los treinta días.—
Estas palabras diciendo — el conde se apercebía:
echóle por la garganta — una toca que tenía,
apretó con las dos manos — con la fuerza que podía: 200
no le aflojó la garganta — mientras que vida tenía.
Cuando ya la vido el conde — traspasada y fallecida,
desnudóle los vestidos — y las ropas que tenía:
echóla encima la cama, — cubrióla como solía;
desnudóse a su costado, — obra de un Ave María: 205
levantóse dando voces — a la gente que tenía:
—¡Socorré, mis escuderos, — que la condesa se fina!—
Hallan la condesa muerta — los que a socorrer venían.
Así murió la condesa, — sin razón y sin justicia;
mas también todos murieron — dentro de los treinta días.   210
Los doce días pasados — la infanta ya moría;
el rey a los veinte y cinco, — el conde al treinteno día,
allá fueron a dar cuenta — a la justicia divina.
Acá nos dé Dios su gracia, — y allá la gloria cumplida.

107

Romance de amor
(¿Dónde vas, el caballero?...)*

En el tiempo que me vi — más alegre y placentero,
encontré con un palmero[1] — que me habló y dijo así:
—¿Dónde vas, el caballero? — ¿Dónde vas, triste de ti?
Muerta es tu linda amiga, — muerta es, que yo la vi;
las andas en que ella iba — de luto las vi cubrir,   5
duques, condes la lloraban — todos por amor de ti,
dueñas, damas y doncellas — llorando dicen así:
—¡Oh triste del caballero — que tal dama pierde aquí!

---

* *Apéndice*, pág. 47. Pliego suelto de la Biblioteca de Praga. Utilizado por Vélez de Guevara en *Reinar después de morir*, este romance sigue vivo en la tradición moderna hispánica bien bajo la forma de *La aparición*, bien en una refundición de finales del siglo XIX. *¿Dónde vas Alfonso XII?*, que ha pasado al Romancero infantil. Cfr. M. Díaz Roig, *El romancero y la lírica popular moderna*, págs. 215-227 y S. G. Morley, «El romance del palmero».

[1] 'peregrino'.

108

Compañero, compañero...*

—Compañero, compañero, — casóse mi linda amiga,
casóse con un villano, — que es lo que más me dolía.
Irme quieró a tornar moro — allende la morería,
cristiano que allá pasare — yo le quitaré la vida.
—No lo hagas, compañero, — no lo hagas, por tu vida.　　5
De tres hermanas que tengo — darte he yo la más garrida,
si la quieres, por mujer, — si la quieres, por amiga.
—Ni la quiero por mujer, — ni la quiero por amiga,
pues que no pude gozar — de aquella que más quería.

---

* *Cancionero de 1550*, pág. 230. De estilo muy popularizado, su fragmentismo es un buen ejemplo de la vaguedad inherente (en cuanto a la historia) a este tipo de romances.

109

Triste está la reina, triste... *

Triste está la reina, triste, — triste está, que no reyendo,
asentada en su estrado — franjas de oro está tejiendo,
las manos tiene en la obra — y el corazón comidiendo [1],
los pechos le están con rabia — ansiosamente batiendo,
lágrimas de los sus ojos — hilo a hilo van corriendo,   5
palabras muy lastimeras — por su boca está diciendo.

---

* *Apéndice*, pág. 41. Otro romance fragmentario, éste tomado de la
música recopilada por Barbieri. Menéndez Pelayo piensa que quizá se
trate del comienzo de un romance histórico.

[1] 'pensando'.

110

Romance de Espinelo*

Muy malo estaba Espinelo, — en una cama yacía,
los bancos eran de oro, — las tablas de plata fina,
los colchones en que duerme — eran de holanda muy rica,
las sábanas que le cubren — en el agua no se vían,
la colcha que encima tiene — sembrada de perlería; 5
a su cabecera asiste — Mataleona, su amiga,
con las plumas de un pavón — la su cara le resfría.
Estando en este solaz — tal demanda le hacía:
—Espinelo, Espinelo, — ¡cómo naciste en buen día!
El día en que tú naciste — la luna estaba crecida, 10
ni un punto le faltaba, — ni un punto le fallecía.
Contásesme tú, Espinelo, — contásesme la tu vida.
—Yo te la diré, señora, — con amor y cortesía:
mi padre era de Francia, — mi madre de Lombardía;
mi padre con su poder — a toda Francia regía. 15
Mi madre como señora — una ley introducía:
que mujer que dos pariese — de un parto y en un día,
que la den por alevosa — y la quemen por justicia,
o la echen a la mar, — porque adulterado había.
Quiso Dios y mi ventura — que ella dos hijos paría 20
de un parto y en una hora — que por deshonra tenía.
Fuérase a tomar consejo — con tan loca fantasía
a una cautiva mora, — sabia en nigromancía.
—¿Qué me aconsejas tú, mora, — por salvar la honra mía?
Respondiérale: —Señora, — yo de parecer sería, 25
que tomases a tu hijo, — el que se te antojaría,
y lo eches en la mar — en un arca de valía
bien embetunada toda, — con mucho oro y joyería,

---

* *Primavera*, pág. 306. Versión tomada de *Rosa de amores* de Timoneda. El tema y muchos motivos de este romance-cuento son folklóricos.
Tiene grandes semejanzas con poemas populares europeos (*Gibello*,
Italia, siglo xiv, y *Fraisne*, Francia, siglo xii de los que seguramente
proviene, aunque haya perdido algunos episodios y motivos).

porque quien al niño hallase — de criarlo holgaría.
Cayera la suerte en mí, — y en la gran mar me ponía,   30
la cual estando muy brava — arrebatado me había
y púsome en tierra firme, — con el furor que traía,
a la sombra de una mata — que por nombre espino había,
que por eso me pusieron — de Espinelo nombradía.
Marineros navegando — halláronme en aquel día,   35
lleváronme a presentar — al gran soldán de Suría.
El soldán no tenía hijos, — por su hijo me tenía;
el soldán agora es muerto. — Yo por el soldán regía.

111

Yo me era mora Moraima...*

Yo me era mora Moraima, — morilla de un bel catar[1],
cristiano vino a mi puerta, — cuitada, por me engañar;
hablóme en algarabía, — como aquel que la bien sabe:
—Ábreme las puertas, mora, — sí Alá te guarde de mal.
—¿Cómo te abriré, mezquina, — que no sé quien te serás?   5
—Yo soy el moro Mazote, — hermano de la tu madre,
que un cristiano dejo muerto, — tras mí venía el alcalde;
si no me abres tú, mi vida, — aquí me verás matar.
Cuando esto oí, cuitada, — comencéme a levantar,
vistiérame una almejía[2] — no hallando mi brial,   10
fuérame para la puerta — y abríla de par en par.

---

* *Cancionero de 1550*, pág. 290. Ejemplo de la maurofilia española es este lindo romance que se presenta aquí en una versión algo más breve que la publicada en el *Cancionero de Londres* (finales del siglo xv).
Sobre este romance: J. M. Solá-Solé, «En torno al romance de la morilla burlada», y J. M. Aguirre, «*Moriana* y *El prisionero*, ensayo de interpretación».
[1] 'de bello mirar, hermosa'.
[2] 'manto pequeño'.

112

Romance de Galiarda*

—¡Galiarda, Galiarda! — ¡Oh, quién contigo holgase,
y otro día de mañana — con los cien moros pelease!
Si a todos no los venciese — luego matarme mandases,
porque con tan gran favor — grande esfuerzo tomaría.
—De dormir, dices Florencios, — de dormir, sí dormiréis,   5
mas sois niño y muchacho, — luego vos alabaréis.
Miró hacia el cielo Florencios, — y la su espada sacó:
A ésta muera yo, señora, — si de tal me alabe yo.
Aquella noche Florencios — con Galiarda durmió.
Otro día de mañana — en las cortes se alabó.   10

* *Primavera*, pág. 295. De un pliego suelto del siglo XVI. Romance que, pese a su brevedad, posee tres rimas; según Menéndez Pidal esto es resto de su primitiva redacción en pareados siguiendo el modelo de la balada europea. Cfr. M. Pidal, *R. Hispánico*, I, págs. 135-136.

113

Tiempo es, el caballero... *

—Tiempo es, el caballero, — tiempo es de andar de aquí,
que ni puedo andar en pie, — ni al emperador servir,
que me crece la barriga — y se me acorta el vestir;
vergüenza he de mis doncellas, — las que me dan el vestir,
míranse unas a otras, — no hacen sino reír;   5
vergüenza he de mis caballeros, — los que sirven ante mí.
—Paridlo, dijo, señora, — que así hizo mi madre a mí,
hijo soy de un labrador — y [a] mi madre pan vendí.
La infanta, desque esto oyera, — comenzóse a maldecir:
—¡Maldita sea la doncella — que de tal hombre fue a parir!   10
—No vos maldigáis, señora, — no vos queráis maldecir,
que hijo soy del rey de Francia, — mi madre es doña Beatriz;
cien castillos tengo en Francia, — señora, para os guarir,
cien doncellas me los guardan, — señora, para os servir.

---

* *Cancionero de 1550*, pág. 318. Muy popular en el siglo XVI, fue muchas veces glosado. Lo utilizó Gil Vicente en la *Comedia Rubena*.

114

Bien se pensaba la reina... *

Bien se pensaba la reina — que buena hija tenía.
que del conde don Galván — tres veces parido había,
que no lo sabía ninguno — de los que en la corte había,
sino fuese una doncella — que en su cámara dormía,
y por un enojo que hubiera — a la reina lo decía.   5
La reina se la llamaba — y a su cámara la metía,
y estando en este cuidado — de palabras la castiga:
—Ay, hija, si virgo estáis, — reina seréis de Castilla;
hija, si virgo no estáis, — de mal fuego seas ardida.
—Tan virgo estoy, la mi madre, — como el día que fui nacida;   10
por Dios os ruego, mi madre, — que no me dedes marido,
doliente soy del mi cuerpo, — que no soy para servirlo.

* *Primavera*, pág. 315. Del *Cancionero de romances s.a.* Típico romance fragmentario: la acción que se anuncia en los primeros versos se
desvanece en los siguientes (M. Pidal, *Rom. tradicional*, I, pág. 338).

115

Romance de la infanta parida*

Parida estaba la infanta, — la infanta parida estaba;
para cumplir con el rey — decía que estaba mala.
Envió a llamar al conde — que viniese a la su sala;
el conde siendo llamado — no tardó la su llegada.
—¿Qué me queredes, mi vida? — ¿Qué me queredes, mi alma?   5
—Que toméis esta criatura — y la deis a criar a un ama.
Ya la tomaba el buen conde — en los cantos de su capa,
mas de la sala saliendo — con el buen rey encontrara.
—¿Qué lleváis, el buen conde, — en cantos de vuestra capa?
—Unas almendras, señor, — que son para una preñada.   10
—Dédesme de ellas, el conde, — para mi hija la infanta.
—Perdonedes vos, el rey, — porque las traigo contadas.
Ellos en aquesto estando, — la criatura lloraba.
—Traidor me sois vos, el conde, — traidor me sois en mi casa.
—Yo no soy traidor, el rey, — ni en mi linaje se halla: 15
hermanos y primos tengo — los mejores de Granada.
Revolvió el manto al brazo — y arrancó de la su espada,
el conde, por la criatura, — retiróse por la sala.
El rey decía: —Prendedlo; — mas nadie prenderlo osaba.
La infanta, que luego oyera — rencilla tan grande y brava,   20
a una de las damas suyas — lo que era preguntaba.
—Es que el rey, señora, al conde — de traidor lo difamaba
porque en la su falda un niño — del palacio lo sacaba,
creyendo que a vos, señora, — el conde vos deshonrara.
Sale la infanta de prisa — adonde su padre estaba,   25
y la espada de la mano — de presto se la quitara,
diciendo: —Oidme, señor, — una cosa que os contara.
El rey, que la quería bien, — que dijese le mandaba.
—Mia es la criatura — que el conde, señor, llevaba,
y el conde es mi marido, — yo por tal lo publicaba.   30

---

* *Primavera*, pág. 316. De un pliego suelto incluido en el *Romancero general* que Durán fecha en 1572.

Es un romance que ha pervivido en la tradición oral moderna *(La mala yerba)* con diferencias notables, ya que el rey castiga con la muerte el pecado de la hija.

El rey, que aquesto oyera, — triste y espantado estaba:
por un cabo, quería vengarse, — y por otro non osaba;
al fin al mejor consejo — como cuerdo se allegaba:
con voz alta y amorosa — dijo que les perdonaba.
Mándales tomar las manos — a un cardenal que allí estaba,   35
y hacer bodas suntuosas — de que todo el mundo holgaba,
y así el pesar pasado — con gran gozo se tornaba.

116

Romance de Gerineldo *

Levantóse Gerineldo — que al rey dejara dormido,
fuese para la infanta — donde estaba en el castillo.
—Abráisme, dijo, señora, — abráisme, cuerpo garrido.
—¿Quién sois vos, el caballero, — que llamáis a mi postigo?
—Gerineldo soy, señora, — vuestro tan querido amigo.   5
Tomárala por la mano, — en un lecho la ha metido,
y besando y abrazando — Gerineldo se ha dormido.
Recordado había el rey — de un sueño despavorido;
tres veces lo había llamado, — ninguna le ha respondido.
—Gerineldo, Gerineldo, — mi camarero pulido,   10
si me andas en traición, — trátasme como a enemigo.
O dormías con la infanta — o me has vendido el castillo.
Tomó la espada en la mano, — en gran saña va encendido,
fuérase para la cama — donde a Gerineldo vido.
Él quisiéralo matar, — mas criole de chiquito.   15
Sacara luego la espada, — entre entrambos la ha metido,
porque desque recordase — viese cómo era sentido.
Recordado había la infanta — y la espada ha conocido.
—Recordaos, Gerineldo, — que ya érades sentido,
que la espada de mi padre — yo me la he bien conocido.   20

---

* *Primavera*, pág. 317. De un pliego suelto de 1537 en el *Romancero
general* de Durán. Este es uno de los romances que se siguen editando
en pliegos de cordel hasta la fecha, en una versión muy contaminada por
elementos, cultos y exóticos. La versión trunca que incluimos, además
de ser más popular, es más antigua y la que está más cerca de las muchas
versiones, éstas con desenlace, de tradición oral moderna (cfr. M. Pidal,
Romancero Tradicional, VI y VII).
   El romance de *Gerineldo* se contamina frecuentemente con *La condesita*. Dicha unión ha sido estudiada por Menéndez Pidal en «Geografía
folklórica», *Estudios*, págs. 219-323.

117

De Francia partió la niña... *

De Francia partió la niña, — de Francia la bien guarnida,
íbase para París, — do padre y madre tenía.
Errado lleva el camino, — errada lleva la guía,
arrimárase a un roble — por esperar compañía.
Vio venir un caballero — que a París lleva la guía.   5
La niña, desque lo vido, — de esta suerte le decía:
—Si te place, caballero, — llévesme en tu compañía.
—Pláceme, dijo, señora, — pláceme, dijo, mi vida.
Apeóse del caballo — por hacerle cortesía;
puso la niña en las ancas — y subiérase en la silla.   10
En el medio del camino — de amores la requería.
La niña, desque lo oyera, — díjole con osadía:
—Tate, tate, caballero, — no hagáis tal villanía,
hija soy de un malato — y de una malatía [1],
el hombre que a mí llegase — malato se tornaría.   15
El caballero, con temor, — palabra no respondía.
A la entrada de París — la niña se sonreía.
—¿De qué vos reís, señora? — ¿De qué vos reís, mi vida?
—Ríome del caballero — y de su gran cobardía:
¡Tener la niña en el campo — y catarle [2] cortesía!   20
Caballero, con vergüenza, — estas palabras decía:
—Vuelta, vuelta, mi señora, — que una cosa se me olvida.

* *Cancionero de 1550*, pág. 307. Uno de los romances viejos más reitera-
tivos; se utiliza el paralelismo estricto (versos 3, 8, 18) y el paralelismo enu-
merativo (versos 10, 14, 25), así como la repetición textual de palabras (versos 3b-5b, 8-18, 1a-1b, 13a-22a).
En el *Cancionero de Londres* se atribuye este romance a Rodríguez Padrón, pero es desde luego un romance viejo (cfr. M. Pidal, *R. Hispánico*, II,
págs. 13-14 y 208).
En la tradición oral moderna este romance se encuentra rara vez en sus
versiones puras. Suele adquirir el comienzo de *La infantina* (texto siguiente) y muchas veces el final de *La hermana cautiva,* con lo que el motivo de la
burla se debilita y algunas veces se pierde. Cfr. M. Díaz Roig, *Estudios y notas...,* págs. 123-129.
Ver también D. Devoto, «Un ejemplo de la labor tradicional en el Romancero viejo» y «Sobre el estudio folklórico del romance español».
 [1] 'leprosos'.
 [2] 'guardarle'.

La niña, como discreta, — dijo: —Yo no volvería,
ni persona, aunque volviese, — en mi cuerpo tocaría:
hija soy del rey de Francia — y de la reina Constantina,   25
el hombre que a mí llegase — muy caro le costaría.

118
Romance de la infantina *

A cazar va el caballero, — a cazar como solía,
los perros lleva cansados, — el halcón perdido había;
arrimárase a un roble, — alto es a maravilla;
en una rama más alta, — vido estar una infantina,
cabellos de su cabeza — todo el roble cubrían.   5
—No te espantes, caballero, — ni tengas tamaña grima¹.
Fija soy yo del buen rey — y de la reina de Castilla,
siete fadas me fadaron² — en brazos de una ama mía,
que andase los siete años — sola en esta montiña.
Hoy se cumplían los siete años, — o mañana en aquel día;   10
por Dios te ruego, caballero, — llévesme en tu compañía,
si quisieres, por mujer, — si no, sea por amiga.
—Esperéisme vos, señora, — hasta mañana, aquel día,
iré yo tomar consejo — de una madre que tenía.
La niña le respondiera — y estas palabras decía: 15
—¡Oh, malhaya el caballero — que sola deja la niña!
Él se va a tomar consejo, — y ella queda en la montiña.
Aconsejóle su madre — que la tomase por amiga.
Cuando volvió el caballero — no la hallara en la montiña:
vídola que la llevaban — con muy gran caballería.   20
El caballero, desque la vido, — en el suelo se caía;
desque en sí hubo tornado, — estas palabras decía:
—Caballero que tal pierde, — muy grande pena merecía:
yo mismo seré el alcalde, — yo me seré la justicia:
que le corten pies y manos — y lo arrastren por la villa.   25

---

* *Cancionero de 1550,* pág. 254. La presencia de lo maravilloso (el hechizo), raro en el Romancero, confiere a este texto características especiales. Es un ejemplo del trabajo de la tradición oral en materia de embellecimiento de un texto, ya que las versiones modernas, que se suelen interpolar con el romance anterior, han desarrollado el elemento fantástico, el paisaje y la descripción de la doncella (ver, por ejemplo, M. Pelayo, *Suplemento,* págs. 217-218).
Sobre este romance, cfr. D. Devoto, «El mal cazador», así como la bibliografía citada para el texto anterior.
¹ 'horror, espanto'.
² 'me hechizaron, me predestinaron a'.

119

Romance de doña Ginebra*

Cabalga doña Ginebra — y de Córdoba la rica,
con trescientos caballeros — que van en su compañía.
El tiempo hace tempestuoso, — el cielo se escurecía,
con la niebla que hace escura — a todos perdido había,
sino fuera a su sobrino — que de riendas la traía.   5
Como no viera a ninguno, — de esta suerte le decía:
—Toquedes vos, mi sobrino, — vuestra dorada bocina
porque lo oyesen los míos — que estaban en la montiña.
—De tocarla, mi señora, — de tocar sí tocaría,
mas el frío hace grande, — las manos se me helarían,   10
y ellos están tan lejos — que nada aprovecharía.
—Metedlas vos, mi sobrino, — so faldas de mi camisa.
—Eso tal no haré, señora, — que haría descortesía,
porque vengo yo muy frío — y a vuestra merced helaría.
De eso [no] curéis, señor, — que yo me lo sufriría,   15
que en calentar tales manos — cualquier cosa se sufría.
Él, desque vio el aparejo, — las sus manos le metía,
pellizcárale en el muslo — y ella reído se había.
Apeáronse en un valle — que allí cerca parescía,
solos estaban los dos, — no tienen más compañía,   20
como veen el aparejo, — mucho holgado se habían.

---

* *Apéndice*, pág. 64. Tomado de la *Tercera parte de la Silva*. Tanto
Menéndez Pelayo (M. Pelayo, IX, pág. 417) como D. Catalán (*Por campos
del Romancero*, pág. 85) consideran que este romance está inspirado en
materia de Bretaña. Sin embargo, me parece más propio clasificarlo entre
los novelescos, pues sólo el nombre de la reina lo relaciona con el ciclo
del rey Arturo.
Es uno de los escasos romances picarescos admitidos en el Romancero
viejo.

120

Bodas hacían en Francia... *

Bodas hacían en Francia, — allá dentro en París
¡Cuán bien que guía la danza — esta doña Beatriz!
¡Cuán bien que se la miraba — el buen conde don Martín!
—¿Qué miráis aquí, buen conde? — conde, ¿qué miráis aquí?
Decid si miráis la danza — o si me miráis vos a mí.   5
—Que no miro yo a la danza, — porque muchas danzas vi,
miro yo vuestra lindeza — que me hace penar a mí.
—Si bien os parezco, conde, — conde, saquéisme de aquí,
que el marido tengo viejo — y no puede ir tras de mí.

---

* *Cancionero de 1550*, pág. 322. Romance de malmaridada, de tono
alegre y ligeramente picaresco. Se conserva en la tradición sefardí.

121

Romance de blanca niña*

—Blanca sois, señora mía, — más que el rayo del sol,
¿si la dormiré esta noche — desarmado y sin pavor?
Que siete años había, siete, — que no me desarmo, no,
más negras tengo mis carnes — que un tiznado carbón.
—Dormidla, señor, dormidla, — desarmado sin temor,   5
que el conde es ido a la caza — a los montes de León.
—Rabia le mate los perros — y águilas el su halcón,
y del monte hasta casa — a él arrastre el morón[1].
Ellos en aquesto estando — su marido que llegó:
—¿Qué hacéis, la blanca niña, — hija de padre traidor?   10
—Señor, peino mis cabellos, — péinolos con gran dolor,
que me dejéis a mí sola — y a los montes os vais vos.
—Esa palabra, la niña, — no era sino traición:
¿Cúyo es aquel caballo — que allá bajo relinchó?
—Señor, era de mi padre, — y envióslo para vos.   15
—¿Cúyas son aquellas armas — que están en el corredor?
—Señor, eran de mi hermano, — y hoy os las envió.
—¿Cúya es aquella lanza, — desde aquí la veo yo?
—Tomadla, conde, tomadla, — matadme con ella vos,
que aquesta muerte, buen conde, — bien os la merezco yo.   20

---

* *Cancionero de 1550*, pág. 317. El más conocido romance con tema de
adulterio. Sobrevive en la tradición oral moderna en todo el ámbito
hispánico, donde está difundidísimo. Su tema pertenece al folklore
europeo y su origen parece ser un romance burlesco. Cfr. W. J. Entwistle,
«Blanca Niña».
Lope de Vega utilizó una versión de este romance en *La locura por
la honra*. También Emile Deschamps lo parafraseó (cfr. M. Piḍal.
R. Hispánico*, I, pág. 262).
[1] 'montón de piedras desprendidas' (derrumbe).

122

Romance de Landarico*

Para ir el rey a caza — de mañana ha madrugado;
entró donde está la reina — sin la haber avisado,
por holgarse iba con ella, — que no iba sobre pensado.
Hallóla lavando el rostro, — que ya se había levantado,
mirándose está a un espejo, — el cabello destrenzado.   5
El rey con una varilla — por detrás la había picado;
la reina que lo sintiera — pensó que era su querido:
—Está quedo, Landarico — le dijo muy requebrado.
El buen rey cuando lo oyera — malamente se ha turbado;
la reina volvió el rostro, — la sangre se ha cuajado.   10
Salido se ha el rey, — que palabra no ha fablado,
a su caza se ha ido, — aunque en ál¹ tiene cuidado.
La reina a Landarico — dijo lo que ha pasado:
—Mira lo que hacer conviene, — que hoy es nuestro fin
                                                    [llegado.
Landarido que esto oyera — mucho se [ha] acuitado.   15
—¡En mal punto y en mal hora — mis ojos te han mirado!
¡Nunca yo te conociera — pues tan cara me has costado!
que ni a ti hallo remedio, — ni para mí le he hallado.
Allí hablara la reina — desque lo vio tan penado:
—Calla, calla, Landarico, — calla, hombre apocado;   20
déjame tú hacer a mí — que yo lo habré remediado.
Llama a un criado suyo, — hombre de muy bajo estado,
que mate al rey, le dice, — en habiéndose apeado,
que sería a boca de noche² — cuando hubiese tornado.
Hácele grandes promesas — y ellos lo han aceptado.   25

---

* *Apéndice*, pág. 46. De un pliego suelto de la Biblioteca de Praga publicado por Wolf. La anécdota parece tener su inspiración en lo sucedido
al rey Chilperico (583 d.c.), tal como se cuenta en la *Gesta regum fran-
corum* (M. Pelayo, IX, págs. 437-439). Se halla hoy en la tradición sefardí.
    ¹ 'en otra cosa'.
    ² 'al comienzo de la noche'.

En volviendo el rey decía[3] — de aquello muy descuidado;
al punto que se apeaba — de estocadas le han dado.
—¡Traición! —dice el buen rey, — y luego ha expirado.
Luego los traidores mismos — muy grandes voces han dado:
criados de su sobrino — que habían al rey matado.   30
La reina hizo gran duelo — y muy gran llanto ha tomado,
aunque en su corazón dentro — otra cosa le ha quedado.

---

[3] 'bajaba'.

123

Yo me adamé una amiga...*

Yo me adamé[1] una amiga — dentro de mi corazón,
Catalina había por nombre, — no la puedo olvidar, no.
Rogóme que la llevase — a las tierras de Aragón.
—Catalina, sois muchacha, — no podréis caminar, no.
—Tanto andaré, el caballero, — tanto andaré como vos;   5
si lo dejáis por dineros, — llevaré para los dos:
ducados para Castilla, — florines para Aragón.
Ellos en aquesto estando, — la justicia que llegó.

---

* *Cancionero de 1550*, pág. 302. Romance fragmentario; su tema pertenece al folklore europeo.
[1] 'amé'.

124

La serrana de la Vera*

Allá en Garganta la Olla, — en la Vera de Plasencia,
salteóme una serrana, — blanca, rubia, ojimorena.
Trae el cabello trenzado — debajo de una montera
y, porque no la estorbara, — muy corta la faldamenta.
Entre los montes andaba — de una en otra ribera,   5
con una honda en sus manos — y en sus hombros una flecha.
Tomárame por la mano — y me llevara a su cueva;
por el camino que iba — tantas de las cruces viera.
Atrevíme y preguntéle — qué cruces eran aquellas,
y me respondió diciendo — que de hombres que muerto   10
                                                    [hubiera.
Esto me responde y dice, — como entre medio risueña:
—Y así haré de ti, cuitado, — cuando mi voluntad sea.
Diome yesca y pedernal — para que lumbre encendiera,
y mientras que la encendía, — aliña una grande cena;
de perdices y conejos — su pretina saca llena,   15
y después de haber cenado — me dice: —Cierra la puerta.
Hago como que la cierro, — y la dejé entreabierta.
Desnudóse y desnudéme — y me hace acostar con ella.
Cansada de sus deleites — muy bien dormida se queda,
y en sintiéndola dormida — sálgome la puerta afuera.   20
Los zapatos en la mano — llevo porque no me sienta,
y poco a poco me salgo — y camino a la ligera.
Más de una legua había andado — sin revolver la cabeza,
y cuando mal me pensé — yo la cabeza volviera.

---

* *Apéndice*, pág. 38. Versión recogida en el siglo XVII. En este romance
se fundan Lope de Vega y Vélez de Guevara para sendas comedias de
título semejante. Menéndez Pelayo lo considera de transición entre los
romances tradicionales y los vulgares. Está vivo aún en la tradición
oral, no sólo en Extremadura sino también en Canarias (cfr. D. Catalán,
La flor de la marañuela, núms. 31-33, 139-146, 270-272 y otros más).
    Su tema se relaciona con innumerables leyendas en torno a bandidos
y salteadores. En Cuenca existe una tradición semejante.

Y en esto la vi venir, — bramando como una fiera, 25
saltando de canto en canto, — brincando de peña en peña.
—Aguarda [me dice], aguarda, — espera, mancebo, espera,
me llevarás una carta — escrita para mi tierra.
Toma, llévala a mi padre, — dirásle que quedo buena.
—Enviadla vos con otro, — o sed vos la mensajera. 30

125

Romance de la gentil dama
y el rústico pastor *

Estáse la gentil dama — paseando en su vergel,
los pies tenía descalzos, — que era maravilla ver;
desde lejos me llamara, — no le quise responder.
Respondíle con gran saña: — —¿Qué mandáis, gentil mujer?
Con una voz amorosa — comenzó de responder: 5
—Ven acá, el pastorcico, — si quieres tomar placer;
siesta es del mediodía, — que ya es hora de comer;
si querrás tomar posada — todo es a tu placer.
—Que no era tiempo, señora, — que me haya de detener,
que tengo mujer y hijos, — y casa de mantener,   10
y mi ganado en la sierra, — que se me iba a perder,
y aquellos que me lo guardan — no tenían qué comer.
—Vete con Dios, pastorcillo, — no te sabes entender,
hermosuras de mi cuerpo — yo te las hiciera ver:
delgadica en la cintura, — blanca soy como el papel,   15
la color tengo mezclada — como rosa en el rosel,
el cuello tengo de garza, — los ojos de un esparver[1],
las teticas agudicas, — que el brial quieren romper,
pues lo que tengo encubierto — maravilla es de lo ver.
—Ni aunque más tengáis, señora, — no me puedo detener.   20

---

* *Primavera*, pág. 299. De un pliego suelto del siglo XVI.

Romance muy difundido, tanto en el siglo XVI como en la actualidad; tiene la característica de ser el romance más antiguo puesto por escrito; fue copiado hacia 1421 por el estudiante mallorquín Jaume de Olesa. Su versión, con mezcla de dialecto mallorquín, muestra ya un avanzado estado de tradicionalización (cfr. M. Pidal, *R. Hispánico*, I, págs. 339-343). Su tema picaresco parece de inspiración francesa (pastorelas). Las versiones modernas son generalmente estróficas con rima varia, y existen villancicos y cancioncillas antiguas que tienen su origen en este romance. Para él, ver también, E. Levi, «El romance florentino de Jaime de Olesa», L. Spitzer, «Notas sobre el Romancero español» y M. Díaz Roig, *El Romancero y la lírica popular moderna*, págs. 211-215. Sus múltiples versiones han sido recogidas en los tomos X y XI del *Romancero tradicional*.

[1] 'gavilán'.

126

Las señas del esposo *

—Caballero de lejas tierras, — llegaos acá y paréis,
hinquedes la lanza en tierra, — vuestro caballo arrendéis,
preguntaros he por nuevas — si mi esposo conocéis.
—Vuestro marido, señora, — decid ¿de qué señas es?
—Mi marido es mozo y blanco, — gentil hombre y bien   5
                 [cortés,
muy gran jugador de tablas — y también del ajedrez.
En el pomo de su espada — armas trae de un marqués,
y un ropón de brocado — y de carmesí al envés;
cabe el fierro de la lanza — trae un pendón portugués,
que ganó en unas justas — a un valiente francés.   10
—Por esas señas, señora, — tu marido muerto es.
En Valencia le mataron, — en casa de un ginovés,
sobre el juego de las tablas — lo matara un milanés.
Muchas damas lo lloraban, — caballeros con arnés[1],
sobre todo lo lloraba — la hija del ginovés;   15
todos dicen a una voz — que su enamorada es;
si habéis de tomar amores, — por otro a mí no dejéis.
—No me lo mandéis, señor, — señor, no me lo mandéis,
que antes que eso hiciese, — señor, monja me veréis.
—No os metáis monja, señora, — pues que hacerlo no   20
                 [podéis,
que vuestro marido amado — delante de vos lo tenéis.

---

* *Primavera,* pág. 312. Versión de Juan de Ribera, *Nuevos romances*
(1605). Es uno de los romances más difundidos en todo el territorio hispánico, y, en especial, en América. Su origen parece ser una canción francesa
(«Gentils galans de France») basada en un motivo folklórico europeo (cfr.
M. Pidal, *R. Hispánico,* I, págs. 318-320). Ver también, G. Bronzini, *Las señas del marido* e *La prova.* M. Díaz Roig rastrea también sus orígenes y
muestra cómo la pérdida del final, frecuente en la tradición oral moderna,
da lugar a transformaciones estructurales y temáticas. Cfr. «Sobre una estructura minoritaria y sus consecuencias...».
[1] 'armadura de acero'.

127

Romance del cautivo*

Mi padre era de Ronda — y mi madre de Antequera;
cautiváronme los moros — entre la paz y la guerra,
y lleváronme a vender — a Vélez de la Gomera.
Siete días con sus noches — anduve en la moneda,
no hubo moro ni mora — que por mí diese moneda,   5
sino fuera un moro perro — que por mí cien doblas diera,
y llevárame a su casa — y echárame una cadena.
Dábame la vida mala, — dábame la vida negra:
de día, majar esparto, — de noche, moler civera,
y echóme un freno a la boca — porque no comiese de ella,   10
mi cabello retorcido, — y tornóme a la cadena.
Pero plugo a Dios del cielo — que tenía el ama buena;
cuando el moro se iba a caza — quitábame la cadena
y echárame en su regazo — y espulgóme la cabeza.
Por un placer que le hice — otro muy mayor me hiciera: 15
diérame los cien doblones — y enviárame a mi tierra.
Y así plugo a Dios del cielo — que en salvo me pusiera.

---

* *Cancionero de 1550*, pág. 284. «Romance novelesco puro sin antecedentes épico-históricos» lo llama P. Bénichou *(Creación poética...*,
páginas 160-184), que ha sufrido múltiples transformaciones en su paso
por la tradición oral *(ibíd.)*. El más antiguo de los romances de cautivos
y forzados que tanto éxito tendrán en el siglo XVII.

128

El conde Arnaldos*

¡Quién hubiese tal ventura — sobre las aguas del mar,
como hubo el conde Arnaldos — la mañana de San Juan!
Con un falcón en la mano — la caza iba a cazar,
vio venir una galera — que a tierra quiere llegar.
Las velas traía de seda, — la ejércia[1] de un cendal,   5
marinero que la manda — diciendo viene un cantar
que la mar facía en calma, — los vientos hace amainar,
los peces que andan 'nel hondo — arriba los hace andar,
las aves que andan volando — en el mástil las face posar.
Allí fabló el conde Arnaldos, — bien oiréis lo que dirá: 10
—Por Dios te ruego, marinero, — dígasme ora ese cantar.
Respondióle el marinero, — tal respuesta le fue a dar:
—Yo no digo esta canción — sino a quien conmigo va.

---

* *Primavera*, pág. 308. *Del Cancionero de romances s.a.* Considerado
una obra maestra de la poesía popular, y a menudo imitado y glosado
por autores extranjeros, este romance era ya viejo a principios del siglo XVI y se conservó en una versión trunca. Los judíos sefardíes tienen
una versión más larga y en ella podemos ver que se trata de un sencillo
romance de aventuras, sin el gran poder poético de la versión trunca.
Hay numerosos estudios sobre este romance, por ejemplo, M. Pidal,
Estudios, págs. 333-341, L. Spitzer, «Notas sobre el Romancero español»,
páginas 158-161, *íd.* «The folklorist prestage of the spanish romance Count
Arnaldos», A. Hauf y J. M. Aguirre, «El simbolismo mágico-erótico
de *El infante Arnaldos*».
[1] 'jarcia'.

APÉNDICE

Romances de la tradición oral moderna

I

La muerte ocultada *

A cazar iba don Pedro, — a cazar como solía;
los perros lleva cansados — y el halcón perdido había.
Diérale el mal de la muerte, — para casa se volvía.
—No diga nada, mi madre, — a doña Alda de mi vida,
que como es niña pequeña, — de pena se moriría.   5
Que no sepa de mi muerte — hasta los cuarenta días.
Doña Alda estaba de parto — y un niño varón paría.
—Diga, diga, la mi suegra, — diga, diga, suegra mía,
¿por quién tocarán a muerto — que las campanas tañían?
—Son de la iglesia mayor — que están repicando a misa.   10
—Óyense cantar responsos, — ¿a quién a enterrar irían?
—Es el santo del patrono — y hay procesión en la villa.
Viniera Pascua de flores; — doña Alda a ofrecer iria.
—Diga, diga, la mi suegra, — ¿qué vestido llevaría?
—Como eres blanca y delgada, — lo negro bien te estaría.   15
—¡Viva, viva mi don Pedro. — la prenda que más quería,
que para vestir de luto — bastante tiempo tendría!
Las doncellas van de luto, — ella, de Pascua florida.
Encontraron un pastor — que tocaba la guacina:
—¡Qué viudina tan hermosa, — qué viudina tan pulida!   20
—Diga, diga, la mi suegra, — ¿ese pastor, qué decía?
—Que caminemos, doña Alda, — que perderemos la misa.
A la entrada de la iglesia — toda la gente la mira.
—¿Por qué me mira la gente? — ¿Por qué la gente me mira?
—Dirételo, doña Alda, — pues de saberlo tenías.   25

---

* M. Pelayo, *Suplemento,* pág. 235. De la tradición asturiana. Se trata de
la versión española de la canción de *Le roi Renaud,* que a su vez procede de
baladas bretonas y escandinavas (a este respecto, cfr. G. Doncieux, *«La
chanson du roi Renaud»,* así como M. Pidal, *R. Hispánico,* I, págs. 321-
322). Este romance se conserva en versión octosilábica (como la presente)
y hexasilábica; esta última tiene casi siempre la primera parte en pareados,
resto de su primitiva forma (cfr. M. Díaz Roig, *El Romancero y la lírica popular moderna,* págs. 201-204).

Aquí se entierran los reyes, — caballeros de Castilla,
y aquí se enterró don Pedro, — la prenda que más querías.
—¡Ay, triste de mí, cuitada, — qué engañada yo vivía!
que en vez de venir de luto, — vengo de linda parida.
¡Desgraciado de mi hijo, — en mal hora lo paría!,   30
que por la desgracia suya, — hijo sin padre sería.

II

El conde Olinos*

Madrugaba el conde Lino, — mañanita de San Juan,
a darle agua a su caballo — a las orillas del mar.
Mientras el caballo bebe — cantaremos un cantar:
—Camisa, la mi camisa, — quién te pudiera lavar,
lavarte y retorcerte — y tenderte en un rosal.   5
La reina lo estaba oyendo — desde su palacio real:
—Mira, hija, cómo canta — la serenita del mar.
—No es la serenita, madre, — no es la serenita tal,
es el hijo conde Lino, — mis amores vienen ya.
—Tus amores vienen ya, — yo los mandaré matar.   10
—Madre, si usted los matara, — a mí iban a enterrar.
Ella se murió a las once — y él a los gallos cantar,
y a dentro día mañana — y los fueron a enterrar;
ella, como hija de reina, — la entierran al pie del altar,
y él, como hijo de conde, — un poquito más atrás.   15
Ella se volvió una oliva — y él se volvió un olivar.
La reina, desque lo supo, — luego los mandó cortar,
y el hombre que los cortaba — no cesaba de llorar.
Y ella se volvió paloma — y él un pajarito real.
La reina, desque lo supo, — luego los mandó matar,   20
y el hombre que los mataba — no cesaba de llorar.
Ella se volvió una garza — y él se volvió gavilán.
La garza, como ligera, — de un vuelo pasó el mar,
y el gavilán, como torpe, — de dos la vino a pasar.
Ella se volvió una ermita — y él un pequeñito altar,   25

---

* D. Ledesma, *Cancionero salmantino*, pág. 159. Se le conoce también bajo el nombre de *Conde Niño*. Como el romance anterior debe proceder de una balada europea ya que el motivo de las transformaciones tiene ejemplos en el folklore de muchos países (cfr. W. J. Entwistle, «El conde Olinos, leyenda universal»). Se supone que el romance es del siglo xv, aunque no fue recogido por escrito hasta el xix; es uno de los más conocidos y difundidos mediante discos y cintas por la belleza de su melodía y de sus versos.

y en el medio de la ermita, — la fuente del perenal.
Allí van cojos y mancos, — todos se iban a curar.
La reina, desque lo supo, — de seguida se fue allá:
—Hija, lávame los ojos, — lávamelos sin tardar.
—Madre, lávese cada uno, — del otro no será tal.   30
Cuando me volví oliva — me mandó usted cortar,
cuando me volví paloma — me mandó usted matar,
y ahora que me he vuelto santa — me viene usté a visitar.

III

Blancaflor y Filomena *

Se pasea doña Antonia, — se pasea por la arena,
con sus dos hijas del brazo, — Blancaflor y Filomena.
El valeroso Turquino — venció batalla por ella;
se casó con Blancaflor, — suspira por Filomena.
Después que se halló casado, — se la lleva pa su tierra.   5
A cabo los nueve meses — volvía a ver a su suegra.
—Bienvenido seas, Turquino, — tu venida buena sea,
¿cómo quedó Blancaflor, — hija mía y mujer vuestra?
—Buena quedó de salud, — ocupada en tierra ajena,
y me manda que le lleve — a su hermana Filomena,   10
en la hora de su parto — tenerla a la cabecera.
—Mucho me pides, Turquino, — en pedirme a Filomena,
que son mis pies y mis manos, — la que mi casa gobierna;
pero, en fin, la llevarás, — como hermana y cosa vuestra.
Vete a la caballeriza — y ensilla la mejor yegua,   15
ponle aquella silla verde — que es la mejor que le queda,
con aquel petrás dorado — que es lo que silla gobierna.
La coge por una mano — y la saca a la carretera.
Turquino monta a caballo — y Filomena monta en yegua;
en el medio del camino — de amores la convirtiera.   20
—Tú eres el diablo, Turquino, — el demonio que te tienta,
que entre hermanos o cuñados — se le hace a Dios grande
                                                    [ofensa.
—¡Aquí me haces el gusto, — más que el diablo te aborrezca!
Desque la halló burlada — allí le cortó su pecho,

---

* D. Catalán, *La flor de la marañuela*, I, pág. 156. Versión canaria.
Procede del mito clásico de Tereo, Progne y Filomela, posiblemente a
través de *Las metamorfosis* de Ovidio, y guarda con la leyenda griega
grandes semejanzas. Aunque parece ser de origen erudito está muy
tradicionalizado y no se advierten en él señales de su procedencia culta.
Es muy popular, seguramente debido a la truculencia del tema, y se
contamina frecuentemente con un romance vulgar de tema semejante,
La infanticida.

allí le sacó los ojos — y allí le cortó la lengua: 25
la lengua pa que no hable, — los ojos pa que no vea,
su pecho pa que no críe — cosa que de ella saliera.
Desque la halló burlada, — allá se marcha y la deja.
Se le acerca un pastorcillo — que su ganado acarrea;
por la seña que le hizo — papel y tinta le pidiera.   30
—Papel no le doy, señora, — que eso no se usa en mi tierra,
pluma y tinta le daré — que tengo en mi faldiquera.
En el puño de su lanza — dos renglones encribiera.
—Anda, vete, pastorcillo, — lleva a mi hermana estas nuevas.
Turquino por el camino — y las nuevas por la vereda;   35
por mucho que ande Turquino, — mucho más corre las
                                            [nuevas.
Blancaflor, desque lo supo, — un hijo varón tuviera;
llamaba por la criada — que tenía en la cabecera:
—Toma allá esta criatura, — haz con ella una cazuela,
pa cuando Turquino llegue, — que encuentre la cena hecha.   40
Desque llegó Turquino — ya estaba la mesa puesta.
—Ven a cenar, Blancaflor, — Blancaflor, ¿por qué no cena?
—Vete a cenar tú, Turquino, — que mi cena ya está hecha.
—¡Oh, qué dulce está esta carne! — ¡qué sabrosa está y qué
                                            [buena!
—Más dulces son los amores — de mi hermana Filomena.   45
—¡Válgate Dios, Blancaflor! — ¿quién te trajo acá esas
                                            [nuevas?
—Me las trajo un pastorcillo — que su ganado acarrea.
Se levanta de la cama — como leona carnicera,
con las mismas armas de él — diez puñaladas le pega.
La mujer que mata un hombre — la corona mereciera,   50
y al otro día mañana — la coronaran de reina.

IV

Delgadina*

Pues señor, éste era un rey — que tenía tres hijitas
y la más chiquititita — Delgadina se llamaba.
Cuando su madre iba a misa — su padre la enamoraba.
Como ella no quería — en un cuarto la encerraba;
en un cuarto muy oscuro, — donde los moros cantaban.   5
Un domingo por la tarde — Delgadina en la ventana
vio a su madre y hermanos — jugando juego de damas.
Mi madre, por ser mi madre, — me darás un poco de agua,
que del hambre y de la sed — a Dios le entrego mi alma.
—Quítate pronto, Delgadina, — quítate de esa ventana,   10
que si tu padre te ve — te dará de puñaladas.
Delgadina se fue adentro, — muy triste y desconsolada,
con lágrimas en los ojos — todo el piso lo anegaba.
Después de pasar un día, — otra vez en la ventana
vio a sus hermanos y hermanas — jugando juego de damas.   15
—Hermanos, por ser hermanos, — me daréis un poco de
[agua,
que del hambre y de la sed — a Dios entrego mi alma.
—Quítate, perra maldita, — quítate de esa ventana.
Delgadina se quitó, — toda de llanto bañada,
con las lágrimas aquellas — todo el cuarto se anegaba.   20
El domingo por la tarde — Delgadina muerta estaba;
los angelitos del cielo — repicaban las campanas
y la Virgen del Rosario — en su cabecera estaba.

---

* L. Santullano, *Romances y canciones de España y América*, pág. 304.
Esta versión es de Puerto Rico y es muy semejante a las andaluzas
Es quizá el romance más difundido en la tradición oral actual en todo
el ámbito hispánico. Pese a la crudeza de su tema es cantado muchas
veces por los niños; ha sido grabado en discos y cintas.
    Su estructura es muy particular, ya que su parte central gira alrededor
del mismo tema y representa los mismos motivos, algunos repetidos
textualmente y otros variados. (Para mayor información sobre este tipo
de estructura, cfr. M. Díaz Roig, *El romancero y la lírica popular moderna*,
páginas 65-72).

V

La mala suegra *

Se pasea Anarbola — por una sala real;
dolores la dan de parto — que la hacen arrodillar.
—¡Los balcones de mi padre — abiertos de par en par,
quién pudiera estar allí — pa parir y descansar!
La pícara de la suegra — que escuchando debe estar: 5
—Anda tú, Anarbola, anda, — si te quieres caminar,
que si don Bueso viniera — yo le daré de almorzar;
de la caza que trujiese — te guardaré la mitad,
de la paloma lo menos — y de la perdiz lo más.
Anarbola por una sala, — don Bueso por otra entrar.   10
—¿Dónde está mi espejo, madre, — donde me suelo mirar?
—¿Qué espejo preguntas, hijo, — el de vidrio o el de cristal?
—No pregunto por el de vidrio, — tampoco por el de cristal,
pregunto por mi Anarbola — que me digas donde está.
—Tu Anarbola, hijo mío, — por esos caminos va,   15
dando gritos y alaridos, — como hija de un rapaz,
de que la cierras el vino, — de que la cierras el pan,
que la pones cinta en rueca — y que la hacías hilar.
Si tú no la matas, hijo, — donde pronto la hallarás [?].
—¿Cómo quiere que la mate — no sabiendo si es verdad?   20
—Es tan verdad, hijo mío, — como hay Dios en el altar.
Deja el caballo que corre, — coge la mula que va,
ha andado siete jornadas, — un paje vino a encontrar.
—Noticias traigo, don Bueso, — noticias le vengo a dar:
Anarbola tiene un infante, — un infante tiene ya.   25

---

* N. Alonso Cortés, *Romances tradicionales,* pág. 210. Versión castellana. El tema de la suegra perversa que causa la desgracia de su nuera es muy
común en el folklore universal. El romance que ahora presentamos es uno
de los más logrados entre la multitud de relatos y poemas con este tema.
García Lorca resaltó el poder evocador de algunas de sus imágenes («Teoría
y juego del duente», *Obras completas,* Madrid, Aguilar, 1972, 17.ª ed.,
pág. 115). Su difusión es tal, que se ha prosificado y ha entrado a formar
parte de los cuentos infantiles, tanto en España como en América. Existe
una versión más simple y vulgarizada; M. Díaz Roig estudia las diferencias
entre ambos tipos de versiones en *Estudios y notas...,* págs. 131-145.

—¡Ni el infante mame leche, — ni la madre coma pan!
—¿Quién es ese señor, madre, — que malas noticias da?
—Es tu don Bueso, hija mía, — que a buscarte viene ya.
—Súbamele usté aquí arriba, — démele usté de almorzar,
démele del rico vino, — y también del blanco pan.   30
—Yo no quiero el rico vino, — ni tampoco el blanco pan,
que quiero que te levantes, — si te quieres levantar,
que otra vez que te lo diga — ha de ser con el puñal.
Aprisa pide el vestido, — aprisa pide calzar;
las monjas que la vestían — no cesaban de llorar,   35
los pajes que la calzaban — no dejan de suspirar.
—Déme usté ese paño, madre, — para mi vientre apretar,
que si otra le manchara — yo se le quiero manchar.
¡Válgame la Virgen Santa — y la Santa Trinidad,
que la mujer de un pastor — seis días en cama está,   40
yo, por ser hija de un conde, — día y medio no cabal!
Si estuviera aquí mi padre — no me dejaba marchar.
La ha montado en su caballo — y han empezado a andar.
Ha andado siete jornadas, — ni una palabrita hablar.
—Apéate tú, don Bueso, — si te quieres apear,   45
que las ancas del caballo — bañadas en sangre van,
las florecillas del campo — se tiñen como azafrán.
—Yo no apeo del caballo — hasta aquel monte llegar.
—No me dejes en el monte, — que lobos me comerán,
déjame en un vallarcito, — que pastores me verán;   50
ahora traeme un confesor, — que me quiero confesar.
—¿Cómo quieres que le traiga — si está lejos el lugar?
—No está muy lejos, don Bueso, — los gallos oigo cantar;
y me hagas la mortaja — con tu capa de granal,
y tú me harás el sepulcro — con tu divino puñal.   55
Estando en estas razones, — el niño empezaba a hablar:
—No te dé cuidado, madre, — que usted a la gloria va,
y el alma de mi abuela — en los infiernos está;
el alma de mi padre, — sabe Dios dónde se irá,
yo, pobrecito de mí, — que me voy sin bautizar.   60

VI
Bernal Francés (Corrido de Elena)*

Ahora les voy a decir — a las señoras honradas
no den su brazo a torcer — cuando se encuentren casadas.
Ya ven lo que le pasó — a la infeliz Elena:
quiso tratar en latín — teniendo su letra buena.
Noticias tuvo su esposo — que Elena era preferida: 5
cuando se encontraba sola — de un francés era querida.
Un viaje fingió su esposo — para poderlos hallar,
agarrarlos en el lecho — y poderla asesinar.
—Ábreme la puerta, Elena, — sin ninguna desconfianza;
yo soy Fernando el francés — que vengo desde la Francia.   10
Al abrir la puerta Elena — se les apagó el candil;
se agarraron de las manos, — se fueron para el jardín.
Luego la vistió de blanco, — como la sabía vestir,
tendieron cama de flores, — se acostaron a dormir.
Aquello de media noche — Elena le dijo así   15
a don Fernando el francés: — ¿Por qué no me habla usté a mí?
O tenga amores en Francia — o querrá a otra más que a mí;
no le tema a mi marido — que se halla lejos de aquí.
—No tengo amores en Francia, — no quiero a otra más que
                                                          [a ti,
no le temo a tu marido — que se halla al lado de ti.   20

---

* *Sones y gustos de la tierra caliente de Guerrero,* Disco MC-0122 del
Museo Nacional de Antropología e Historia, México, 1971. El romance de
Bernal Francés no está recogido en las colecciones antiguas, sin embargo
hay testimonios de que era muy conocido en los siglos de oro puesto que
tanto Góngora como Lope y Calderón lo parafrasean (cfr. al respecto, M.
Pidal, *R. Hispánico,* II, págs. 407-408). Es muy conocido en España. En
América, y particularmente en México, es uno de los de mayor difusión. La
versión que aquí se incluye es muy representativa de la tradición mexicana
que, por influencia del corrido, canción narrativa con características formales propias de la lírica, ha transformado muchos romances heredados, reela-
borándolos en estrofas de diferente rima. Es también un ejemplo de recreación (vv. 5-8) que afecta a la estructura del romance (cfr. Introducción,
págs. 54-55 y de la intervención del cantor vv. y 31-32), muy común en
los corridos. Sl el lector está interesado en conocer una versión monorrima,
puede consultar *Flor nueva de romances viejos,* de Menéndez Pidal, páginas 137-139.

De lo que pasó, pasó, — de otra cosa hemos de hablar:
encomienda tu alma a Dios — porque te voy a matar.
—Dispensa, esposo querido, — dispensa mi desventura;
no lo hagas tanto por mí, — hazlo por mis dos criaturas.
—Piedad, te encargo a mis hijos — recíbelos como madre,   25
si te preguntan de Elena — les dices que tú no sabes;
si te siguen preguntando — les dices que la maté,
la carne la hice cecina — y las piernas empastillé.
[A] aquello de media noche — cuando el cilindro tronó,
qué desgracia de mujer, — con tres balazos pagó.   30
Aquí se acaban cantando — los versitos de problema.
Ejemplo pa las casadas, — tengan ejemplo de Elena.

VII

La hermana cautiva*

Ya vienen los cautivos — con todas las cautivas.
Dentro de ellas, — hay una blanca niña.
—¿Para qué la traen — esta blanca niña
que el rey Dumbelo se enamoraría?
—Cortadle, señora, — el beber del vino,   5
que perde colores, — que cobra suspiros.
—Cuanto más le corto — el beber del vino,
más se le enciende — su gesto valido.
—Cortadle, señora, — el beber del claro,
que perde colores, — que cobra desmayos.   10
—Cuanto más le corto — el beber del claro,
más se le enciende — su gesto galano.
—Mandadla, señora, — a lavar al río,
que perde colores, — que cobra suspiros.
—Cuanto más la mando — a lavar al río   15
más se le enciende — su gesto valido.
Ya amaneció el día, — ya amanecería,
cuando la blanca niña — lavaba y extendía.
¡Oh, qué brazos blancos — en el agua fría!
Mi hermano Dumbelo — por aquí si pasaría.   20
—¿Qué hago, mi hermano, — las ropas del moro franco?
—Las que son de seda, — echadlos al nado,

---

* M. Alvar, *Poesía tradicional de los judíos españoles,* pág. 51. Versión de
Turquía. Este romance cumple una doble función en esta antología: ejemplificar la forma *romancillo* y la tradición sefardí. En cuanto a la forma hexasilábica, ésta es propia de las baladas de origen europeo absorbidas por el
Romancero y que conservaron su metro original (hay otras que se refundie-
ron en octosílabos, ver rom. I). En lo que se refiere a la tradición sefardí, es
este un texto muy característico debido a la presencia del paralelismo; este
procedimiento abunda en la lírica judía y ha influido sin duda en su romancero. Otra peculiaridad de los romances sefardíes es su lenguaje arcaico,
muy deformado y contaminado con palabras de la región donde se cantan.
Para este romance, ver M. Pidal, «Los romances de don Bueso».
    Esta versión también sufre una transformación del mismo tipo que la del
texto anterior ya que se da a conocer desde el encuentro el parentesco entre
los protagonistas. En la gran mayoría de las versiones este conocimiento tiene lugar al final.

las que son de sirma, — encima de mi caballo.
—Abriréis, madre, — puertas del palacio,
que en lugar de nuera, — hija yo os traigo.   25
—Si es la mi nuera, — venga a mi palacio,
si es la mi hija, — venga en mis brazos.
—Abriréis, mi madre, — puertas del cillero,
que en lugar de nuera, — hija yo os traigo.
—Si es la mi nuera, — venga en mi cillero,   30
si es la mi hija, — venga en mis pechos.

VIII

El soldadito *

—Soldadito, soldadito — ¿de dónde ha venido usted?
—De la guerra, señorita, — ¿qué se le ha ofrecido a usted?
—¿Ha visto usté a mi marido — en la guerra alguna vez?
—No señora, no le he visto, — ni sé las señas de él.
—Mi marido es alto, rubio, — alto, rubio, aragonés   5
y en la punta de la espada — lleva un pañuelo bordé
se lo bordé siendo niña, — siendo niña lo bordé,
otro que le estoy bordando — y otro que le bordaré.
—Por las señas que usté ha dado — su marido muerto es,
lo llevan a Zaragoza — a casa de un coronel.   10
—Siete años he esperado, — otros siete esperaré,
si a los catorce no viene — monjita me meteré.
—Calla, calla, Isabelita, — calla, calla, Isabel,
yo soy tu querido esposo, — tú mi querida mujer.

---

* Tradición oral, Madrid. Quisimos incluir un romance en su última
etapa de vida tradicional, es decir, convertido en canto para juego de
niños. *El soldadito* es la versión infantil de *Las señas del esposo*, romance
documentado desde antiguo (cfr. rom. 126); lo he tomado de mi propio
bagage tradicional. Se observarán en él ciertas peculiaridades propias
de estos romances, como su perfecta división en estrofas y deformaciones,
debidas a su paso por la tradición infantil («lo llevan a Zaragoza», en
vez de «lo velan en Zaragoza» y el «pañuelo bordé» por «paño de Mor-
lés»).

IX

La condesita*

Ya se ha movido la guerra — entre Francia y Portugal,
al conde Flores lo llaman — por capitán general.
La condesa que lo sabe — no hacía más que llorar.
—¿Para cuántos años, conde, — para cuántos años vas?
—Para siete voy, marquesa, — para siete nada más;   5
si a los ocho no viniera, — marquesa, te casarás.
Pasan seis y pasan siete, — cerca de los ocho van;
un día, estando en la mesa, — su padre venga a mirar.
—¿Qué me miras, padre mío? — —¡Qué te tengo que mirar!,
que han pasado siete años — y a pasar los ocho van;   10
¿por qué no te casas, hija? — ¿por qué no te casas ya?
—Padre, no me digas eso, — padre, no me digas ná,
que en mi pecho hay un escrito — que el conde viviendo está;
¿si tú me das la licencia — para salirlo a buscar?
—De mí la licencia tienes, — Dios te dará lo demás;   15
vístete de peregrino — porque nadie te haga mal.
De día por los caminos, — de noche por la ciudad,
por las montañas de Egipto, — por las orillas del mar.
Allá vio un pastorcito, — que con sus potritos va.
—Dime, pastorcito, dime, — dime la buena verdad.   20
—Señora, si yo lo sé — no se la podré negar.
—¿De quién son estos caballos — que tan gorditos están?
—Son del condesito Flores, — mañana se va a casar.
—Ese conde, ¿dónde vive? — ese conde, ¿dónde está?
—Ni pregunte por posada, — ni menos por hospital,   25
pregunte por el palacio — del capitán general.

---

* M. Pidal, *Rom. tradicional*, IV, pág. 248. Versión de Valencia. Romance muy difundido en toda España, pero poco en América. Se cree que deriva del romance juglaresco de *El conde Dirlos* (rom. 74), del cual viene a ser una especie de versión femenina. Pertenece al ciclo de los romances de tema odiséico y tiene muchas interpolaciones con otros romances del mismo tipo. En algunas regiones se une con *Gerineldo* (romance 116).

Al subir en la escalera — con el conde se encontró.
—Buenos días, señor conde. — Buenos días tenga yo.
—Déme usté una limosnita, — que bien me la puede dar,
que vengo de las Italias — y no traigo qué gastar.   30
—Si vienes de las Italias — noticias me traerás,
si una marquesa que había — es muerta o casada ya.
—Esa marquesa que había — ni es muerta y casada ya,
va por el mundo rodando — y no saben dónde está;
¿en qué la conocerías? — ¿en qué la conocerás?   35
—En los colores de cara — y en el pechito un lunar.
—En los colores de cara — ya no me conocerás,
que solamente me queda — en el pechito un lunar.
Sale su segunda novia, — que aún estaba por casar:
—¿Quién es esa aventurera — que te ha venido a buscar?   40
—No es ninguna aventurera — que me ha venido a buscar,
son mis primeros amores, — la que mi mujer será.

X

La flor del agua*

Mañanita de San Juan — cuando el sol se alboreaba,
cuando la Virgen María — de los cielos se bajaba
a lavar sus blancos pechos — y también su linda cara.
La doncella que la vio — del palacio donde estaba,
si de prisa se vestía, — más de prisa se calzaba,   5
cogió los cántaros de oro — y a la fuente fue por agua.
En el medio del camino — con la Virgen se encontraba.
—¿Dónde va la doncellita, — tan sola y tan de mañana?
—Soy hija del rey, señora, — a coger la flor del agua.
—Para ser hija de un rey — vas bien poco acompañada;   10
de condes y de marqueses — debías ir rodeada.
—Dígame usted, señorita, — solamente una palabra:
si tengo de ser soltera, — o tengo de ser casada.
—Casadita sí, por cierto, — mujer bienaventurada.
Tres hijos has de tener — que han de gobernar a España: 15
uno ha de ser rey en Sevilla, — otro ha de ser rey en Granada,
y el más pequeño de todos — ha de gobernar a España,
y has de tener una hija — que ha de ser reina en Santa Clara,
y en teniendo aquella hija — se te ha de arrancar el alma.

---

* J. M. de Cossío, *Romances de tradición oral,* pág. 134. Versión de Santander. Nos pareció oportuno incluir un romance religioso. Este que ahora presentamos, aunque no es muy característico de esta corriente, ni es de los más difundidos, es, en cambio, uno de los más bonitos y refleja antiguos ritos, todavía vivos, aunque revestidos de cristianismo, que tienen lugar la mañana de San Juan (solsticio del verano) en algunas regiones españolas (cfr. M. Pelayo, *Suplemento,* pág. 265).

Con este romance cerramos el breve apéndice con textos recogidos de la tradición oral moderna. Remitimos al lector interesado a la bibliografía incluida en las págs. 66-70 donde se citan las colecciones más importantes de estos romances.

Índice de títulos

ROMANCES HISTÓRICOS

Romances fronterizos

Romances históricos varios

Romances histórico-épicos

ROMANCES DE INVENCIÓN

Romances caballerescos

Romances novelescos

APÉNDICE

Romances de la tradición oral moderna

Índice de primeros versos

335

Índice

Colección Letras Hispánicas

426 *Doña Bárbara*, RÓMULO GALLEGOS.
   Edición de Domingo Miliani (3.ª ed.).
427 *Los trabajos de Persiles y Sigismunda*, MIGUEL DE CERVANTES.
   Edición de Carlos Romero (2.ª ed.).
428 *¡Esta noche, gran velada! Castillos en el aire*, FERMÍN CABAL.
   Edición de Antonio José Domínguez.
429 *El labrador de más aire*, MIGUEL HERNÁNDEZ.
   Edición de Mariano de Paco y Francisco Javier Díez
   de Revenga.
430 *Cuentos*, RUBÉN DARÍO.
   Edición de José María Martínez.
431 *Fábulas*, FÉLIX M. SAMANIEGO.
   Edición de Alfonso Sotelo (2.ª ed.).
432 *Gramática parda*, JUAN GARCÍA HORTELANO.
   Edición de Milagros Sánchez Arnosi.
433 *El mercurio*, JOSÉ MARÍA GUELBENZU.
   Edición de Ana Rodríguez Fischer.
434 *Tragicomedia de don Cristóbal y la señá Rosita*, FEDERICO
   GARCÍA LORCA.
   Edición de Annabella Cardinali y Christian De Paepe.
435 *Entre naranjos*, VICENTE BLASCO IBÁÑEZ.
   Edición de José Mas y Mª. Teresa Mateu.
436 *Antología poética*, CONDE DE NOROÑA.
   Edición de Santiago Fortuño Llorens.
437 *Sab*, GERTRUDIS GÓMEZ DE AVELLANEDA.
   Edición de José Servera (3.ª ed.).
438 *La voluntad*, JOSÉ MARTÍNEZ RUIZ.
   Edición de María Martínez del Portal.
439 *Diario de un poeta reciencasado (1916)*, JUAN RAMÓN
   JIMÉNEZ.
   Edición de Michael P. Predmore (4.ª ed.).
440 *La barraca*, VICENTE BLASCO IBÁÑEZ.
   Edición de José Mas y Mª. Teresa Mateu (3.ª ed.).
441 *Eusebio*, PEDRO MONTENGÓN.
   Edición de Fernando García Lara.
442 *El ombligo del mundo*, RAMÓN PÉREZ DE AYALA.
   Edición de Ángeles Prado.
443 *Arte de ingenio, Tratado de la Agudeza*, BALTASAR GRACIÁN.
   Edición de Emilio Blanco.
444 *Dibujo de la muerte. Obra poética*, GUILLERMO CARNERO.
   Edición de Ignacio Javier López

DE PRÓXIMA APARICIÓN

Contrapunteo cubano del tabaco y el azúcar, FERNANDO ORTIZ.
Edición de Enrico Mario Santí.